DAS TIMEHORIZON PRINZIP

Die Zeitmanagement-Hacks und
Produktivitäts-Tricks
der erfolgreichsten Menschen der Welt

Das Timehorizon Prinzip

Copyright (Urheberrecht) © 2019 von Dr. Julian Hosp

Für Rückfragen:

team@i-unlimited.de

Gewidmet meiner Geschäftspartnerin Patricia –

da ich ohne sie meinen Timehorizon

nie umzusetzen könnte.

INHALTSVERZEICHNIS

DANKSAGUNG

Ohne die Unterstützung einer ganzen Reihe von Leuten wäre dieses Buch nicht möglich gewesen, allen voran meinem Mentor, welcher mir die Konzepte in diesem Buch beigebracht hat.

Als nächstes möchte ich mich bei all den Leuten aus dem I-Unlimited Team bedanken, welche es mir erst ermöglichen, die Zeit zu finden, um ein solches Buch zu schreiben. Neben Patricia, welcher ich dieses Buch gewidmet habe und die sich um das gesamte Daily Business kümmert, möchte ich mich insbesondere bei Ewald Serafini bedanken, der unsere Community auf Social Media so toll betreut und als einer der ersten Testleser wertvolles Feedback zum Buch geben konnte. Und natürlich beim gesamten restlichen Team!

Meine Frau Bettina hält mir, wie immer, nicht nur im Privaten, sondern auch im Geschäftlichen jederzeit den Rücken frei und motiviert mich, nie aufzugeben, wenn ich es am meisten brauche. Was würde ich nur ohne dich machen, mein Schatz?

Ein riesiges Dankeschön geht an Korrekturleser, Setzer und Konzepteprüfer, denn ohne sie wäre dieses Buch lediglich eine Idee geblieben. Insbesondere Mark Pedevilla, da er mir genau die richtigen Fragen gestellt hat und mich durch stundenlange Telefonate dazu bewegen konnte, einige Teile komplett neu zu überarbeiten, um die Konzepte noch verständlicher zu machen. Ich habe zwar geflucht, doch es war wichtig.

Weiters möchte ich meiner Familie und meinen Freunden danken, die, egal was ich verfolge, immer hinter mir stehen.

Und natürlich möchte ich allen danken, die mir auf dem Weg geholfen haben, die ich hier jetzt aber nicht einzeln erwähnen kann. Ich schätze wirklich jeden, denn ohne unsere Erfahrungen oder Begegnungen wäre dieses Buch nicht in der Form entstanden, wie es heute ist.

I.
VON BANGKOK NACH HONGKONG

Der Flieger steht am Vorfeld des Bangkok Suvarnabhumi Flughafens bereit zum Abflug zurück nach Hongkong, wo ich seit knapp zwei Jahren mit Bettina wohne. Bettina ist meine Freundin, hoffentlich irgendwann einmal meine Verlobte und später meine Frau. Nicht jetzt, aber irgendwann einmal in der Zukunft. Ich rücke in meinem Economy-Class Sitz hin und her und bereite mich auf den Schub der Triebwerke für den Take Off vor. Der Sitz ist hart und schmal, doch zumindest hat mir die Airline aufgrund meines Airline Status den Nebenplatz freibehalten. Es sind nur ein bisschen mehr als zwei Stunden Flug – die halte ich schon aus. Zwar hätte ich mir die paar hundert Euro mehr für die Business Class ohne weiteres leisten können, doch klingen die Worte Warren Buffetts immer in meinen Ohren: „Durch den Zinseszins wird der gesparte Dollar von heute in Zukunft hunderte Dollar wert sein!"

Und genau das, Geld verdienen, sparen und investieren, habe ich in den letzten Jahren gelernt. Kurz reflektiere ich: die letzten Tage in Bangkok, die letzten Jahre. Viel ist passiert: Einige Lektionen, Fehltritte, doch vielmehr Erfolge. 2008, als ich alles durch leichtsinnige Spekulationen mit Immobilien in Brasilien und Aktien an der Börse verloren habe, liegt nun knapp sieben Jahre zurück. Von meiner verrückten Ex-Freundin, welche als Kreditkartenbetrügerin von Interpol gesucht wird, habe ich seit fünf Jahren nichts mehr gehört. Vor drei Jahren habe ich alles gekündigt und weder meine Profikitesurfkarriere noch als fertiger Mediziner die Laufbahn als Unfallchirurg verfolgt. Stattdessen bin ich 2012 nach Hongkong gezogen, um Unternehmer zu werden.

„Unternehmer" – was auch immer das bedeuten sollte. Alles habe ich in diesen letzten drei Jahren ausprobiert – egal ob Online Marketing, Affiliate Marketing, Network Marketing, Direct Sales, Immobilienverkauf, Franchising, etc. Jedes Businessmodell auf dieser Erde wollte ich nutzen, um dem Traum des erfolgreichen Unternehmers nachzukommen. Doch statt viel Geld erhielt ich meist eher viel Erfahrung: Beim Affiliate Marketing war meine Audience zu klein – bis auf Spesen, nichts gewesen. Fürs Online Marketing fehlte mir das Produkt. Beim Network Marketing erkannte ich nach anfänglichen großen Hoffnungen, dass ich auf einen Scam reingefallen war und dieses Geschäftsmodell nichts für mich war. Zudem wollte ich Freunden helfen, ihr Geld zurückzubekommen, und verlor dabei selbst 100.000 Euro – und noch dazu einige der Freunde. Nach zwei Franchiseversuchen gab ich auch hier auf und bei den Startups Caro und Rivet hatte ich ebenfalls keinen Erfolg.

Einzig und allein mit Investieren in Aktien und Immobilien hatte ich in den letzten sieben Jahren schöne Profite erzielt. Kein Wunder, so ist auch der gesamte Markt um das Drei- bis Vierfache nach oben gegangen und es brachte schon fette Renditen, wenn man einfach nur investiert hatte. Ich hatte zwar mein finanzielles Ziel von einer viertel Million Euro vor meinem dreißigsten Lebensjahr weit übertroffen – durch glückliches Timing hatte ich sogar fast eine Million Euro – doch wusste ich gerade nicht so wirklich wohin im Leben. „Schon eigenartig", geht es mir durch den Kopf, als mein Nachdenken durch die einsetzende Maschinenbeschleunigung unterbrochen wird. „Normalerweise weiß ich immer, wie ich erfolgreich werde. Warum schaffe ich das zurzeit nicht. Egal was ich probiere, ich fühle mich, als trete ich nur auf der Stelle. Ich brauche einfach jemanden, der mir die richtige Strategie gibt, um wirklich erfolgreich zu werden."

Eine Bekannte in Innsbruck hat mir empfohlen, ein Buch über all das zu schreiben – „25 Geschichten für mein Jüngeres Ich" ist daraus entstanden und gerade fertig geworden. Jetzt muss es nur noch veröffentlicht werden. Die ganze Kabine ruckelt leicht, als wir den Runway hinunterrasen – immer schneller und schneller. Eine Passagierin vor mir verkrampft leicht. „Flugangst", lächle ich nur. Welch irrationale Angst. Absolut unverständlich für mich als rational denkender „Wissenschaftler". Die Taxifahrt zum Flughafen ist um ein Vielfaches gefährlicher gewesen als der anstehende Flug.

Wir heben ab und meine Gedanken drehen sich weiter um die Geschehnisse der letzten Wochen. Ich habe gerade ein paar Leute aus dem Blockchain-Bereich kennengelernt, welche mir von Dezentralisierung und Bitcoin erzählt haben. Zwar bin ich nicht zu 100 Prozent von diesem neuen Konzept überzeugt, doch habe ich bereits 2011 von Bitcoin gehört. Eventuell wird das doch etwas? Oder ist es wieder so ein Scam, auf welchen ich schon öfter hereingefallen bin? Ob das wirklich das Richtige ist? Vielleicht später einmal? Hat ja sowieso noch Zeit und außerdem will ich eher...

Mein Gedankenprozess wird durch einen ohrenbetäubenden Knall unterbrochen. Alles ruckelt, und wir sind noch keine dreißig Sekunden in der Luft. Binnen Augenblicken schießt Rauch durch die Kabine und Geruch nach Verbranntem strömt mir in die Nase. Sofort breitet sich Panik im Flieger aus. Menschen schreien – ich wahrscheinlich auch, doch ich habe jegliches rationale Denkvermögen verloren. Ich versuche, mich zu orientieren, und sehe im rechten Fenster ein paar Lichter: Von der Stadt? Brennt irgendwas? Ich kann es nicht eindeutig sehen. Links am Fenster sehe ich nur Rauch. Hängen wir schief? Ja, wir sind eindeutig schief! Denn nach diesen Geschehnissen, welche mir wie Stunden vorkommen, sich wahrscheinlich jedoch in nur wenigen Sekunden abgespielt haben, fallen Sauerstoffmasken herunter. Und diese hängen schief in der Luft. Panisch greife ich nach der nächstbaumelnden Maske, welche eigentlich meinem nichtvorhandenen Sitznachbar gehören würde, aber aufgrund der Schräglage nun über mir hängt. „Wie setzt man das Ding auf? Warum bläst es sich nicht auf? Fuck, scheiß doch auf die Maske, wir werden sterben", denke ich voller Panik.

Im gesamten Flugzeug macht sich nun dramatische

Angst bemerkbar. Erwachsene beginnen zu zittern und fuchteln nervös herum. Kinder weinen panisch. Jeder rechnet damit, dass dies die letzten Lebensminuten sein werden. Die Horrorvorstellung aus Filmen und Nachrichten ist gerade zur Wirklichkeit geworden. Ich denke nur eines: „Meine Familie, meine Freundin Bettina und alle meine Freunde – Ich werde sie nie mehr wiedersehen. Mann, all die Möglichkeiten, welche ich nie genutzt habe!" Meine Gedanken beginnen zu rasen, überschlagen sich fast. Es ist wahr:

Wenn man glaubt es sei das Ende,

denkt man nicht an all die Dinge,

welche man getan hat,

sondern, welche man verpasst hat.

Man denkt an den Menschen,

der man hätte sein können.

Verpasste Momente mit den wichtigsten Menschen, ungenutzte Möglichkeiten, nichtergriffene Chancen, unbegründete Ängste, zu scheitern. „Ich muss Bettina sagen, dass ich sie liebe!" Ich greife nach meinem Handy und schalte den Airplane-Modus aus. Ich versuche, sie anzurufen, bekomme jedoch kein Netz. „Verdammte Scheiße, das gibt es doch nicht!" Rasch tippe ich eine SMS: „Schatz, unser Flieger hat ein Problem, und ich bin mir nicht sicher, ob ich das überleben werde. Egal was passiert, vergiss nie: ich liebe dich unendlich doll!" Tränen kullern mir beim Schreiben über die Wange. Ich weiß nicht, wann ich das letzte Mal in meinem Leben überhaupt je geweint habe. Ich weine, nicht weil ich Angst vor dem Tod habe, sondern aus Wut, weil ich so vieles nicht getan, nicht genutzt, nicht unternommen habe: Der Frust, Lebenszeit verschwendet zu haben. Ich wollte noch so viele Dinge in meinem Leben erreichen und erleben, doch dazu wird es...

In diesem Moment reißt mich ein Announcement des Piloten aus meinen depressiven Gedanken (zwar auf Englisch, ich schreibe es hier auf Deutsch): „Ladies und Gentlemen, es tut mir leid, was gerade passiert ist ..."

„Fuck, das war's – selbst der Kapitän muss eingestehen, dass wir abstürzen!" Will ich seinen Satz fertig führen.

„... Wir haben kurz nach dem Take-Off das rechte Triebwerk verloren, wodurch es zu dem extremen Rütteln und der leichten Rauchentwicklung in der Kabine gekommen ist. Wir haben nun das rechte Triebwerk abgeschaltet und fliegen mit dem linken auf Vollschub. Der Tower weiß bereits Bescheid, wir drehen um und landen. Meine Damen und Herren, Sie brauchen sich keine Sorgen zu machen, dieses Manöver ist eine Routineoperation. Ich bitte vielmals um Entschuldigung für die entstandenen Unannehmlichkeiten."

Totenstille im Flieger. Jeder hat andächtig der Ansage zugehört. Das Schreien und Weinen haben aufgehört. „Entstandene Unannehmlichkeiten", wiederhole ich nur. „Es besteht also Hoffnung, dass

wir aus diesem Schlamassel heil herauskommen?"
Tatsächlich, der Flieger ist wieder gerade ausgerichtet, und am Bildschirm kann ich erkennen, dass
wir uns auf den Landeanflug vorbereiten. All meine
Gedanken kreisen nun allein um die Frage, ob wir
wirklich sicher mit nur einem Triebwerk landen
werden. Am Bildschirm sehe ich die Flughöhe: 400
m, 300, 200, 100 ... Voller Anspannung halte ich, so
wie wahrscheinlich jeder andere im Flieger, den Atem
an. Wir peilen leicht schräg die Landebahn an, das
Fahrwerk greift und richtet den Flieger gerade aus.
Das Aufsetzen ist überraschend sanft und der Kapitän
bremst das Flugzeug stark ab. Im Flieger bricht toben-
der Jubel aus und zum allerersten Mal in meinem Leben klatsche ich nach einer erfolgreichen Landung
mit.

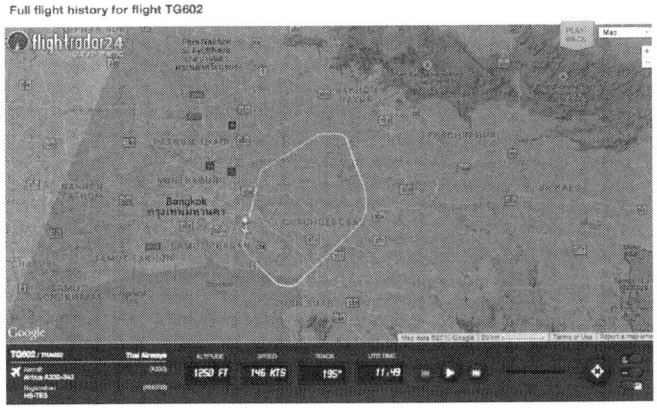

Full flight history for flight TG602

In diesem Moment klingelt das Telefon, am Display
steht: Prinzessin. „Fuck, die SMS ist tatsächlich durchgegangen, das habe ich vollkommen vergessen!" Ich
hebe ab, Bettina ist voller Furcht am anderen Ende

der Leitung. Sofort versuche ich, sie zu beruhigen. Wir beide haben Freudentränen in den Augen und sagen uns, dass wir uns lieben. ich muss jedoch gleich wieder auflegen, da die Feuerwehr und die Rettung am Flughafen aufgrund der Notlandung alarmiert worden sind. Der Flieger kommt zum Stillstand und, wie in einem Film werden alle Passagiere von Hilfskräften zu Autos begleitet und bei Bedarf psychologisch betreut.

Zurück im Terminal, rufe ich zuerst noch einmal Bettina und danach meine Eltern an. Ich schildere, was passiert ist, und bemerke dabei, wie ich immer noch leicht unter Schock stehe. Zumindest ist alles gut gegangen. Ein Sprecher der Airline verkündet uns, dass wir eine neue Maschine bekommen werden, mit der wir nach Hongkong aufbrechen werden. Bei dem Gedanken, noch einmal in einen Flieger zu steigen, wird mir immer noch leicht mulmig. Doch besser jetzt sofort, als zu lange zu warten, und sich danach gar nicht mehr zu trauen. Um mir ein bisschen mehr Zuversicht zu geben, rufe ich einen guten Freund an, welcher Pilot bei der Lufthansa ist. Ich schildere ihm die Situation und seine Reaktion haut mich aus den Socken: „Haha, wie cool. Du wirst es nicht glauben Julian, aber wir Piloten würden uns freuen, wenn wir so ein Szenario nicht nur im Simulator, sondern auch einmal in der Realität erleben würden. Triebwerksausfälle trainieren wir praktisch nonstop. Ich meine, klar, keiner will so etwas wirklich durchmachen, doch glaube mir, das war für den Piloten wirklich nur ein Routinemanöver.“

Das ist zumindest ein bisschen beruhigend – zu

wissen, dass dies einfach nur ein Wake–Up-Call für mich gewesen ist. Ein Wake-Up-Call, der zwar seitdem bei jedem Flug in mir Flugangst auslöst, doch auch ein Weckruf, mein ganzes Zeug auf die Reihe zu bringen.

**Nicht morgen, nicht irgendwann,
sondern heute und jetzt!**

2.
UNORGANISIERT, GESTRESST UND CHAOTISCH

Bereits während des Ersatzflugs nach Hongkong reflektierte ich, was denn dazu geführt hatte, dass ich so ein unorganisiertes, gestresstes und chaotisches Leben führte. „Das war doch früher nie so!" Ich dachte tiefer und noch detaillierter über meine Erinnerung nach. Es gab früher einmal Zeiten, in denen ich mich unglaublich produktiv gefühlt habe, in denen ich alles umsetzen konnte. Ja, es gab auch Zeiten, da ging gar nichts vorwärts. Doch so ein Tief wie in den letzten Monaten, vielleicht sogar Jahren, hatte ich noch nie. Ich überlege also weiter und versuche, eine Erklärung zu finden.

In der Kindheit brauchten wir uns über „Zeit" praktisch keine Gedanken zu machen. Andere übernahmen das für uns. Meist waren es unsere Eltern, welche uns erklärten, was wir wann zu tun hatten. Schule oder Sport diktierten ebenfalls unseren Zeitplan. Wir machten uns in diesem Alter keine Gedanken darüber, wie wir unsere Zeit nutzten oder einteilten.

> *Wir lernen als Kinder weniger dadurch,*
>
> *was man uns sagt,*
>
> *sondern dadurch, was man uns vormacht.*

Gingen die eigenen Eltern schlau mit ihrer Zeit um,

so bekamen wir das als Kinder unterbewusst mit und kopierten dieses Verhalten zumeist. Gab es sinnlose Regeln, bspw. zur Pünktlichkeit in der Schule, so ignorierten wir diese oft. Wurden solche Regeln jedoch innerhalb eines Sportvereins oder einer Musikgruppe aufgestellt, welcher wir angehören mochten, so fiel es uns meist leicht, uns an einen Zeitplan zu halten.

In meiner Kindheit war bei meiner Mutter zum Beispiel immer alles sehr durchgeplant. Sie stand gleichzeitig mit meiner Schwester und mir auf, es gab gemeinsam Frühstück, wir wurden in die Schule geschickt, mussten danach wieder zu Hause sein und Hausaufgaben machen, um uns dann am Nachmittag sportlich zu betätigen. Fernsehen gab es immer nur dann, wenn bereits alles andere erledigt war. „Erst die Arbeit, dann das Spiel", war ihre Devise. Ich stellte mir bei all dem keine tieferen Fragen, sondern tat dies, weil sie es uns nicht nur vorgab, sondern es vielmehr vorlebte. Gleichzeitig sahen meine Schwester und ich die Vorteile in ihrem Erziehungsstil: wir waren ausgezeichnet in der Schule, meist sportlicher als die anderen Kinder und erlebten stets tolle Sachen. Viele der Grundzüge von damals haben sowohl meine Schwester als auch ich heute unterbewusst automatisch übernommen.

„Ist man nun absolut verloren, nur weil einem die Eltern kein striktes Zeitmanagement vorgelebt haben?", ging es mir durch den Kopf. Ich überlegte.

Offensichtlich stimmte der Gedanken nicht, denn ich kannte mehr Menschen, welche als Erwachsener gegen die Grundprinzipien ihrer Kindheit rebellierten und mit Absicht etwas anderes machten, als ihnen damals vorgelebt worden war. Bei einem guten Freund von mir, mit dem ich zur Grundschule gegangen war, war genau dies passiert. Bei ihm war es sein Vater, der sich stark um ihn gekümmert hatte. Als ich ihn vor ein paar Jahren wieder traf, war jedoch von alldem keine Spur: Er hatte sein Studium abgebrochen, fand keine Arbeit, und seine Freundin wollte nichts mehr mit ihm zu tun haben. Es war schlimm, mitanzusehen, wie sich ein Mensch zum Trotz gegen den eigenen Vater selbst boykottierte, anstatt das Vorgelebte einfach nur weiter umzusetzen. Gleichzeitig habe ich sehr oft Menschen getroffen, welche eine absolut chaotische Kindheit hinter sich hatten, dann jedoch etwas taten, um ihr Leben zu ändern. Dies ist einer der wichtigsten Punkte, wenn es um mentale Einstellung zu so ziemlich jeder Sache im Leben geht – das habe ich im Profisport gelernt.

> *„Du musst davon überzeugt sein,*
>
> *dass du aus eigener Kraft*
>
> *und eigener Verantwortung*
>
> *Dinge in deinem Leben verändern*
>
> *und somit jegliches Resultat*
>
> *erreichen kannst, wenn du nur willst!"*

Bei mir hing diese Erinnerung fett eingerahmt im Büro, denn ich sah diesen „Growth Mindset" schon immer als absolut essenziell für den Erfolg an – ganz egal ob finanzieller, beruflicher, beziehungstechnischer oder sonstiger Erfolg. Man muss davon überzeugt sein, dass man sein Schicksal selbst in der Hand hat. Sonst ist man der Umwelt hilflos ausgesetzt und treibt wie ein Schiff ziellos durch die Weltmeere.

Ich reflektierte weiter über meine Kindheit: Als ich ein bisschen älter wurde, trat ich einem Basketballverein bei. Neben dem Lernen in der Schule hatte ich nun einen komplett neuen Faktor in meinem Tagesablauf: Sport. Nachdem ich jedoch in einem Team spielte, brauchte ich mich selbst nicht um die Koordination des Was, Wann und Wo kümmern – dies machte unser Trainer. Trotzdem erkannte ich eines schon sehr früh: Wenn ich um 6:00 Uhr aufstehen musste, weil ich etwas lernen sollte, fiel mir dies enorm schwer, obwohl ich wusste, dass es ziemlich wichtig für die Schule wäre. Wenn jedoch unser Basketballtrainer wollte, dass wir ein Morgentraining vor der Schule gemeinsam mit dem ganzen Team machen würden, so war ich sogar noch vor dem Wecker wach – Und dass, obwohl das Training eigentlich härter war als das Lernen. Warum war dies so?

„War es, weil es uns leichtfällt, Opfer für etwas zu bringen, das uns Spaß macht?" Ich hatte dies schon öfter gelesen, und viele „Erfolgs-Coaches" lehrten dies. Ich hatte jedoch ein Problem mit der Aussage: „Wie passt das zum Beispiel mit meinen Frühtrainings zusammen, wo mir alles wehtut und das Training selbst auf keinen Fall Spaß macht?" Trotzdem war ich immer pünktlich vor Ort. Da erinnerte ich mich an etwas, was ich in der Medizin bereits gelernt hatte: es ging gar nicht so sehr um den Spaß, es ging um die potentielle Strafe.

„Diese Schlussfolgerung trifft doch auf so ziemlich alles im Leben zu?", erkannte ich. Ich ging Dinge dann an, wenn die Strafe, sie nicht zu tun, größer war als der Aufwand, die Sache zu erledigen. In meinem Fall damals hieß das: Früh morgens zu lernen, war schlimmer als schlechte Noten in der Schule bzw. eine Gardinenpredigt meiner Mutter. Deshalb lernte ich auch so ungern um 6:00 Uhr in der Früh. Beim Basketball sah dies jedoch anders aus: ich wollte meine Mitspieler auf keinen Fall enttäuschen oder es sogar riskieren, aus dem Team zu fliegen. Deshalb fiel es mir auch ganz leicht, früh morgens aufzustehen und das harte Training über mich ergehen zu lassen.

Es war derselbe Grund, warum ich ohne Probleme aufstehen konnte, wenn ich zum Flieger musste: weil ich ihn nicht verpassen wollte. Es war auch der Grund, warum nur so wenige Menschen mit dem Rauchen aufhören konnten. Sobald sie jedoch Kinder in die Welt gesetzt hatten, fiel es ihnen ganz leicht, denn man wollte die eigenen Kinder nicht schädigen. Genau aus demselben Grund ließ man auch gerne einmal das Zähneputzen aus, man würde sich jedoch trotzdem kämmen, rasieren oder als Frau schminken. Doof angeguckt zu werden, weil man unordentlich aus dem Haus ging, war auf den ersten Blick deutlich schlimmer als ungeputzte Zähne. Wollte man Dinge also umsetzen, musste die potentielle Strafe, etwas nicht zu erledigen, größer sein als die Energie, die aufgebracht werden musste, um etwas zu tun.

„Spannend", dachte ich, „damals habe ich das schon in einem solch jungen Alter unbewusst umgesetzt! Doch, wie ist es danach weiter gegangen?"

Mit fünfzehn Jahren zog ich dann nach Amerika – für den Traum, Basketballprofi zu werden. Plötzlich hatte ich eine komplett neue Herausforderung: nichts war mehr wie gewohnt: Eine neue Schule, ein neues Umfeld und ein neues Sportteam. Alles fühlte sich anders an als zuvor in Österreich, und binnen kürzester Zeit wurde mein gesamter Rhythmus über den Haufen geworfen. Ich tat mich nun mit dem Lernen in der Schule und dem Sport unglaublich schwer – etwas, dass ich zuvor nicht gewohnt gewesen war. „An was hat das gelegen? An meinem Englisch?", nein, an etwas, das mir erst jetzt so richtig klar wurde: Gewohnheiten. Genau diese Abläufe, welche ich zuhause über Jahre hinweg aufgebaut hatte, waren nun weg und ich musste für mich einen neuen Tagesablauf mit Lernen, Sport und Freunden kreieren.

Kaum hatte ich den für mich gefunden, kam eine neue Herausforderung auf mich zu: Der sogenannte SAT (Scholastic Assessment Test), welcher ein Intelligenztest war und einer Unizugangsberechtigung ähnelte. Klarerweise wollte ich hier besonders gut abschneiden, doch ich stand vor einem mir noch nie dagewesenen Problem: der Lernstoff war so umfangreich und unübersichtlich, dass ich nicht wusste, wo ich anfangen sollte. Außerdem hatte ich niemanden, der mir wie im Sport oder in der Schule eine Struktur verschaffte.

Schritt für Schritt verstand ich also, den ganzen Lernstoff zu unterteilen und mir regelmäßige Lernzeiten in der Mittagspause zu nehmen. Die Disziplin hierfür fiel mir zwar nicht immer leicht, jedoch der Gedanke daran, nicht an eine top Uni zu kommen, half mir, den Schmerz, in diesem Moment lieber etwas anderes zu tun, zu unterdrücken. Bis zu diesem Zeitpunkt hatte ich noch nie wirklich etwas so Großes unterteilen müssen, und es war eine wichtige Lektion für später: Als ich begann, Medizin zu studieren, und gleichzeitig Profi-Kitesurfer sein wollte, war es nicht immer einfach, Pathologie an den schönsten Stränden der Welt zu lernen, anstatt mit Freunden auszugehen und Party zu machen. Doch ein klares Ziel am Ende konnte die schweren Stunden deutlich versüßen und solange ich ein 1000-Seiten Buch in einzelne Stunden aufteilen konnte, konnte ich ein ganzes Medizinstudium mit Bestnoten während des Kitesurfens absolvieren.

Je älter ich jedoch wurde, desto mehr Dinge umgaben mich, welche meine Zeit benötigten. Kaum war ich mit dem Studium fertig, hatte ich eine Freundin und ebenfalls einen Job als Arzt. Wie sollte ich das alles mit meinen eigenen Bedürfnissen an Freizeit und Sport unter einen Hut bringen? Zumindest war ich als Arzt Angestellter und hatte somit einen relativ geregelten Tagesablauf. Trotzdem war alles bei weitem chaotischer, als noch nur wenige Jahre zuvor, wo ich „lediglich" Studium und Sport hatte vereinen müssen.

Nach nur wenigen Jahren im Krankenhaus beschloss ich jedoch, dass ich wieder mehr Freiheiten in meinem Tagesablauf wollte. Ich kündigte meinen sicheren Job, um Unternehmer zu werden.

Nun konnte ich meine Prioritäten im Leben – wie das Kitesurfen – relativ frei angehen, also genau das, was ich wollte. Doch der Nachteil war, dass ich mir als Prioritäten im Leben eben unglaublich viele Freiheiten vornahm und nun nicht mehr wusste, was ich denn alles wann, wie und mit wem erledigen wollte.

Wie jedem anderen Menschen standen auch mir nur 24 Stunden am Tag zur Verfügung. Doch die Balance zu finden, auf was man sich wann und wie genau fokussierte, war durch die immer zahlreicher werdenden Faktoren zum zentralen Problem für mich geworden. Als Kind war dies noch leicht, als Jugendlicher noch machbar, doch jetzt als Erwachsener mit Job, Familie, Freizeit, usw. wusste ich all diese Dinge vor lauter Chaos nicht mehr.

Dutzende Fragen spukten mir durch den Kopf:

Sollte ich mich mehr aufs Business und Geldverdienen konzentrieren?

Sollte ich lieber etwas Langfristiges aufbauen oder jetzt das schnelle Geld machen?

Sollte ich Angestellter sein oder Selbstständiger?

Sollte ich mich mehr um meine Frau kümmern?

Sollte ich mich mehr mit Freunden treffen und Zeit mit ihnen verbringen?

Sollte ich etwas Neues lernen?

Musste ich mehr Sport betreiben?

Sollte ich mehr Zeit damit verbringen, anderen Menschen zu helfen?

Sollte ich nicht doch lieber eine tolle Reise machen?

Spiritualität sagt doch, dass ich (mich) weniger stressen sollte – was nun?

Usw.

Fragen über Fragen, welche mich komplett verwirrten und mich schlussendlich in genau die enttäuschte Lage brachten wie nun im Flieger von Bangkok nach Hongkong. Am liebsten hätte ich zu allem gleichzeitig „Ja" gesagt. Gedankenverloren nahm ich die Kotztüte und einen Stift aus dem Sitz vor mir und kritzelte darauf herum. Einerseits nannte ich Business und Geld als Thema, welches mich so verwirrte. Dann all die Beziehungen und Familie. Am Ende noch mich selbst, meine Gesundheit und Dinge, welche ich lernen wollte. Alle wollten meine Aufmerksamkeit und meinen Fokus, und ich wusste nicht, auf was ich mich wie sehr konzentrieren sollte. Ich kringelte die drei Gruppen ein und verband sie mit drei Linien:

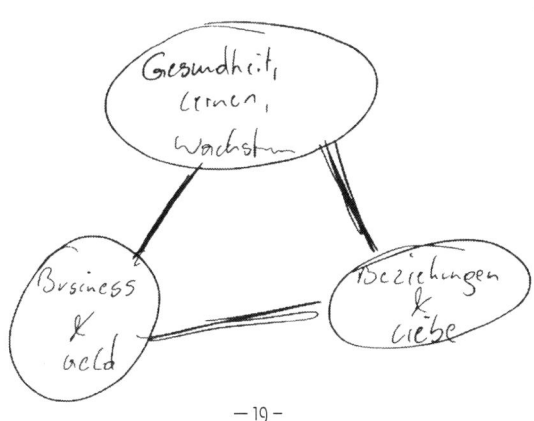

In diesem Moment erkannte ich etwas Essenzielles: **„Ich muss versuchen, die Fläche des Dreiecks zu maximieren**. Je größer die Fläche des Dreiecks ist, desto besser muss ich zwangsweise mit all den Faktoren umgegangen sein. Wenn ich die maximale Fläche aus diesem Dreieck herausholen will, bringt es nichts, mich nur auf eine oder zwei Ecken zu fokussieren und die dritte zu vernachlässigen, denn das Dreieck wird so keine Fläche bilden, sondern bleibt nur eine Linie." Ich kritzelte erneut ein schlechtes Dreieck zur eigenen Demonstration auf die Tüte:

Am liebsten hätte ich die Fläche des Dreiecks so maximiert, dass ich volle Zeit fürs Business und Geld hätte, mich trotzdem um meine Frau und Familie kümmern könnte und ich die absolute Sportskanone mit dem Traumbody und all den neuen Fähigkeiten wäre. Wer will das nicht? „Wahrscheinlich fast alle Menschen auf dieser Welt", dachte ich nur, „doch wir haben nur 24 Stunden am Tag und so wägen wir alle diese Punkte gegeneinander ab und versuchen unser Bestes, bewusst oder unbewusst, aus den drei Faktoren ein so großes Dreieck wie möglich für uns zu kreieren."

So saß ich nun geistesabwesend auf das Dreieck

blickend im Flieger und erkannte meinen Fehler: Bei dem Versuch, alles zu maximieren, hatte ich mich auf nichts fokussiert. Bisher war ich wie ein kopfloses Huhn herumgerannt, wie ein Irrer, der immer dem nächsten tollen Ding nachgelaufen war. Uh, neue Geschäftsmöglichkeit, uh, Beziehung, uh, Geldverdienen, uh, Gesundheit, usw. Nichts war strukturiert oder geplant – ganz im Gegenteil:

Mein eigenes Dreieck sah nicht wie ein Dreieck aus, sondern vielmehr wie ein Gekritzel ohne klaren drei Ecken:

Chaos pur – Ich war überrascht, wie klar mir eigentlich all diese Dinge nun wurden, und dass ich sie trotzdem nicht gut umgesetzt hatte.

Es war ein typischer Fall von unbewusster Inkompetenz, welchen ich gerade in bewusste Inkompetenz geändert hatte.

Der nächste Schritt wäre also bewusste Kompetenz, bis ich dies irgendwann auf so natürliche Weise machte, dass es zur unbewussten Kompetenz wurde:

> *Unbewusste Inkompetenz →Bewusste Inkompetenz →*
>
> *Bewusste Kompetenz → Unbewusste Kompetenz*

Was damals zu meiner bewussten Inkompetenz wurde, sollte später zum **Timehorizon-Dreieck** werden (warum ich dieses Wort auf Englisch und nicht auf Deutsch als Zeithorizont beschreibe, erfährst du gleich später):

Die drei Gruppen:

Beruf/Business/Geld,

Beziehungen/Familie/Freunde

und **Gesundheit/Lernen/Selbst**

bilden ein Dreieck, bei dem es gilt,

die maximale Fläche herauszuholen.

„Warum war es jedoch so schwer, die Fläche das Dreiecks zu maximieren?", fragte ich mich. „Wie viele Menschen kenne ich, bei denen ich sagen würde, dass sie Business und Geld, Familie und Freunde sowie Gesundheit und Lernen vollkommen perfektioniert haben? Zu wem schaue ich hoch? Hmmm."

Mein Gehirn ratterte. Kannte ich wen? Unternehmer wie Elon Musk? Er war zwar unternehmerisch mega erfolgreich, aber ich wollte nie seine horrende Familiensituation oder seinen komplett zerstörten Körper haben. Wie sah's mit einigen der Yogis oder spirituellen Menschen aus, welche ich kannte? Zwar respektierte ich sie für all die Zeit, welche sie mit sich selbst, ihrem Geist und Körper verbrachten, doch wollte ich nie mit ihnen tauschen. Mir würde das Geld fehlen, welches mir bisher tolle Reisen, Erlebnisse und so manch anderen Spaß ermöglicht hatte. Ich kannte zwar auch wirklich viele tolle Familienväter, doch identifizierte ich mich sehr über Business und Sport und wollte daher „nicht nur", sondern „auch" Familie. Alle schienen dasselbe Problem zu haben: zur gleichen Zeit dutzende

Wünsche, auf welche man sich fokussieren wollte, ohne zu wissen, wie, wo, wann genau man beginnen sollte. Am Ende war man verwirrt und machte alles entweder so chaotisch wie ich oder entschied sich, einfach gar nichts mehr zu tun – und genau an diesem Punkt war ich damals voller Frust, Ärger und Verzweiflung angelangt.

„Das gibt's doch nicht. Irgendwie muss es doch möglich sein, diese Dinge erfolgreich zu vereinen!", dachte ich halblaut, sodass ein anderer Passagier auf der anderen Seite des Ganges zu mir herblickte. Ich nickte nur leicht verlegen und vertiefte mich sofort wieder in meinen Gedankenprozess. Da erinnerte ich mich an viele Dinge, welche ich als Sportler im mentalen Training gelernt hatte:

> *„Fragen sind die Antworten.*
>
> *Willst du gute Antworten,*
>
> *brauchst du gute Fragen."*

Ich wollte gute Antworten – doch ich wusste die Fragen nicht. „Wie komme ich aus diesem Chaos raus, in dem ich bin? Wie kann ich die Dinge auf dem Dreieck vereinen?" So fest ich auch nachdachte, ich konnte mir keinen Reim daraus machen. Ich wollte aber eine Lösung. Denk Julian, denk!

Da hatte ich einen Geistesblitz: „Was war die limitierende Ressource, um das Dreieck zu maximieren?" Ganz klar: Zeit! Was war denn diese **„Zeit"** und wie konnte ich sie nicht mehr zum limitierenden Faktor für mich machen. „Was musste ich verstehen, um dieses Problem zu lösen?" Dies war eine der wichtigsten Fragen überhaupt. Klar, bisher war ich davon ausgegangen, dass ich das Konzept „Zeit" verstanden hatte, doch tat ich das wirklich? Fragen über Fragen, welche auf dem Flug auf mich einprasselten und welche ich nun verstehen wollte.

3.
DAS ARBEITSBUCH

Bevor ich allerdings mit dem Thema Zeit beginne, möchte ich dir ein paar wichtige Umgangstipps zu diesem Buch geben. Vielleicht bist du dir noch unsicher, was du von diesem Buch generell erwarten darfst. Dies ist eine wichtige Frage, und ein paar kurze Einblicke möchte ich dir dazu jetzt schon geben:

Wir werden auf komplett neue Art und Weise an das Thema Zeit herangehen, so wie du es sonst noch nie in einem anderen Buch gelesen hast.

Wir werden über die absolut wichtigste Fähigkeit erfolgreicher Menschen sprechen – und ja, egal was für dich Erfolg bedeutet, sie trifft auf alle Menschen zu.

Wir sprechen darüber, warum das Konzept „Wichtig vs. Dringlich", welches oft von Zeitmanagement-Coaches gepredigt wird, nicht gut passt und was tatsächlich essenziell ist.

Wir sprechen darüber, warum das Verstehen von Konzepten oft viel wichtiger ist, als das strikte Ausführen von Abläufen. Taktik ist genauso wichtig wie Strategie. Falls dir das nichts sagt, wirst du dies noch genau zu verstehen lernen.

All die Dinge, welche ich in diesem Buch beschreibe, sind keine „Möchtegern-Theorien", sondern harterprobte Praktiken. Wie du vielleicht weißt, bin ich überhaupt kein Fan von Theoretikern. In der Theorie können

Hummeln auch nicht fliegen, in der Praxis aber schon. Genau so ist es leider bei vielen Binsenweisheiten, welche Pseudoexperten von sich geben, die zwar erst gut klingen, aber im wahren Leben dann nichts bringen.

Falls dich diese Dinge interessieren, du bereit bist, an dir zu arbeiten, und für Veränderungen offen bist, dann ist dieses Buch genau das richtige für dich. Du wirst damit Resultate erlangen, welche du dir zwar schon erträumt hast, jedoch nie in die Tat umsetzen konntest. Ich weiß das, weil ich aus eigener Erfahrung spreche. Du denkst vielleicht, dass ich dieses Buch für andere Menschen geschrieben habe – das ist lediglich zu 1 Prozent richtig. Zu 99 Prozent habe ich es deshalb geschrieben, damit ich meine Zeit selbst noch besser nutze. Man lernt selbst am besten, indem man etwas so verfasst, als würde man es weitergeben wollen. Ich lebe die Punkte in diesem Buch jeden Tag – na gut, nicht jeden Tag, aber fast jeden. Okay, nicht fast jeden, aber öfter als überhaupt nicht – und das Wichtige daran: Das reicht!

> *Man muss nicht perfekt sein,*
>
> *ganz im Gegenteil:*
>
> *oft reicht es, etwas nicht perfekt,*
>
> *sondern nur oft genug zu tun.*

Falls du noch skeptisch bist, ist das absolut okay – man sollte Dinge nie einfach für bare Münze nehmen, sondern immer kritisch und rational hinterfragen. Falls du allerdings nicht offen für Neues bist, sondern sogar glaubst, dass du bereits das Maximum aus deiner Zeit herausholst und sowieso schon der Herrscher aller Weltmeere bist, kannst du dieses Buch getrost beiseitelegen.

Ich kann davon ausgehen, dass du bereits Milliarden besitzt, den Job deiner Träume hast, in der erfüllendsten Beziehung deines Lebens bist und deine Zeit für all die Dinge nutzt, welche dir so richtig Spaß machen. Nein? Glaubst du dennoch nicht, dass dir das Buch helfen wird? Nichts ist gefährlicher als das Unwissen von dem, was man alles nicht weiß.

> *„Es bringt dich nicht das Auto*
> *um, das du KOMMEN siehst,*
> *sondern das, das du NICHT siehst!"*

Falls du mir das nicht glaubst, lass mich dir sagen, dass ich meine Aufgabe nicht darin sehe, dich davon zu überzeugen, dass du Blindspots hast – so wie absolut jeder andere Mensch auch.

Meine Aufgabe in diesem Buch ist, all jenen Menschen – und hoffentlich auch dir – zu helfen, welche wie auch ich genau wissen, dass wir noch viel mehr aus uns herausholen können, mehr Spaß im Leben haben können und viele weitere tolle Dinge erleben dürfen, wenn wir diese eigenartige Sache namens „Zeit" besser für uns nutzen könnten. Und ich hoffe, dass du genau wie ich zu der Gruppe von Menschen gehörst, die begriffen haben, dass wir eben noch vieles nicht wissen – und dass du einiges aus diesem Buch lernen, und noch viel wichtiger, umsetzen wirst.

Wenn du verstehst, von was ich da schreibe, und denkst, dass dir dieses Buch einen immensen Mehrwert bringen könnte, so lass mich dir noch einen Tipp geben: Du kannst dieses Buch einfach nur durchlesen, so wie du vielleicht viele andere Bücher bereits auch gelesen hast. Falls du jedoch ein anderes meiner Bücher, wie z.B. „Grenzenlos Erfolgreich", gelesen hast, weißt du, dass ich ein großer Fan des aktiven Mitarbeitens bin. Du solltest etwas, das du lernen willst, am besten so durcharbeiten, als müsstest du es deinem (zukünftigen) Kind oder einem anderen wichtigen Menschen in deinem Leben erklären, damit er dies alles ebenfalls lernen kann. Deshalb habe ich dir ein Arbeitsbuch angehängt. Darin findest du nach jedem Kapitel ein paar Fragen zum Reflektieren und zum Überlegen, ob du das Kapitel für dich verstanden hast und was das Gelernte für dich bedeutet. Dabei durchläufst du automatisch den gleichen Gedankenprozess, welchen ich auch durchlaufen habe, als ich vor Jahren das Timehorizon Prinzip bei meinem Mentor (welchen du noch kennen lernen wirst) zum ersten Mal verstanden habe:

www.i-unlimited.de/timehorizon/arbeitsbuch

Wichtig: bei den meisten Aufgaben gibt es kein Richtig oder Falsch, vielmehr dient das Arbeitsbuch dazu, dass du reflektierst und deine Gedanken sortierst. Manchmal werden dich ein paar Fragen frustrieren oder du wirst sie blöd finden – das ist mit Absicht so gewollt. Du wirst feststellen, dass du – wenn du mal richtig frustriert bist und aber dennoch weiter machst – danach oft eine komplett neue Erkenntnis für dich erlangst – genau wie ich damals im Flieger auch. Dies wird deine Umsetzungskraft nur noch verstärken und dir viel schneller ermöglichen, deine Ziele danach zu erreichen. Lade dir das Arbeitsbuch also am besten sofort herunter und halte es beim Durchlesen dieses Buchs bereit:

www.i-unlimited.de/timehorizon/arbeitsbuch

Eine Sache noch zum Schluss: meine Mutter hat mich immer gelehrt, dass man im Leben nur eine einzige Sache aufgibt: einen Brief. Nichts anderes, und schon gar nicht das, was du einmal angefangen hast. Das bedeutet für dich: dies ist deine letzte Chance, aufzugeben und mit diesem Buch aufzuhören. Falls du weitermachst, was ich natürlich hoffe, so heißt dies, dass ich davon ausgehen kann, dass du es bis zum Ende durchziehst!

Deal?

Perfekt.

Starte jetzt am besten gleich mit dem Arbeitsbuch und beantworte die folgenden Fragen, bevor du zum nächsten Kapitel übergehst:

Was ist Zeit für dich? Wie würdest du „Zeit" definieren?

Gab es schon einmal eine Zeit in deinem Leben, wo du gefühlt „gut" mit deiner Zeit umgegangen bist? Falls ja, wann und wie?

Wer sind deiner Meinung nach zwei oder drei Personen, welche sehr gut mit ihrer Zeit und ihrem Timehorizon Dreieck umgehen? Warum glaubst du das? Wie zeigt sich ihr vorbildlicher Umgang mit der Zeit für dich?

Und noch mal: Ziehst du das Buch wirklich durch? Wenn nein, gib es zurück und mach was anderes. Falls ja, mache ein Commitment mit dir selbst und schreibe den folgenden Satz noch einmal hin:

„Ich werde dieses Buch bis zum Ende durcharbeiten."

Jetzt unterschreibe diesen Satz mit dem Datum von heute. Ja, das meine ich ernst. Los, schließlich darfst du von mir auch verlangen, dass ich alles gebe und nicht einfach mitten im Buch mit dem Schreiben aufhöre. Also darf ich von dir verlangen, dass du es bis ans Ende durcharbeitest.

Gehen wir nun zurück zum Thema und überlegen uns, was „Zeit" bedeutet.

4.
ZEIT GLEICH GELD

Ich gehe davon aus, dass du die Fragen im Arbeitsbuch von zuvor durchgearbeitet hast. Darin waren bereits ein paar Denkanstöße zu diesem Thema, welche dich angespornt haben sollten, darüber nachzudenken, was Zeit eigentlich ist und wie du diese nutzt. Ich kann mir vorstellen, dass du recht gelangweilt über diese Dinge nachdenkst, denn genauso ist es mir damals im Flieger auch ergangen: Zeit war viel zu logisch, um mir darüber den Kopf zu zerbrechen. Warum sollte ich mir also die Frage stellen, was Zeit denn ist? Was sollte mir das bringen? Machen wir's trotzdem, denn entweder bekommst du eine neue Erkenntnis oder es ist zumindest ein guter Refresher.

Was ist Zeit?

Ob du es glaubst oder nicht, wissenschaftlich gesprochen ist es gar nicht so einfach, zu erklären, was Zeit überhaupt ist, ob sie existiert oder ob das Konzept einfach nur eine Einbildung unserer primitiven Gehirne ist. Klar, man kann eine Sekunde so beschreiben, wie es seit 1967 getan wird, nämlich als die 9.192.631.770-fache Periodendauer der Grundzustandsübergänge des Cäsium-Atoms[1]. Allerdings beantwortet dies nicht wirklich die Frage nach „der Zusammensetzung von Zeit". Geht man von Zeiteinheiten wie Sekunden, Minuten, Stunden oder Tagen weg, könnte man rein

---

1 https://de.wikipedia.org/wiki/Sekunde

physikalisch ebenfalls sagen, dass Zeit eine unidirektionale Bewegung weg von Ordnung (im Extremfall weg vom Big-Bang) hin zu Entropie bzw. Unordnung (im Extremfall hin zum Ende des Universums) ist. Mit jedem Schritt wird ein System ohne Zuführung externer Energie automatisch homogener, also ausgeglichener. Diesen Prozess der Entropie bzw. des zweiten Gesetzes der Thermodynamik empfinden wir Menschen offensichtlich als Zeit.

Falls du den berühmten Roman „Momo" von Michael Ende kennst, weißt du von dem kleinen Mädchen, welches gemeinsam mit der Schildkröte Kassiopeia und dem Herrscher der Zeit, Meister Hora, die grauen Herren besiegen muss, welche den Menschen Zeit stehlen[1].

Auf ihrem Weg gibt Meister Hora Momo folgendes Rätsel:

„Drei Brüder wohnen in einem Haus
die sehen wahrhaftig verschieden aus,
doch willst du sie unterscheiden,
gleicht jeder den anderen beiden.

Der erste ist nicht da, er kommt erst nach Haus.
Der Zweite ist nicht da, er ging schon hinaus.
Nur der dritte ist da. Der kleinste der drei,
denn ohne ihn gäb's nicht die anderen zwei.

Und doch gibt's den dritten um den es sich handelt,
nur weil sich der erst' in den zweiten verwandelt.
Denn willst du ihn anschaun, so siehst du nur wieder

---

1   https://de.wikipedia.org/wiki/Momo_(Roman)

immer einen der anderen Brüder!

Nun sage mir: Sind die drei vielleicht einer?
Oder sind es nur zwei? Oder ist es gar - keiner?
Und kannst du, mein Kind, ihre Namen mir nennen,
so wirst du drei mächtige Herrscher erkennen.

Sie regieren gemeinsam ein großes Reich –
und sind es auch selbst! Darin sind die gleich."

Wie erwartet, schafft es Momo, das Rätsel zu lösen, und versteht, dass die drei Brüder Vergangenheit (zweiter Bruder), Gegenwart (dritter Bruder) und Zukunft (erster Bruder) sind. Gibt es einen davon nicht, machen die anderen keinen Sinn. Die Gegenwart existiert nur, weil sich darin die Vergangenheit in die Zukunft verwandelt. Das große Reich, welches die drei gemeinsam regieren, ist die Zeit. Momo erkennt in dem Moment, **wie relativ Zeit für uns alle ist**. Eine Stunde kann so langsam vergehen wie ein Jahr, oder so schnell wie eine Sekunde. Es ist etwas, das Albert Einstein mit der Relativitätstheorie, nicht nur wie Momo in einem Märchen, sondern auf wissenschaftlicher Basis, Anfang des 20. Jahrhunderts beschrieben hat.[2]

Diese Beschreibungen helfen jedoch immer noch recht wenig, Zeit besser zu nutzen. Geht man demnach von der wissenschaftlichen Überlegung weg, kann man Zeit auf einer Art Existenzbasis beschreiben: jeder Mensch bekommt bei der Geburt eine gewisse Menge Zeit mit: manche mehr, manche weniger

---

2   https://de.wikipedia.org/wiki/Relativit%C3%A4tstheorie

davon. Niemand weiß, wie viel, bis seine Zeit dann zu Ende ist. Dann weiß man es – bei seinem Tod. Man könnte Zeit also auch als **Wertgegenstand** bezeichnen, der fortwährend in etwas anderes eingetauscht werden muss, ohne dass dieser aufbewahrt oder zurückgetauscht werden könnte. Zum Beispiel bekommt jeder Mensch 86.400 Sekunden pro Tag, welche man „ausgeben" muss. Die Möglichkeit, eine Sekunde für den nächsten Tag aufzubewahren, ist nicht möglich. Die englische Sprache beschreibt dies sogar noch bildhafter: „spend your time" heißt wortwörtlich „gib deine Zeit aus".

Ich vergegenwärtigte mir dieses Konzept, ohne mich auf das physikalische Phänomen von zuvor zu versteifen – sofort kamen drei spannende Fragen hoch:

In was kann ich meine Zeit tauschen?

Wie lautet meine Wechselrate?

Wie viel Zeit habe ich noch?

Also dachte ich diese Fragen durch:

In was kann ich meine Zeit tauschen?

Sieht man Zeit als Währung an, welche andere Dinge „erkaufen" kann, bietet sich eine schier unendliche Anzahl an Möglichkeiten, um diese darin einzutauschen. Ohne alle zu nennen, inkludiert dies: Geld,

Erlebnisse, Wissen, Beziehungen, Gesundheit und vieles mehr. Das Wichtige an all diesen Täuschen ist jedoch, dass man diese immer nur in eine Richtung tauschen kann. So kann man bei seiner Arbeit zwar Zeit gegen Geld als Gehalt tauschen, jedoch gibt es keine Möglichkeit, eine noch so große Summe Geld, gegen nur eine einzige Sekunde zu tauschen. Würde man einen Milliardär an seinem Sterbebett fragen, wie viel er wohl von seinem Geld für ein paar Tage extra Lebenszeit eintauschen würde, wäre es wahrscheinlich sein ganzer Besitz. Wenn ich an einem Nachmittag faul auf der Couch liege, kann ich am nächsten Tag nicht einfach hergehen und sagen, ich gebe die vier Stunden Faulenzen zurück und nehme im Gegenzug eine Stunde Lernen. Offensichtlich stimmt die Aussage, „Zeit ist Geld", welche nur allzu viele Menschen gerne nutzen, also nur bedingt. Klar, man kann Zeit in Geld eintauschen, doch der Weg zurück, also „Geld ist Zeit", stimmt nicht. Mein Gehirn ackerte voll neuer Gedanken weiter.

Was bedeutete dies nun für meine Wechselrate?

Nachdem jeder Mensch genau dieselbe Zeit pro Tag hatte, musste es Menschen geben, die Zeit besser in andere Dinge wechselten als andere – sonst hätte jeder genau gleich viel, doch die Realität machte deutlich, dass dies nicht sein konnte. Außerdem musste jeder wechseln, ein Aufsparen gab es ja nicht. Beim Thema Geld war dies recht einfach zu verstehen: Wer **mehr Wert pro Zeiteinheit** lieferte, bekam meist mehr dafür bezahlt (zumindest sollte das im Prinzip so sein). So unterscheidet sich ein Stundenlohn von 10 Euro von einem Stundenlohn von 1.000 Euro. Natürlich konnte Wert und Bezahlung pro Zeiteinheit über einen gewissen Zeitraum abweichen, doch summa summarum glich sich dies über die Zeiteinheiten aus. Wie funktionierte dieser Werttausch in den anderen, teilweise viel wichtigeren Bereichen? Ich konnte mir noch keinen Reim daraus machen. So ging ich zur dritten und letzten Frage über.

Wie viel Zeit habe ich noch?

Seit jeher würden Menschen gerne wissen, wie viel Lebenszeit sie noch haben. Sterben sie morgen oder erst in neunzig Jahren? Doch wäre es wirklich so toll, seine restliche Zeit auf dieser Erde zu kennen? Hätte man dadurch einen Vorteil oder eher einen Nachteil? Ich erinnerte mich an Steve Jobs' berühmte Stanford–Rede[1], in der er davon sprach, dass der Tod die beste Erfindung des Lebens sei. Durch den Tod bekämen wir Menschen erst den notwendigen Druck, etwas zu tun. Warum überhaupt aufstehen, wenn man doch eh genau wusste, wie viele Jahre man noch vor sich hatte. Warum heute, wenn nicht morgen oder gar erst in fünfzig Jahren? Potentielle Strafe motivierte uns Menschen eben stärker als potentielle Belohnung, und Mutter Evolution hatte sich mit dem unvorhersehbaren Tod den ultimativen Preis ausgedacht: Er kostet uns das Leben.

---

1   https://www.focus.de/digital/computer/apple/tid-23813/steve-jobs-be   wegendste-rede-der-tod-ist-die-beste-erfindung-des-lebens_aid_671953.html

Mir war das bis dato gar nicht so aktiv bewusst gewesen. Meist scheute ich mich, über den Tod konstruktiv nachzudenken, denn er war etwas Negatives für mich. Doch nun dachte ich über die Psychologiestunden im Studium nach, wo **memento mori**[2] besprochen worden war: Memento mori – bedenke, dass du stirbst. Laut dem Professor konnte dies etwas ganz Wichtiges für uns Menschen sein. Es wäre nicht nur durch den Stoizismus nachweislich belegt worden, dass memento mori Glückseligkeit bringen kann[3], vielmehr konnte es sogar dem gesamten eigenen Tun Bedeutung geben.

Ich dachte darüber nach: „Wann hatte ich das letzte Mal so richtig über das Konzept memento mori nachgedacht? Klar, jetzt gerade bei meinem Fastabsturz im Flieger. Doch davor?" Da erinnerte ich mich. Es war 2012 und es hatte mich dazu bewegt, meinen Job als Arzt im Krankenhaus zu verlassen…

Es war ein Freitagmorgen wie jeder andere im Krankenhaus: ich war bereits seit 6:00 Uhr morgens auf der Arbeit, hatte die Morgenvisite mitgemacht und die ersten Verletzten kamen zu uns in die Unfallambulanz. Ich war knapp ein Jahr zuvor Unfallchirurg geworden, weil ich mich als Profisportler, der teilweise selbst Verletzungen gehabt oder bei anderen miterlebt hatte, gut in viele meiner Patienten hineinversetzen konnte und ihnen deshalb ganz besonders helfen wollte. An diesem Tag freute ich mich jedoch vor allem auf den Abend, weil ich seit langer Zeit wieder einmal einen Urlaub gebucht hatte: Ich wollte mit einem Freund für zwei Wochen nach

---

2   https://en.wikipedia.org/wiki/Memento_mori
3   https://www.arataacademy.com/eng/memento-mori/

Peru, um dort Kitesurfen zu gehen und den Machu Picchu zu sehen. Mir graute zwar vor dem dreizehnstündigen Flug, doch die Freude darauf, nach so langer Zeit wieder einmal am Wasser zu sein, machte dies locker wett.

Kurz nach 10:00 Uhr sollte dieser Tag jedoch eine dramatische Wendung nehmen: Ein junger Erwachsener in zirka meinem Alter hatte sich bei der Häckselarbeit auf dem Feld mit seinem Vater beide Unterarme in der Arbeitsmaschine abgeschlagen und war gerade mit dem Hubschrauber zu uns gebracht worden. Der Notarzt hatte den Schwerverletzten mit den beiden Amputationsstümpfen so gut es ging versorgt. Nachdem man davon ausgehen musste, dass sich die Verletzungen entzünden würden, ging es nun primär darum, das Überleben des Patienten zu sichern und sich erst in einer zweiten Operation um die Kosmetik zu kümmern. Als Chirurgen-Team konnten wir daher nicht viel mehr tun, als die Wunden zu reinigen, die Muskeln korrekt abzutrennen und die Gefäße abzuklemmen. Auch wenn ich schon viele dramatische Unfälle als Arzt miterlebt hatte, konnte man an diesem Morgen den Druck im OP spüren: Die Vorstellung, beide Unterarme zu verlieren, und das noch in einem so jungen Alter, hinterließ bei vielen Beteiligten ein beklemmendes Gefühl.

Nach der Operation und dem obligatorischen postoperativen Bericht war mir der Appetit auf ein Mittagessen an diesem Tag vergangen und so entschied ich mich, den Patienten nach der Operation kurz in der Aufwachstation besuchen. Gerade bei einem so traumatischen Erlebnis ist man als Arzt besonders großzügig mit Schmerzmitteln und so wollte ich die Vitalparameter kurz überwachen und die Dosierungen prüfen. Vor lauter ungutem Gefühl hatte ich einen Kloß im Hals, als ich den jungen Mann, in meinem Alter und beiden Unterarmen abgetrennt, daliegen sah. Klar, ich arbeitete zwar nicht als Bauer auf dem Feld, aber theoretisch könnte mir auch irgendein Unfall passieren und dann wäre ich es, der so im Bett liegen würde. Ich weiß bis heute nicht, ob das, was als nächstes passierte, rein durch Einbildung entstand, oder tatsächlich geschah. Es ist aber komplett egal, da der Effekt für mich seither der gleiche ist. Als ich seine Werte kontrollierte, öffnete der Patient leicht die Augen und für einen Moment trafen sich unsere Blicke. Für den Bruchteil einer Sekunde spürte ich seinen kompletten Schmerz, seine Trauer und Reue. Ich fühlte, wie er diesen Morgen ganz normal aufgestanden war, ohne zu wissen, dass sich sein gesamtes Leben nur wenige Stunden später auf unvorhergesehene Art und Weise verändern würde. So schnell wie der Moment gekommen war, so schnell war er auch wieder weg. Der junge Mann hatte seine Augen wieder geschlossen, und leicht verdattert griff ich nach dem Schmerztropf, um die Dosis leicht zu erhöhen und sicherzustellen, dass der Patient von seinen Verletzungen keine Schmerzen verspüren musste. Ich verließ den Raum, als hätte ich einen Geist gesehen. Auch wenn ich bereits viele andere Verletzungen und Unfälle bei Menschen, teilweise auch in meinem Alter, miterlebt hatte, so hatte keiner davon denselben Eindruck hinterlassen wie dieser an jenem Morgen.

Um den Flug nach Lima ohne viel Stress zu erreichen, hatte ich bereits im Vorfeld nur einen kurzen Arbeitstag eingetragen. Nach dem ganzen Vorfall war für mich daher sowieso bereits Schluss, was ich in meinem psychischen Zustand auch gebraucht hatte. Also fuhr ich nach Hause, und packte meinen Koffer, um pünktlich am Flughafen anzukommen. Erst verliefen die Stunden im Flieger ganz normal, doch immer mehr kam in mir ein nagendes Gefühl auf. Ich konnte die Geschehnisse vom Tag in der Klinik nicht vergessen. Es wollte mir nicht aus dem Kopf gehen, dass ich bisher jeden Tag so gelebt hatte, als hätte ich noch tausend weitere vor mir. Hoffentlich hatte ich das auch – doch wer wusste das schon? Damals war mir der Fachbegriff nicht aktiv bewusst gewesen, doch eines war mir an dem Tag unweigerlich klar geworden: memento mori – Bedenke, dass du irgendwann sterben wirst! Dieses Aufrütteln ließ in mir eine Frage aufkommen, welche ich bis zuvor nicht einmal angedacht hatte: Bedeutete, Arzt zu sein, wirklich das, was mich glücklich machte? Hatte ich nicht noch viele andere Träume und Ziele im Leben? Wollte ich nicht lieber frei sein?

Ich nahm ein Blatt Papier und einen Stift, zog eine Linie in der Mitte von oben nach unten und schrieb ein Plus auf die linke und ein Minus auf die rechten Seite. Ich dachte an all die Vorteile und Nachteile des Arztseins. Vorteile: ich half Menschen, ich hatte einen sicheren Job, ich hatte gutes Ansehen, usw. Nachteile: ich fühlte mich achtzig Stunden pro Woche im Krankenhaus eingesperrt, ich hatte wenig Freizeit, ich mochte die ganzen Regeln nicht, ich würde mich in Zukunft nicht um meine Familie kümmern können, ich hatte immer schon davon geträumt, der gesamten Menschheit und nicht nur einzelnen Menschen zu helfen, usw. Als ich auf die so entstandene Liste starrte, wurde mir plötzlich eines ganz klar: wenn heute der letzte Tag meines Lebens gewesen wäre, hätte ich auf jeden Fall bereut, dass ich nicht meinen Träumen nachgegangen war. Vielmehr hatte ich genau das gemacht, was scheinbar das „Richtige" war. Doch dieses „Richtige" hätte mich nicht erfüllt und würde mich nicht glücklich machen, sondern hätte mir nie verzeihen können, wenn mir eines Tages etwas Schlimmes passiert wäre. Es gab nur eine Lösung: ich musste meinen Beruf als Arzt aufgeben. Mir war klar, dass ich diese Entscheidung emotional eigentlich schon in der Aufwachstation getroffen hatte, im Flieger hatte ich sie jedoch rational noch einmal untermauert.

Obwohl es ein Nachtflug war, tat ich kein Auge zu. In Lima angekommen, erwartete mich mein Kumpel schon freudig. Ich umarmte ihn kurz, verkündete ihm dann jedoch: „Alter, das ist jetzt zu kompliziert zu erklären, aber ich werde meinen Flug umbuchen und heute Abend wieder zurückfliegen. **Wenn ich das jetzt nicht mache, werde ich es nie machen!**" Erst blickte er mich nur an und dachte, ich wollte ihn auf den Arm nehmen. Er konnte sich nicht vorstellen, dass ich dreizehn Stunden geflogen war, nur um ihm zu sagen, dass ich jetzt sofort wieder umdrehen und dreizehn Stunden zurückfliegen wollte. Ich wusste jedoch, dass ich nach den zwei Wochen Urlaub viel zu entspannt gewesen wäre, wenn ich meinen Plan nicht direkt in die Tat umgesetzt hätte. Ich hätte es sicherlich nie durchgezogen. Also buchte ich um, nahm den

Flieger zurück nach Hause und kündigte meinen Job als Arzt.

Dieses Ereignis hatte mein Leben für immer verändert – zwar nicht gleich von Anfang an zum Positiven, doch ich wäre heute nicht hier, wenn ich in dem Moment meiner tiefsten Überzeugung damals keine Taten hätte folgen lassen. Ich habe den Patienten nie mehr gesehen und auch nie wieder von ihm gehört, und auch wenn er es vielleicht nicht weiß, hat er mir durch das Konzept memento mori das Leben gerettet. Vielleicht kann ich ihm das eines Tages sagen.

Als Kind (na gut, auch heute noch ;) habe ich für mein Leben gern Peter Pan im Nimmerland angeschaut und davon geträumt, nie alt werden zu müssen. „Wurde es Peter, Wendy oder Hook, welche dort nie alterten, auch irgendwann langweilig, weil es immer ein „später" gab?", fragte ich mich. „Wäre, dies bei uns in der wirklichen Welt ebenfalls so, wenn es keine Deadlines gäbe?" – ein spannender Gedanke. Es umgibt uns jeden Tag scheinbar so viel Zeit, dass wir vergessen, dass es jederzeit vorbei sein kann. „War das, was im Flieger nach Hongkong gerade passiert war, genau wie damals vor Jahren im Krankenhaus eine **Erinnerung an mein persönliches memento mori**? Ich machte mir eine Notiz, von nun an regelmäßig auf meinem Visionboard meine voraussichtliche Lebenszeit upzudaten. Nicht, weil ich glaubte, dass ich nur mehr so lange zu leben hatte, denn eines meiner Lebensziele war es immer schon, Lebenszeit nachhaltig und positiv zu verlängern. Vielmehr als Erinnerung, dass es theoretisch morgen oder wann auch immer vorbei sein könnte. Etwas, das ich heute nicht erledigen würde, würde ich eventuell nie erledigen können. Memento mori brachte mir die richtige Perspektive zum Wert der Zeit.[1]

So wie man lernen muss, mit Geld umzugehen, muss man auch lernen, mit Zeit umzugehen. Dies führt unweigerlich zum Konzept des Zeitmanagements, welches mich abtrünnig anwidert. Warum, das besprechen wir im nächsten Kapitel. Zuvor, gehe bitte ins Arbeitsbuch und arbeite die Fragen darin durch! Mach dies, bevor du zum nächsten Kapitel gehst, denn nur so arbeitest du vollständig mit und bekommst das Maximum aus diesem Buch:

www.i-unlimited.de/timehorizon/arbeitsbuch

---

1   Anm. des Autors: Ich verwende diesen Rechner: https://www.death-clock.org/

5.
ZEITMANAGEMENT FUNKTIONIERT NICHT

Nach meiner Ankunft in Hong Kong war mir klar, dass ich die Art und Weise, wie ich meine Zeit managte, komplett neu aufrollen musste. Am besten denken konnte ich stehend am Whiteboard, also holte ich mir eines und schrieb groß darauf:

„Wie besseres Zeitmanagement?"

Sofort erinnerte ich mich: „**Fragen sind die Antworten**" – und diese Frage war nicht gut gestellt – sonst hätte ich schon eine Antwort darauf gehabt. Doch wie sollte ich zu einer besseren Frage kommen? Mir war schon immer bewusst gewesen, dass Wörter in uns Bilder kreieren. Nutzen wir die falschen Wörter, kreieren wir die falschen Bilder. Ich musste also alle drei Wörter ändern – doch in was? Ich fing mit „besser" an. Gab es wirklich ein „besser" oder „schlechter"? Rein subjektiv hätte ich dem zugestimmt, doch bisher hatte ich bei fast allem zum Thema Zeitmanagement falsch gelegen. Rational war ich mir sicher, dass es im Zusammenhang mit Zeit ein „besser" und „schlechter" geben würde, doch mein Bauchgefühl sagte mir: „Lass ‚besseres' weg."

Also hatte ich:

„Wie Zeitmanagement?"

Immer noch eine komische Frage. Ich starrte auf beide Worte und plötzlich wusste ich, was mich störte: Das Wort „Management". Für mich war ein Manager immer jemand, der andere managt und selbst nicht viel tut. Klar wusste ich, dass diese Konnotation sehr überspitzt war, doch nachdem dieses Wort dieses Gefühl in mir ausgelöst hatte, konnte ich nicht länger widersprechen. Ich brauchte ein Wort, um mir klarer verstehen zu geben, dass es ein proaktives Tun meinerseits sein musste, was ich mit meiner Zeit anstellte. Da schoss es mir durch den Kopf. Ich kannte das Wort. Den ganzen Flug hatte ich doch darüber nachgedacht: Man managt seine Zeit nicht, man tauscht sie. Also schrieb ich:

„Wie Zeittausch?"

Das klang zwar interessanter, doch die Wörter passten nicht zusammen. Was mich nun am meisten störte, war das „wie". „Wie" tausche ich meine Zeit? Das war doch keine ernstzunehmende Frage, wenn nicht einmal Physiker diese beantworten konnten. Es war nicht einmal eine relevante Frage – die viel relevantere Frage war doch … in diesem Moment fiel es mir wie Schuppen von den Augen:

„Wofür Zeittausch?"

Genau, das wollte ich doch wissen. Zu jedem

Zeitpunkt musste ich mich entscheiden, *wofür* ich den Wertgegenstand Zeit eintauschte. Ich konnte ihn nicht aufsparen und konnte ihn auch nicht managen. Wenn ich Zeit nicht gegen etwas Wertvolles eintauschte, tauschte ich sie zwangsweise gegen etwas Wertloses. Nach ein bisschen weiterem Brainstorming fand ich dann die für mich optimale Frage, welche ich mir bis heute in ganz vielen Momenten stelle:

> *„Wofür muss ich meine Zeit jetzt tauschen,*
> *um langfristig den meisten Wert*
> *dafür zu bekommen?"*

Sofort druckte ich mir die Frage aus, hing sie im Büro auf und kopierte sie als Screenshot auf mein Handy und meinen Laptop. Ich wollte mir von nun an so oft wie nur möglich diese Frage stellen, um auf diese Weise hoffentlich bessere Entscheidungen in meinem Leben treffen zu können. Etwas in Sichtweite, würde mich besser daran erinnern. (Anmerkung des Autors: Diese Frage ist auch im Arbeitsbuch abgedruckt – du kannst sie von dort entweder digital abspeichern oder für dich ebenfalls ausdrucken und aufhängen.) Ich war nun richtig aufgeregt. Zum ersten Mal seit langem spürte ich, auf einem nachhaltigen Weg, raus aus dem Chaos zu sein.

Nachdem ich nach dem langwierigen Prozess endlich meine Frage hatte, musste ich Dinge für das „wofür" in Bezug zu „meisten Wert" finden. Ich wusste zwar, dass „langfristig" wichtig war, denn kurzfristig hatte bei mir immer zu Schiffbruch geführt, doch konnte ich mir noch nicht wirklich einen Reim daraus machen, wie ich das umsetzen sollte. Also wollte ich für die anderen beiden Worte zuerst eine Erklärung finden.

„Es musste doch genug „Zeitmanagement-Gurus" da draußen geben, von welchen ich diese Dinge lernen konnte?" Also googelte und googelte ich und trug die meistgenutzten Konzepte zusammen.

Das Problem war abermals, dass die meisten lediglich „Zeit managten" und die eigentlichen Hintergründe nicht beschrieben. Ich war jedoch ein Mensch, der es hasste, Dinge einfach nur der Dinge wegen zu tun und keinen tieferen Sinn dahinter erkennen zu können. Ich wollte immer Ursache und Wirkung verstehen – etwas, das ich ja auch als Arzt im Krankenhaus immer wissen musste, um einen Patienten zielgerecht zu behandeln. Es nützte nichts, einfach nur eine Krankheit symptomatisch zu besiegen, man musste die Ursache verstehen und diese beseitigen.

Die Eisenhower Matrix:

Das erste Konzept, auf welches ich bei meiner Suche stieß, war das von Dwight D. Eisenhower, dem 34. Präsidenten der USA. Er hatte ein einfach aussehendes, doch nicht einfach umzusetzendes Schema, um seine Zeit zu managen: Er teilte all seine Tätigkeiten nach zwei Gesichtspunkten ein: „Wichtig" und „Dringend".

So entstand eine Matrix mit vier Quadranten:

Eisenhower erklärte, dass er das Ziel verfolge, sich vor allem um Dinge im Wichtig/Dringend-Quadranten und im Wichtig/Nicht-Dringend-Quadranten zu kümmern. Gerade die unwichtig, jedoch dringend erscheinenden Dinge wie hereinkommende Telefonate, Nachrichten, usw. wären seine größten Störfaktoren, welche er so gut es ginge eliminieren wollte.

Das Konzept ergab für mich zunächst vollkommen Sinn, und ich wollte es sofort ausprobieren. Doch ich scheiterte kläglich an der **Unterscheidung zwischen „wichtig" und „unwichtig"**. In dem Moment, wo etwas aufpoppte, erschien mir immer alles als wichtig: Das Telefonat mit unterdrückter Nummer? Wichtig. Die Nachrichten im Fernsehen? Wichtig. Social Media checken? Wichtig. Ich wusste jedoch, dass die Realität anders aussehen musste – doch wie?

Nachdem ich durch die Eisenhower-Matrix keine weiteren Erklärungen dazu fand und somit weiterhin damit zu kämpfen hatte, in was ich denn meine Zeit tauschen sollte, begab ich mich weiter auf die Suche nach weiteren Time-Management-Techniken.

Unsere Evolution verzerrt Prioritäten:

Angetrieben durch meine Wissensbegierde in der Medizin, wollte ich verstehen, warum uns dieser Zeittausch evolutionsbedingt so schwerfiel. Gemeinsam mit Simon Sineks Video „Why Leaders Eat Last"[1] und meinem ganzen Wissen über menschliche Psychologie, welches ich bereits durch den Profisport und das Medizinstudium gelernt hatte, kam ich Schritt für Schritt weiter.

Mir wurde abermals bewusst, dass der Grund dafür, warum wir uns mit „wichtig" und „unwichtig" so schwertun, darauf zurückging, dass uns dies nie korrekt „einprogrammiert" worden war. Im Prinzip liefen bei uns Menschen viele „Wenn-Dann-Szenarien" wie in einem Computer ab: „Wenn das eine passiert, dann mach dies. Wenn das andere passiert, dann mach das, usw." Ich stellte mir nun vor, wie Mutter Evolution eine Aufgabe übernommen hatte, welche Charles Darwin später in „On the Origin of Species" 1859 schön beschrieben hat: Überleben. Der Evolution geht es darum, dass Lebewesen überleben, und Charles Darwin erklärte dies durch „survival of the fittest", also „das Überleben derjenigen, die sich am besten angepasst hatten".

---

1   https://www.youtube.com/watch?v=ReRcHdeUG9Y

Wenn wir die Spezies Mensch als die am besten angepasste sehen, so hieß dies das folgende:

Es ging nicht darum, dass der Einzelne überleben soll, sondern die Spezies als Gesamtes – und dies hatte gravierende Auswirkungen darauf, wie wir uns als Individuum „durch unsere Programmierung" verhalten würden.

Als nächstes dachte ich an die spieltheoretischen Szenarien, welche ich im Medizinstudium gelernt hatte und einen Studienanfänger gerne verwirrten:

„Hättest du lieber zu 100 Prozent 100 Euro oder zu 50 Prozent 220 Euro?"

„Würdest du mit jemanden eine Münze werfen, wo du 100 Euro von ihm bekommst, wenn du gewinnst, er jedoch 90 Euro von dir bekommt, wenn er gewinnt?"

„Annahme: Gibt man einem Affen zwei Bananen, ist der Affe glücklich. Wie reagiert deiner Meinung nach der Affe, wenn man ihm zuerst vier Bananen gibt, ihm dann jedoch eine wegnimmt, sodass er nur noch drei Bananen hat?"

Im Studium haben wir noch zahlreiche andere Beispiele besprochen, die Essenz bei ihnen ist jedoch immer dieselbe: Intuitiv entscheiden sich die meisten Menschen „falsch":

Die meisten Menschen hätten lieber die 100 Euro garantiert, als die 110 Euro mit der gleichen Wahrscheinlichkeit (50 Prozent von 220 Euro) genommen.

Die wenigsten Menschen würden das Münzspiel eingehen, obwohl sie netto 10 Euro (100 – 90 Euro) gewinnen könnten.

Der Affe ist nach dem Wegnehmen der Banane to-
tunglücklich, obwohl er eine Banane mehr hat, als im
Test mit zwei Bananen, wo er glücklich war.

Es folgten Fragen über Fragen:

Woher kamen diese Reaktionen?

*Warum taten wir uns so schwer, diese korrekt einzu-
schätzen?*

Was hatte das mit Evolution zu tun?

*Wie wirkte sich das auf unsere (Un-)Fähigkeit, Zeit zu
managen, aus?*

Wir Menschen sind so „programmiert" worden, dass
wir „Verlust" deutlich stärker bewerten als „Gewinn"
und dass wir das „Jetzt" deutlich wichtiger sehen als
die „Zukunft". Als Jäger und Sammler war es eben
wichtig, dass wir lieber weniger Risiko eingingen, damit wir uns nicht verletzten. Auch heute ist es für uns
wichtiger, etwas sofort und garantiert zu haben, als
vielleicht in der Zukunft. Nur wenn etwas besonders
attraktiv zu haben ist, sind wir bereit, jetzt Abstriche
dafür in unserem Leben zu machen. All dies hat seit
Zehntausenden von Jahren (Ja, so alt ist die Spezies
Homo Sapiens schon) unser Überleben gesichert.

Heute, wo es keine Säbelzahntiger mehr gibt und
wir beim Essensammeln auch nicht mehr um unser

Überleben fürchten müssen (in den meisten Ländern zumindest), **kommt uns diese „Programmierung" komplett in die Quere**. Wir essen dadurch JETZT das Stück Schokolade, weil es einen VERLUST für uns bedeutet, den tollen Geschmack nicht zu haben – und wer weiß denn schon, ob wir in der ZUKUNFT wirklich einen GEWINN daraus erzielen können, dass wir uns zuvor gesund ernährt haben, weil wir auf das Stück verzichteten. Gleichzeitig gehen wir lieber JETZT auf Social Media, damit wir ja nicht VERPASSEN, was unsere Freunde machen. Denn klar, wir sollten eigentlich etwas lernen oder arbeiten, doch wer weiß schon, ob sich diese Arbeit in ZUKUNFT wirklich LOHNT? Unsere **Ansichten von Strafe und Belohnung in Kombination mit Jetzt und Zukunft** wurden von der Evolution gutgemeint an uns weitergegeben, doch heutzutage ist dies einer der Gründe, warum uns produktiver Zeittausch so schwerfällt. Unser ganzes Sein sträubt sich dagegen, da es offensichtlich eher auf jene Dinge Wert legt, welche es unserer Spezies in der Vergangenheit zwar erlaubt haben, zu überleben, heute jedoch nicht mehr allzu relevant sind.

All dies wurde mir im Studium bereits beigebracht. Der Mediziner in mir wollte nun die Physiologie verstehen: den eigentlichen biologischen Ablauf dieser Programmierung in unserem Körper. Wie erreichte dies die Evolution? Was unternahm sie, damit wir praktisch keine andere Chance hatten, als „ihr zu folgen"? Die Antwort lag auf der Hand: Über **Hormone**, wie zum Beispiel Serotonin, Dopamin, Oxytocin, Endorphin und noch einige andere. Unser Körper nutzt diese Botenstoffe gezielt, um uns gewisse Dinge öfter, andere jedoch weniger oft tun zu lassen – und dass schon vor Tausenden von Jahren, beispielsweise um Gefahren aus dem Weg zu gehen und sich um Belohnungen wie Essen zu kümmern.

Heutzutage sind diese Hormone für solche Strafvermeidung und Belohnungserhöhung jedoch teilweise fehl am Platz:

Dopamin wird zum Beispiel jedes Mal als Belohnung ausgeschüttet, wenn wir kalorienreich essen oder Sex haben. Klar, so sind wir motiviert, uns zu ernähren und uns fortzupflanzen – alles Dinge, welche die Überlebenswahrscheinlichkeit der Spezies erhöht haben. Unternehmen wie Facebook, Instagram oder auch Pornofirmen haben sich zu eigen gemacht, dass Dopamin ebenfalls bei Social Media und Internetpornos ausgeschüttet wird – ohne jedoch den gewünschten Effekt von Fortpflanzung oder Ernährung zu erzielen, sondern um vielmehr eine Internet- und Pornographiesucht in vielen Menschen auszulösen. Wenn du dich das nächste Mal also wieder so schwer vom Computer oder Handy lösen kannst, weißt du warum: deinen Hormonen sei Dank – oder eben Undank.

Oxytocin wird besonders bei körperlicher Berührung ausgeschüttet. Dies fördert menschliche Zuneigung und unterstützt Zärtlichkeiten – alles Dinge, bei denen es die Evolution gut mit uns meint. Unser Körper schüttet jedoch auch Oxytocin aus, wenn wir wissen, dass jemand an uns denkt. Zwar nicht so viel, aber dennoch ein bisschen. Wenn wir also einen roten Punkt aufgrund einer ungelesenen Nachricht bei unserem Email Programm oder WhatsApp sehen, drängt uns die Evolution dazu, diese sofort zu lesen. Wir wollen eben wissen, wer gerade an uns denkt und werden durch die Hormonausschüttung (fälschlicherweise) sogar noch dafür belohnt.

Nachdem all diese Beispiele jedoch nicht die „Hauptverwendungszwecke" der Hormonrouten sind, entsteht ein drastischer Effekt des „**Law of Diminishing Returns**". Dieser Effekt besagt, dass, wenn wir immer gleich viel „ernten" wollen, wir immer mehr dafür geben müssen. In unseren Fällen heißt dies, dass wir immer mehr auf Social Media sein, uns immer krassere Pornos anschauen oder immer rascher auf Emails antworten müssen, um den gleichen Effekt der Hormone zu bekommen. Sonst erhalten wir weniger Ausschüttung, ergo weniger Belohnung.

Gehen wir „gegen die Evolution" vor, hat diese sogar noch einen weiteren Trick parat: Da keine Belohnungshormone ausgeschüttet werden, „belohnt" uns der Körper mit **Stresshormonen**, allen voran mit Cortisol, welches in uns ein Unruhegefühl auslöst, wenn wir unseren „Bedürfnissen" nicht nachkommen.

Nach der tieferen Recherche wurde mir abermals klar, was uns in der Medizin auch schon immer eingetrichtert worden war:

> *Man kann nicht gegen die*
>
> *Evolution ankämpfen –*
>
> *man kann nur ihre Schwächen*
>
> *akzeptieren und sie zu Stärken machen.*

Leider hatte ich an viel zu vielen anderen Stellen von vermeintlichen Lifecoaches gelesen, dass man die eigene Biologie ändern könnte. Das geht aber natürlich nicht. Die Folge davon war, dass Menschen, gleich wie ich damals fast, vielmehr enttäuscht aufgaben. Ich war jedoch davon überzeugt, dass es irgendetwas Besseres geben musste – was dies genau war, wusste ich zwar noch nicht, doch ich würde nicht eher aufgeben, bevor ich dem Problem nicht nur auf den Grund gegangen war, sondern auch eine Lösung gefunden hatte.

Die Eisenhower-Matrix bot zwar einen netten Einstieg, stellte mich jedoch bei weitem nicht komplett zufrieden, da „Wichtig" und „Unwichtig" für mich nicht unterscheidbar waren. Durch das Verständnis der Hintergründe der Evolution hatte ich eine bessere Einsicht in unser Sein erlangt. Was fehlte mir also, um wirklich ein „Meister des Zeittausches" zu werden? Stundenlang browste ich durch das Internet, bis ich durch Zufall ein Video fand, welches mir den entscheidenden Hinweis geben sollte.

Das Belohnungsäffchen

Ich fand ein Video mit dem Titel „Why procrastinators procrastinate" (Warum Aufschieber aufschieben) von Tim Urban auf YouTube.[2] Darin erzählt Tim Urban einerseits von einem rationalen Entscheidungsträger, andererseits von einem Belohnungsäffchen und einem Panik-Monster. Diese drei Akteure erreichen, dass wir

---

2   https://www.ted.com/talks/tim_urban_inside_the_mind_of_a_master_procrastinator

Menschen aufgrund des Belohnungsäffchens bei vielen Dingen einfach nur tatenlos herumsitzen und drauf warten, bis das Panikmonster kommt, welches uns angstmachend zu besseren Entscheidungen bringen soll. Das Problem dabei ist, dass das Panikmonster bei den wirklich wichtigen Dingen im Leben **oft zu spät kommt** und wir daher nie dazu kommen, diese Dinge zu erledigen. Zum Beispiel verbringen viele von uns zu wenig Zeit mit unseren Eltern, weil wir glauben, dies immer noch später irgendwann tun zu können. Irgendwann leben sie dann allerdings nicht mehr, und wir erkennen, wie dumm wir doch gewesen sind, wie viel Zeit wir vergeudet haben und dies jetzt jedoch nicht mehr rückgängig machen können. Oder wir schreiben das Buch nie, weil wir denken, wir können es immer noch irgendwann tun, bis es dann zu spät ist. Dasselbe mit dem Business, welches wir immer starten wollten, es aber nie getan haben. Oder mit dem Rauchen aufzuhören, bis uns dann aber der Lungenkrebs einholt. Viele dieser Dinge geschehen, weil wir lieber auf das Belohnungsäffchen in uns hören und vergessen, dass das Panikmonster zu spät kommt, um uns an die wichtigen Dinge zu erinnern, wofür wir wirklich unsere Zeit tauschen sollten.

Dies war das letzte Puzzlestück, das ich benötigt hatte. Nach monatelangem Rumprobieren und nächtelanger Onlinerecherche zahlreicher Zeitmanagementstrategien hatte ich endlich eine gute Basis, um die „perfekte Zeittausch-Strategie" zu kreieren. Trotz all der Frustration sah ich endlich einen Hoffnungsschimmer, dass es „den heiligen Gral" geben müsste: Eine Strategie für den optimalen Tausch von Zeit gegen Wert, damit das eigene Timehorizon Dreieck die maximale Größe annehmen würde. Das finale Bild fügte sich jedoch erst dann zum Timehorizon Prinzip zusammen, als einer meiner Mentoren „die Bildfläche betrat". Bevor ich dir jedoch darüber im nächsten Kapitel erzähle, gehe zuerst die Fragen im Arbeitsbuch durch.

6.
DAS TIMEHORIZON PRINZIP

In meinem Leben hatte und habe ich zahlreiche Mentoren – Menschen, welche bereits unglaublich erfolgreich in ihrem Leben waren und nun, wenn ich gute und spannende Fragen für sie hatte, gewillt waren, ihr Wissen mit mir zu teilen.

Einer von ihnen hat in der Vergangenheit eine große Firma geleitet, dann seine Anteile verkauft und coachte nun andere Firmen darin, mehr Wert für Kunden und somit für Investoren zu kreieren. Ich wusste, dass er der Richtige war, wenn es darum ging, meine Ideen zum Zeittausch gegen zu checken.

Also schrieb ich ihm eine E-Mail: „Hey XXX![1] Ich glaube, ich habe eine Strategie, welche Zeitmanagement komplett revolutionieren könnte. Hast du Zeit für ein kurzes Telefonat? Ich würde gerne ein paar Ideen mit dir austauschen?"

Seine Antwort kam prompt und kurz: „Zeitmanagement, hmm? Weißt du, wie Steve Jobs die Angestellten bei NeXT einstellte?"

Ich war ein wenig verwirrt, da mir die Geschichte erstens nicht bekannt und zweitens auch nicht klar war, was dies mit Zeitmanagement und meiner Frage zu tun haben sollte. Ich wusste, dass er die Dinge genau

---

1   Anm. des Autors: Mein Mentor hat mich gebeten, alle Konversationen zu anonymisieren und so darzustellen, dass auf seine Identität kein Rückschluss gezogen werden kann. Ich übersetze die englischen Konversationen also ins Deutsche und halte die Identitäten aller Beteiligten geheim.

so wie ich gerne effizient abarbeitete, also antwortete ich mit einer leeren E-Mail und einem „?" in der Betreffzeile.

„Call me! 6pm PST! You will love this.", kam zurück: 18:00 Uhr amerikanische Westküstenzeit. Super, ich war gerade in Europa, und das bedeutete, der Call würde um 3:00 Uhr in der Früh stattfinden. Kurz dachte ich daran, zu canceln, doch sein „Ich würde dies lieben!" hatte mich neugierig gemacht. Gut, dass ich es durchgezogen habe, denn unsere Telefonate über die folgenden Wochen wurden zur **Basis des Timehorizon Prinzips**.

Nach einer kurzen Nacht, rief ich ihn um 3:00 Uhr meiner Zeit an.

„Du bist spät!", hob er ab. Ich blickte auf meine Uhr. Es war 3:01, doch nicht einmal meine deutsch-österreichische Pünktlichkeit hätte dies bei einem anderen Anrufer bemerkt.

„Ich musste erst mein Skype…", wollte ich mich rechtfertigen.

„Keine Rechtfertigungen, schieß los – wo hakt's?", unterbrach er mich.

Er kam gleich zum Punkt – das gefiel mir. Ich beschrieb ihm einen kurzen Abriss meines Erlebnisses im Flieger, die folgenden Überlegungen und Recherchen und die Ideen bzw. Fragen, welche ich nun hatte. Trotz des ungeduldigen Beginns, hörte er mir ruhig und genau zu.

Das hatte ich von erfolgreichen Leuten bereits gelernt:

> *Gut Zuhören zu können, ist eine Kunst,*
>
> *welche nur wenige Menschen beherrschen.*

Er konnte das auf jeden Fall. Mein Monolog endete mit „… und jetzt interessiert mich, was das mit Steve Jobs und NeXT zu tun haben soll!"

„Spannende Geschichte", waren seine Worte, „ich hoffe du hast Zeit. Was ich dir jetzt erzähle, wird einzigartig cool werden – doch es wird ein bisschen dauern."

„Hervorragend", dachte ich und blickte auf die Anzeige auf meinem Handy: Es war 3:15 Uhr. Trotzdem ließ ich mir meine Müdigkeit nicht anmerken: „Logo, ich habe Zeit."

Und so begann mein Mentor: „Steve Jobs, Gründer und bis kurz vor seinem Tod 2011 CEO von Apple, wurde 1985 vom Board gezwungen, kürzerzutreten. Er wurde nicht, wie oft falsch beschrieben, gefeuert, sondern auf eine ziemlich unwichtige Position verschoben[2]. Nach einigen Monaten verließ er jedoch die Firma, um etwas Neues zu starten. Dieses Neue sollte die Firma NeXT sein, mit welcher er 1988 den ersten NeXT-Computer präsentierte. Bei seinem Übergang von Apple zu NeXT gab es viele Angestellte, welche ihm von der einen Firma zur nächsten folgten. Welche Frage, denkst du, Julian, stellte sich Steve nun?"

Ich dachte kurz nach und sagte: „Ich würde mich

---

2   Anm.: https://de.wikipedia.org/wiki/Steve_Jobs

fragen, welchen neuen Angestellten er als Manager und wen er als Mitarbeiter eingestellt hätte? Die beiden waren vielleicht bei Apple auf der gleichen Ebene in unterschiedlichen Departments, und jetzt bei NeXT gab es nur eine Position für sie – wen also darüber und wen darunter geben?"

„Genau", erwiderte er, „weißt du, wie er es gemacht hat?"

Stille am Telefon. Ich wartete andächtig auf eine Antwort, bis ich erkannte, dass mein Mentor die Antwort tatsächlich von mir hören wollte. Anstatt mir Lösungen vorzukauen, ließ er mich mitdenken, damit ich auch wirklich mittendrin statt nur dabei war.

„Hmm, ich hätte die Menschen wahrscheinlich nach einem Mix aus Fähigkeiten, Erfahrung und Arbeitseinsatz geordnet", grübelte ich laut.

„Ja, das würden die meisten so machen", lachte er. Und als er „die meisten" sagte, wusste ich bereits, dass ich mit meiner Annahme wahrscheinlich komplett daneben gelegen hatte.

„Steve hatte einen besseren Plan", fuhr mein Mentor fort. „Er verstand, dass eine Firma nichts anderes tat, als eine einzelne Person: Zeit gegen Wert zu tauschen. Bei einer Firma können das jedoch je nach Anzahl der Angestellten tausende Menschen gleichzeitig und nicht nur einer sein, die Zeit gegen Wert tauschen. Wenn es der Firma gelingt, den Wert, den sie kreiert – zum Beispiel ein iPhone –, teurer zu verkaufen, als es sie die bezahlte Arbeitszeit gekostet hat, macht sie Gewinn. Würden die Gehälter hingegen teurer sein als der Wert, macht sie einen Verlust. Natürlich kommen hier noch Produktionskosten etc. hinzu, doch das Prinzip bleibt das selbe. Interessant zu wissen, ist, dass man, angelehnt an dieses Prinzip, im Silicon Valley mittlerweile oft den **Gewinn pro Angestellten** in einem Unternehmen berechnet[3].

Ein Unternehmen mit 10.000 Euro Gewinn pro Jahr und 10 Angestellten hätte hier also eine Kennzahl von 1.000 (Anmerkung: Gewinn pro Angestellten). Eine Firma mit 100.000 Euro Gewinn, jedoch 1.000 Angestellten nur eine Kennzahl von 100.

Wie in seinem übrigen Leben auch wollte Steve eine Firma kreieren, welche den maximalen Wert aus der Zeit holte, denn nur so, war er überzeugt, konnte er „eine Delle im Universum" hinterlassen. Er verstand, dass er Leute brauchte, welche gutes Zeitmanagement hatten. Doch nicht nur für sich selbst, sondern für das ganze Team. Er wusste jedoch, genau wie du das auch gespürt hast, Julian, dass man Zeit nur schwer managen kann. Das einzige, was man managen kann, ist die Frage, die du auch beschrieben hast, wofür man sie tauscht. Steve ordnete daher die Leute danach ein, wie gut sie im Prioritätenmanagement waren, denn dies waren die Dinge, wofür Menschen ihre Zeit dann am besten eintauschten."

Ich hörte gespannt zu – dies machte komplett Sinn und an diesen Punkt war ich instinktiv auch schon gelangt. Doch eine Frage war immer noch nicht beantwortet: „Okay, aber woher wusste er, wer besser im Prioritätenmanagement war als jemand anderes?", hakte ich nach.

---

3   Anm.: https://en.wikipedia.org/wiki/Net_income_per_employee

„Ich dachte schon, du fragst nie", antwortete er freudig:

„Ein Stichwort: Kreative, strukturierte Umsetzung!"

„Kreative… was?" Ich hatte diese Wortkombination noch nie zuvor gehört.

„Ganz einfach, lass uns die Wörter von hinten nach vorne analysieren!", schlug er vor:

„Umsetzung:

Erfolg entsteht nie rein durch unser Denken oder unsere Vorstellungskraft. Handeln ist das einzige, was Resultate bringt. Natürlich muss man auch das Richtige tun – dafür stehen dann die anderen beiden Wörter. Es inkludiert auch, dass du Leute mit gutem Antrieb und positiver Einstellung im Team hast, denn jemand anderes wird selten mit vollem Einsatz hinter etwas stehen.

Strukturiert:

Es nützt nichts, wenn man einfach nur blind vor sich hin arbeitet. Es braucht einen klaren durchstrukturierten Plan für die Zukunft. Und jetzt das Wichtigste: Je weiter du eine Umsetzung in die Zukunft durchstrukturieren kannst, desto erfolgreicher wirst du sein. Klar, du wirst deinen Plan immer wieder anpassen müssen, doch es ist etwas anderes, wenn du einfach nur sagst, dass du zum Mond fliegen möchtest (Anmerkung: damals war Mars noch nicht wirklich ein Thema), du dir aber nicht einmal ausmalen kannst, wie das funktionieren soll. Du brauchst zu Beginn noch nicht alle Antworten, jedoch brauchst du gewisse Eckpunkte, kombiniert mit „Wenn-Dann-Überlegungen". Dazu werde ich dir gleich noch ein paar Tipps geben.

Kreativ:

Das erste Wort untermalt, dass es sich dabei nicht um langweilige tagtägliche Dinge dreht, sondern um außergewöhnliche, welche kreatives und lösungsorientiertes Denken erfordern. Dies bedingt auch, dass du Leute brauchst, welche sich in einem Feld top auskennen – einerseits durch Fähigkeiten und Wissen, andererseits durch Erfahrung. Ein Topprogrammierer wird in einem ganz anderen Feld eine kreative strukturierte Umsetzung haben können als zum Beispiel ein Anwalt.

Durch kreative strukturierte Umsetzung entsteht eine wahrlich einzigartige Fähigkeit, nämlich langfristige Ideen auf kreative Art und Weise durchstrukturiert im Hier und Jetzt umzusetzen.

Steve Jobs erkannte, dass – je besser ein Angestellter die Fähigkeit, in die Zukunft zu blicken, umsetzen konnte – er ihn weiter oben auf der Leadership-Ebene positionieren würde. Denn, umso vorausschauender jemand arbeitete, desto besser konnte diese Person

Prioritäten managen und damit den Wert des Zeit-tauschs für das gesamte Team beeinflussen.

Stellt man sich einen Angestellten auf der ‚untersten‘ Ebene vor, so wird dieser vielleicht einen Timehorizon (Anmerkung: Unser Gespräch fand auf Englisch statt, und so prägte sich in mir der Begriff „Timehorizon“ und nicht der im Deutschen verwendete „Zeithori-zont“ ein, weshalb ich den Begriff seitdem auch im Deutschen verwende) von ein bis drei Tagen haben. Er bekommt gesagt, was er heute und morgen zu tun hat, erledigt seine Arbeit und geht dann wieder nach Hause. Er kümmert sich um keine Planung und Struktur, denn dies wird für ihn übernommen. Als du mir deine Überlegungen erzählt hast, Julian, so ist das ähnlich mit dem, als du dich früher um nichts hast kümmern müssen und alles für dich organisiert wurde und du lediglich in den Tag gelebt hast. Geht man die Karriereleiter „weiter nach oben“ und gelangt zu der Person, welche sich genau über der ersten befindet und für diese verantwortlich ist, braucht sie schon ei-nen längeren Timehorizon. Die Person muss eventuell einen Wochen- oder sogar Monatsplan kreieren, oder auf Fehlplanungen reagieren und Ressourcen neu ver-teilen können. Der Timehorizon muss klarerweise von ein paar Tagen auf ein paar Wochen steigen.

Wir könnten dies nun immer weiter nach oben durch-denken, das Wichtige am Ende ist jedoch: Wenn zum Beispiel ein Manager einen kürzeren Timehorizon hat als ein Mitarbeiter, entstehen immer Probleme. Der Mitarbeiter wüsste automatisch besser, wie er seine Zeit tauschen sollte, der Manager setzt dies jedoch aufgrund seines zu kurzen Timehorizon falsch um. Das passiert leider in vielen Firmen – vor allem auch, wenn der CEO nicht den längsten hat."

Kurz horchte ich verwundert auf. Mein Mentor hatte dies genau geplant und fügte hinzu: „Den *längsten Timehorizon* – keine Ahnung, an was du gerade gedacht hast."

Wir beide lachten.

Dann fuhr er fort: „Steve Jobs war eben dafür bekannt, den längsten zu haben, und verstand deshalb nur allzu gut, wie wichtig es war, Leute nicht nur danach einzuordnen, wie gut ihre spezifischen Fähigkeiten waren, sondern vielmehr nach ihrem individuellen Timehorizon.

Hier ist allerdings ein wichtiger Differenzierungsfaktor: Timehorizon bedeutet nicht, wie weit jemand in die Zukunft träumen kann, sondern wie weit in die Zukunft jemand eine Umsetzung kreativ und klar strukturiert planen kann. Sich wilde Visionen auszumalen, ist dagegen nicht so schwer, die wichtigere Fähigkeit ist jedoch, diese Schritt für Schritt wirklich durchzuplanen. Ein paar Wochen sind hier nicht die Kunst, gerade wenn man das monatliche Gehalt bei den meisten sieht: Wie viele haben denn noch genug Geld am Monatsende übrig? Nur die wenigsten. Die meisten haben eher zu viel Zeit am Geldende übrig. Das Problem hier ist die fehlende Fähigkeit dieser Menschen, einen Timehorizon zu besitzen, der lange genug ist."

„Wie lange ist denn der Timehorizon der meisten

Menschen?", unterbrach ich meinen Mentor kurz.

Er fuhr fort: „Die meisten Menschen kommen nicht über zwei bis drei Monate hinaus. Das brauchen sie auch nicht. Es wird für sie von anderen übernommen. Wenn du auf ein halbes Jahr kommst, bist du schon echt gut. Schau dir einfach einmal deinen Kalender an: Wie viele durchstrukturierte Termine hast du heute oder morgen? Wie viele nächste Woche oder nächsten Monat? Wie viele hast du denn in einem Jahr geplant? Vielleicht einen Geburtstag, aber wahrscheinlich keinen einzigen durchstrukturierten Tag. Andererseits geht es hier nicht darum, von der Zukunft nur träumen zu können oder irre Wünsche zu haben, sondern dass man sich ganz genau durchüberlegt, was man denn über die Zeit hinweg alles machen muss. Zwei bis drei Jahre hinaus ist dann Weltklasse. Mit einem solchen Timehorizon gibt es wahrscheinlich nur mehr ein paar hundert bis maximal tausend Menschen auf der gesamten Welt. Wenn wir von sieben bis zehn Jahren sprechen, gibt es meiner Ansicht nach nur mehr zwei oder drei Handvoll Leute. Es ist einfach unglaublich schwer, einen so langen Timehorizon aufrecht zu erhalten. Neben Steve Jobs, der dies bei NeXT, Pixar und am Ende wieder bei Apple immer wieder bewiesen hatte, können dies auf wirklich lange Dauer nicht allzu viele Menschen."

„Was ist mit Glückstreffern?", wollte ich nun wissen, „wie unterscheide ich, ob jemand einen langen Timehorizon hat oder einfach nur Glück?"

Mein Mentor beschrieb es: „Dies ist leicht zu erkennen:

Kann jemand den Timehorizon wiederholen, so ist es ganz klar Können. War es eher ein einmaliger Zufallstreffer, und die Person schafft es nicht noch einmal, so war es eher Glück. Elon Musk ist hier ein Musterbeispiel. Er gehört wie Jobs sicher auch zu den ganz wenigen Menschen, welche Dinge knapp ein Jahrzehnt in die Zukunft kreativ und durchstrukturiert planen und dann umsetzen können. Tesla oder Space-X würden sonst nie dort sein, wo sie heute stehen, wenn Elon nicht diesen immensen Timehorizon hätte."

„Warum versucht Elon nicht, einen noch längeren Timehorizon zu bekommen?", warf ich ein. „Hätte dies nicht noch mehr Vorteile für ihn?"

„Das Problem dabei ist", erklärte mir mein Mentor, „dass, auf zehn Jahre gesehen, so viele unvorhersehbare Dinge passieren können, dass es fast unmöglich ist, einen wirklichen Timehorizon auf diese Zeitdistanz zu haben. Musk versteht das und wenn du in Interviews genau aufpasst, kann er dir bei Plänen innerhalb von zehn Jahren genaue Jahreszahlen und Details geben. Darüber hinaus hält er es eher vage und spricht eher allgemein über Ideen und Visionen. Vor fünfzehn Jahren (Anmerkung: also 2000, vom Telefonat aus gerechnet) hätte sich niemand die heutige Bedeutung von Social Media oder die iPhone-Revolution vorstellen können. Es gab nicht mal einen Ansatz davon. Vor zehn Jahren (Anmerkung: also 2005) gab es Facebook bereits, und auch die ersten Gerüchte vom iPhone kamen auf. Jemand, der also einen wirklichen, auf so lange Zeit vorausgeplanten Timehorizon besessen hätte, hätte sich darauf vorbereiten und seine

Armeen in Stellung bringen können."

„Kann ich Timehorizon nur im Business anwenden?",
hakte ich nun ein.

„Natürlich nicht!", erwiderte er, „bei ganz vielen anderen Dingen auch. Spricht man zum Beispiel übers
Investieren, so sieht man den klaren Unterschied
zwischen den wenigen erfolgreichen und den vielen
erfolglosen Investoren: es ist Timehorizon. Warren
Buffett ist hier das Paradebeispiel. Wahrscheinlich
gibt es keinen besseren Investor als ihn – und warum? Er überlegt sich langfristig, wie sich ein Geschäftsmodell über Jahre, vielleicht sogar Jahrzehnte
entwickeln wird. Müssen Menschen in zehn Jahren
noch essen? Ziemlich sicher. Verwenden Menschen in
zehn Jahren noch Social Media? Vielleicht. Deshalb investiert er eher in Firmen, bei denen er für sich erkennt, dass diese in zehn Jahren am wahrscheinlichs-
ten noch existieren würden. Dies ist eine wichtige
Lektion für dich, Julian:

> *Menschen mit langem Time Horizon wissen:*
>
> *Nichts ist sicher.*
>
> *Vieles ist möglich.*
>
> *Die Kunst ist,*
>
> *das Wahrscheinliche zu erkennen."*

Kurz schweiften meine Gedanken ab, denn diese drei

Punkte gaben mir zu denken. Dass nichts sicher ist, war mir klar, dass vieles möglich ist, auch. Doch ich bin immer davon ausgegangen, dass man Garantien haben wollte und nicht nur Wahrscheinlichkeiten. Also hakte ich nach: „Sollte man als erfolgreicher Mensch nicht eher nach Gewissheiten suchen, statt sich mit Wahrscheinlichkeiten zu begnügen?"

„Genau das denken die meisten nicht-erfolgreichen Leute," erhielt ich seine ehrliche Antwort, „Doch erfolgreiche Leute wissen, dass nichts im Leben gewiss ist. Alles, selbst dass morgen die Sonne nicht mehr aufgeht, hat eine Wahrscheinlichkeit. Diese ist zwar immens gering, so gering sogar, dass wir sie nicht berücksichtigen, doch was, wenn ein Asteroid einschlägt etc.? Schau also, dass du nie in Gewissheiten denkst, sondern immer in Wahrscheinlichkeiten! Erfolglose Menschen wollen das nicht, sie wollen die Dinge lieber sicher für sich haben, und genau das unterscheidet sie von jenen Menschen mit einem langen Timehorizon. Diese wissen, wie Warren Buffett beim Investieren, dass man sich genau überlegen muss, was das wahrscheinlichste Szenario über einen so lang wie möglichen Zeitraum ist."

„Warum macht das denn nicht jeder von sich aus? Ich dachte, die Evolution will die Menschheit zum Überleben bringen, und wenn Leute einen längeren Timehorizon hätten, so wäre dies doch besser für die ganze Spezies?", grübelte ich laut.

„Ja, schon", bestätigte mich mein Mentor, „aber du hast mir ja zuvor bereits gesagt, wie uns die Evolution das

Jetzt mehr werten lässt als die Zukunft. Außerdem verhalten sich Menschen mit einem langen Timehorizon meist komplett konträr zu jemandem mit einem kurzen, und die Evolution hat uns Menschen so programmiert, dass wir nur ungern anders sind als andere. Ein klasse Beispiel hierfür ist Jeff Bezos, Gründer und CEO von Amazon. Jeffs immense Stärke ist es, seine Zeit vor allem auf langfristige Projekte zu fokussieren. Sein Timehorizon spielt sicher in der Liga von Elon Musk oder Steve Jobs, doch dadurch eckt er bei Leuten an, welche einen kürzeren Timehorizon haben. Nur die wenigsten können das aushalten. Ganz zu Beginn der ersten Online-Rezensionen wollte er zum Beispiel auch negative Feedbacks der Benutzer zulassen und nicht nur die positiven. Sein Team schrie auf, denn bei negativen Kundenfeedbacks gegenüber den Händlern würden neue Kunden durch die schlechte Rückmeldung eher davon abgehalten werden, bei diesen Händlern einzukaufen. Die Folge wäre weniger Umsatz von Amazon und damit ein Rückgang des Aktienpreises. Jeff ließ sich jedoch nicht einschüchtern und erlaubte auch negative Rezensionen. Dies war eine absolute Neuerung, denn, um den Umsatz zu schützen, hatte bisher kein anderer Online-Händler negatives Feedback erlaubt. Es kam, wie es kommen musste: Eine Vielzahl an negativer Reviews prasselte auf Amazon herein und tausende Händler wurden kritisiert. Der Umsatz brach ein und somit auch der Kurs an der Börse."

„Lass mich raten!", unterbrach ich ihn, „Jeff Bezos stand zunächst als Verlierer da, doch am Ende als Gewinner!"

„Genauso war es", freute sich mein Mentor. „Es lag am unterschiedlichen Timehorizon. Sein Team und die Trader an der Börse hatten alle einen Timehorizon von ein paar Monaten bis hin zu ein bis zwei Jahren. Jeff hingegen dachte in Zeitabschnitten von fünf bis sieben Jahren. So war das negative Feedbacksystem kurzfristig zwar schädlich, langfristig war es allerdings die transparente und faire Möglichkeit, Kunden zu schützen, indem ihnen ermöglicht wurde, ehrliches Feedback zu geben und sich eine eigene Meinung zu bilden. Klarerweise mussten Händler bei unfairen Attacken auch unterstützt werden, doch das Novum eines sowohl positiven als auch negativen Feedbacksystems legte den Grundstein zu dem vertrauenswürdigen Amazonsystem, welches wir heute alle kennen und von Millionen Menschen täglich genutzt wird. Jeff hatte sich eben nicht nur auf den kurzfristigen Ausblick, sondern vielmehr auf den langfristigen konzentriert. Zu Recht, denn nach einem kurzfristigen Dip nach unten, stieg die Amazon-Aktie, durch die Umsatzzahlen beflügelt, weiter und weiter nach oben[4]. Als es dann darum ging, das Geschäftskonzept zu erweitern, war es abermals Jeff Bezos, der darauf plädierte, Cloud-Hosting für die gesamte Welt günstig anzubieten. Initial sprang sein Team sorgenvoll auf, denn die Server waren nicht nur teuer, auch gab es (noch) keinen Bedarf für einen solchen Service. Wiederum war es ein Timehorizon-Unterschied und rückblickend gibt der Erfolg des Amazon-Web-Service (AWS) Jeff Bezos Recht[5]. Der Punkt ist jedoch, dass dich ein solch

4   Anm.: Amazon war 2018 sogar kurzfristig das wertvollste Unternehmen der Welt: https://www.cnbc.com/2019/01/07/why-amazon-is-the-most-valuable-public-company.html
5   Anm.: https://www.theguardian.com/technology/2017/feb/02/amazon-web-services-the-secret-to-the-online-retailers-future-success

unterschiedlicher Timehorizon oft zum Außenseiter macht. Nicht umsonst gibt es den Spruch, dass Genie und Wahnsinn nahe beieinander liegen."

„Und Bereiche jenseits von Business und Geld?", interessierte mich nun.

„Natürlich kann man Timehorizon auch auf andere Bereiche als Geld oder Business umlegen. Ein Geschäftspartner von mir versucht zum Beispiel seit langem, eine langfristige Beziehung aufzubauen, doch er verfällt immer in kurzfristiges Denken. So ist er nicht geduldig genug, und mit den Frauen, welche er trifft, hat er dann eher One-Night-Stands als etwas Tiefgründiges oder Langfristiges. Sein Fokus ist falsch gesetzt, und somit investiert er seine Zeit falsch. Dasselbe gilt bei der eigenen Gesundheit, beim Lernen und allem anderen."

„Kann man denn seinen Timehorizon verlängern?", fragte ich neugierig nach.

„Ja, natürlich kann man das. Vor allem, weil Menschen auch in unterschiedlichen Bereichen einen unterschiedlichen Timehorizon haben."

„Wirklich?", ich war überrascht.

„Na logisch, denk zum Beispiel zurück, als du dein Medizinstudium angefangen hast. Wie alt warst du damals?"

„18 Jahre.", sagte ich.

„Gut, welchen Timehorizon hast du damals also

unweigerlich gehabt?"

„Keine Ahnung, vielleicht ein Jahr!", erwiderte ich unsicher, da ich mir darüber noch nie Gedanken gemacht hatte.

„Naja, das kann doch nur sein, wenn du vorgehabt hättest, das Studium nach einem Jahr zu schmeißen. Nein, du wolltest das Studium durchziehen, was, korrigiere mich falls ich falsch liege, zirka sechs bis sieben Jahre dauert, oder?", hakte er nach.

„Ja, ich habe 2004 angefangen und 2011 promoviert."

„Eben, also hattest du unterbewusst einen Timehorizon von mehreren Jahren. Das ist jetzt zwar nicht ein richtiger Timehorizon, weil du ja nicht unbedingt kreativ sein musstest, aber…"

„… na gut!", unterbrach ich ihn lachend, „ich musste das aber mit meiner Kitesurfkarriere verbinden und dafür brauchte ich schon Kreativität!"

Er lachte herzhaft mit. „Du verstehst aber, was ich meine, oder? Als Profisportler hattest du zum Beispiel auch bei deinem Training und Ernährung definitiv einen langen Timehorizon. Wie war das aber zu dieser Zeit mit deinen Beziehungen? Wir kannten uns damals noch nicht, aber ich kann mir vorstellen, dass du als Surfer auf der ganzen Welt nicht gerade Langzeitbeziehungen hattest, oder?"

Ich grinste nur und meine Stille verriet, dass mein Timehorizon hier sicher nicht länger als eine Nacht war.

„Du wirst sogar einen unterschiedlichen Timehorizon im gleichen Bereich bei unterschiedlichen Dingen gehabt haben", fuhr er fort. „Du hast mir doch erzählt, dass du nach deiner Arbeit als Arzt über die letzten Jahre so ziemlich alles im Businessbereich versucht hast. Startups, Franchising, Network-Marketing, Online Business, etc. Welches davon war denn das Schwerste?"

„Keine Ahnung, wenn ich eines nennen müsste, dann wahrscheinlich das Startup."

„Warum war das so?", bohrte er nach.

„Naja, ich musste mich selbst um alles kümmern, musste alles selbst einteilen, ich…"

„…genau!", fuhr er mir ins Wort. „Bei einem richtig guten Startup brauchst du einen langen Timehorizon. Mit „lang" meine ich zumindest ein Jahr. Besser zwei bis drei. Sonst wird das nicht klappen. Bei einem Franchise ist das schon einfacher, und weißt du noch, als ich dir abriet, Network Marketing zu machen, du es aber trotzdem getan hast?"

„Ja, aber ich dachte, du hättest mir davon geraten, weil du nicht wolltest, dass ich etwas verkaufe", erwiderte ich.

„So ein Blödsinn!", schoss er zurück, „Verkaufen ist eine der wichtigsten Fähigkeiten im Leben. Lass dir niemals einreden, dass es schlecht wäre, verkaufen zu können – ganz im Gegenteil. Der Grund, warum ich dir von Network-Marketing abgeraten habe, ist, weil du da lernst, nur kurzfristig aber nicht langfristig zu denken."

Ich war verwirrt. Wie meinte er das?

„Über welchen Zeitraum waren denn deine Verkaufsziele gesteckt?", wollte er wissen.

„Einen Monat", antwortete ich und schon wusste ich, auf was er hinauswollte.

„Eben! So funktioniert kein gutes Business auf der Welt. Gute Businesses haben lange Timehorizons, wie es Musk, Bezos oder Jobs vorleben. Genau wie kurzfristig denkende Menschen von einem monatlichen Gehalt abhängig sind und es nie schaffen, langfristiger zu denken, so wollte ich nicht, dass du darauf trainiert wirst, kurzfristig zu denken. Gut, dass du die anderen Dinge auch nebenbei gemacht hast, sonst handelst du irgendwann mit einem Timehorizon wie ein Goldfisch!" Er schmunzelte.

„Ja, soviel Zeit habe ich eh nicht hineingesteckt, und letztes Jahr war mir schlussendlich klar, dass das nichts für mich ist. Aber wie schaffe ich es jetzt, meinen Timehorizon zu verlängern?"

„Willst du wissen, was das Paradebeispiel des Timehorizon-Lernens ist?", stachelte er und, ohne auf meine Antwort zu warten, welche er sowieso bereits wusste, fuhr er fort: „Mark Zuckerberg. Als er Facebook mit knapp neunzehn Jahren gestartet hatte, hatte er wahrscheinlich einen Timehorizon von zwei bis drei Monaten – ziemlich Durchschnitt. Interessanterweise hatte er laut der Gerüchteküche denselben CEO-Coach wie viele andere berühmte Silicon Valley-CEOs – unter anderem, du wirst es nicht glauben, den von Steve Jobs."

„Und was passierte daraufhin?", wollte ich neugierig wissen.

„Marks Timehorizon schoss nach oben. Seine Entscheidungen und **Prioritätensetzung** wurden besser, und Facebook wurde vom Startup zum erfolgreichen Megakonzern. Klar, vieles davon sind Gerüchte, doch die Puzzleteile fügen sich zusammen, und alles geht wieder vom Meister selbst, Steve Jobs, aus."

„Wie hat er das gelernt, mit dem Verlängern seines **Timehorizon**?"

„Durch aktives Pushen. Dabei fragt man sich regelmäßig, auf welchen Zeitraum man sich bei einem Projekt gerade fokussiert. Dann schiebt man diesen langsam nach vorne. Arbeitet man an Dingen, welche nur einen Tag Timehorizon haben, pusht man sich und arbeitet Schritt für Schritt an Dingen, welche eine Woche Timehorizon erfordern. Dann ein Monat, dann drei Monate, dann sechs Monate, dann ein Jahr, dann drei Jahre und irgendwann das Höchste aller Gefühle: ein Jahrzehnt. Das Ganze geht nicht über Nacht, sondern dauert Jahre – doch glaub mir, das ist es mehr als wert! Meist braucht man auch einen Coach dafür, der einen fordert – doch Timehorizon ist unglaublich wichtig, weil du so die Bereiche richtig ordnest und ihnen die notwendigen Prioritäten zuschreibst."

„Woher weißt du das alles", fragte ich meinen Mentor.

„Weil ich selbst mit ihm darüber gesprochen habe", antwortete er mir, „er hat mir selbst davon erzählt!"

„Wer ist ‚er'?", fragte ich verwirrt.

„Na, Steve Jobs!"

„Wow, ernsthaft? Du lügst doch", forderte ich ihn heraus.

„Würde ich nie – ich habe mit ihm selbst bei einem Projekt darüber gesprochen!", bestätigte mein Mentor seine Aussage.

„Das ist doch irre!" Ich konnte es zwar immer noch nicht so richtig glauben, doch möglich war es auf jeden Fall. Ich wusste, dass mein Mentor enorm gut in der Geschäftswelt vernetzt war.

„Ja, irre cool – und irre wichtig!", doch dann fügte er noch hinzu, „Hör zu, das waren jetzt drei Stunden – ich muss los."

Ich blickte auf die Uhr – tatsächlich, es war 6:00 Uhr morgens. Ich verabschiedete mich und bedankte mich für die wertvolle Zeit – es war nicht das erste Mal bei ihm, dass ich unglaublich viel in einem Telefonat gelernt hatte, und auch nicht das letzte Mal. Schlafen zu gehen, brauchte ich jetzt sowieso nicht mehr, dafür war ich viel zu aufgeregt. Also setzte ich mich hin und reflektierte über unser Gespräch. Eines war mir dabei klar geworden und so schrieb ich es groß auf:

> *Timehorizon ist die Zeit bzw.*
>
> *die Fähigkeit, wie weit in die Zukunft*
>
> *jemand etwas kreativ und*
>
> *strukturiert zur Umsetzung planen kann.*

Ich musste noch mehr über das Thema herausfinden und auch ein Meister des Timehorizons werden. Mein Mentor würde mein Coach sein und mich dabei hoffentlich an die Hand nehmen. Ich erkannte, dass Timehorizon aus nur drei grundlegenden Prinzipien bestand:

Timehorizon Grundprinzip Nr. 1:

Manage nicht deine Zeit,

manage deine Prioritäten.

Man musste Zeit immer in etwas eintauschen, aber was man tatsächlich managen konnte, war, wofür man sie tauscht. Hier schrieb ich mir als Notiz auf, dass ich beim nächsten Telefonat meinen Mentor fragen wollte, wie ich das „wofür" herausfinden konnte. Außerdem verstand ich immer noch nicht, was ein „wertvoller" und ein „nicht-wertvoller Tausch" war. Vielleicht hatte er hier eine gute Antwort.

Timehorizon Grundprinzip Nr. 2:

Prioritäten mit langem

Timehorizon sind schwerer zu managen

als Prioritäten mit kurzem Timehorizon.

Dies lag auf der Hand, doch es erinnerte mich an John F. Kennedy, der sagte: „Wir machen die wichtigen Dinge nicht, weil sie einfach sind, sondern weil sie hart sind."[6]– Daher liefern sie uns den meisten Wert!

Timehorizon Grundprinzip Nr. 3:

Menschen mit längerem Timehorizon gewinnen schlussendlich immer gegen Menschen mit kurzem Timehorizon.

Dies hatte mein Mentor mehr als klar beschrieben. Steve Jobs schien dies schon seit langem verstanden zu haben, und Warren Buffett bzw. viele andere erfolgreiche Menschen mit langem Timehorizon auch. Nun war es an der Zeit, dass auch ich begann, diese Konzepte in mein Leben zu integrieren, um hoffentlich ebenfalls so gigantische Resultate zu erzielen.

Bevor du zum nächsten Kapitel übergehst, gehe zunächst auf jeden Fall die Fragen im Arbeitsbuch durch.

---

6   https://en.wikipedia.org/wiki/We_choose_to_go_to_the_Moon

7.
DIE TIMEHORIZON ERFOLGSFORMEL

WAS → WARUM → WIE

Ich weiß nicht, wie es dir dabei geht, wenn du etwas Neues lernen willst. Die Frage, welche ich mir dabei jedes Mal stelle, ist: „Wie geht das? Wie funktioniert das genau? Welche Schritte muss ich tun?" Mein Mentor nannte dies immer:

Die Geisel des Wie.

„Wie-Fragen" verleiten uns dazu, detaillierte Funktionsweisen eines Ablaufs zu hinterfragen und dabei Dinge extrem zu verkomplizieren. Das Timehorizon Prinzip besagte, dass man Pläne durchstrukturieren sollte. Wie konnte ich mich dabei jedoch nicht in den Details verlieren? Es war Zeit, das nächste Telefonat mit meinem Mentor auszumachen.

„Ich habe seit unserem letzten Gespräch viel nachgedacht und reflektiert. Doch eines verstehe ich noch nicht: Wie setze ich Timehorizon nun um?", begann ich sofort.

Mein Mentor war auf meinen Wasserfall an Fragen gewappnet: „Julian, du weißt genau, was ich dir jetzt sagen werde."

Ich entgegnete: „Ja, irgendwann muss man „losfahren", und darauf vertrauen, dass man ankommt. Wenn ich solange darauf warte, bis alle Ampeln auf Grün umgeschaltet sind, starte ich erst gar nicht. Aber…"

„…die Frage nach dem „Wie" verleitet uns dazu, Dinge zu zerdenken, anstatt nach ein paar Grundgedanken einfach einmal zu starten und flexibel um Eckpunkte herum zu arbeiten", unterbrach er mich. Kennst du den TED-Talk von Simon Sinek „Start with Why"[1]?

„Ja, kenne ich", gab ich kleinlaut zu. In dem Kurzvortrag ging es darum, mit der Frage nach dem „Warum" zu starten und nicht mit „Was" oder „Wie". Das „Warum" stellte entweder eine Belohnung oder die Vermeidung einer Strafe dar. Das „Was" war die genaue Definition von dem, was man eigentlich durch sein Tun erhalten möchte, und das „Wie" beschrieb die eigentliche Umsetzung. Simon beschrieb, dass durch die Frage nach dem „Warum" massive Motivation und Inspiration aufgebaut werden würde, was der Schlüssel zur Umsetzung wäre. „Ich kenne ja mein Warum und ich weiß auch, was ich erreichen will, jetzt fehlt mir nur das Wie und ich verstehe nicht, warum du mir nicht erklärst, was ich machen muss, sondern mich so auf die Folter spannst?", warf ich meinem Mentor nun frustriert vor.

Der blieb jedoch cool.

---

1   Anm.: Starte mit Warum https://www.ted.com/talks/simon_sinek_how_great_leaders_inspire_action

Er schien genau zu wissen, was er tat: „Kanntest du damals, als du als Arzt gekündigt hast, genau das Warum, Wie und Was?"

„Natürlich", blaffte ich zurück. „Mein „Was" war, dass ich Unternehmer werden wollte. Mein „Warum" war, dass mich meine Arbeit im Krankenhaus nicht glücklich gemacht hatte und ich Angst gehabt hatte, mein Leben zu versäumen. Das „Wie"…" Ich stockte.

Mein Mentor ließ mich kurz in der Luft hängen. Er hatte von vornherein eine Strategie gehabt: ich hatte mich gerade mit meinen eigenen Waffen geschlagen. Er vervollständigte meinen Satz: „…hat sich erst im Laufe der Monate und Jahre entwickelt, stimmt's? Du musstest erst zahlreiche Geschäftsmöglichkeiten und -modelle durchprobieren. Am Anfang hast du einfach darauf vertraut, dass du es schaffen wirst. Hättest du dir über das „Wie" bereits bei der Kündigung zu viele Gedanken gemacht, hättest du es wahrscheinlich nie getan. Du hättest dir zu viele Fragen gestellt und Probleme gesehen, anstatt darauf zu vertrauen, es einfach zu tun und „eine Brücke dann zu überqueren, wenn du dort angelangt bist."

Er und ich wussten beide, dass er komplett Recht hatte. Also sagte ich das einzig Mögliche in dieser Situation: Nichts. Ich wartete einfach, bis er dies als mein Eingeständnis verstehen würde und ich damit zu erkennen gab, dass ich offen für seine Lektion war.

Mein Mentor fuhr fort: „Persönlich stimme ich Simon in seiner Sichtweise zu, jedoch nur teilweise. Für mich ist wichtiger, das „Wie" nach hinten zu stellen.

Dagegen holt er das „Warum" nach vorne. Manche Menschen starten lieber mit der Definition von dem, was sie erreichen wollen, andere hingegen sind durch eine innere Motivation getrieben, ohne genau zu wissen, was sie exakt wollen. Ein viel passender, jedoch nicht so packender Titel als „Starte mit dem Warum" wäre für mich daher „Das Wie zum Schluss". Neben „Was" und „Warum" ist vielleicht noch eine andere Frage wichtiger als das „Wie"!"

„Welche denn?", jetzt war ich neugierig geworden. Auch wenn er eindeutig Recht hatte, besaß er die Gabe, dies einem nicht aufzudrücken, sondern mir auf eine viel subtilere Art und Weise zu verstehen zu geben.

Geheimnisvoll sprach er: „Wann!" Er pausierte für einen dramatischen Effekt, um danach hinzuzufügen:

„Timing ist zu 51 Prozent für Erfolg oder Nicht-Erfolg verantwortlich."

„Wirklich?", jetzt war ich überrascht, „dies würde doch bedeuten, dass Erfolg rein auf Glück basiert?"

„Nur bedingt", entgegnete er, „Eine Bergwanderung bei Wind und Regen kann einen komplett anderen Schwierigkeitsgrad haben als bei herrlichem Sonnenschein. Derjenige, der Glück oder Pech hat, geht also auf den Berg, ohne sich den Wetterbericht anzusehen. Derjenige, der sich auskennt, bereitet sich vor, sieht sich die Vorhersage an und handelt je nachdem. Der Unterschied zwischen Glück und Können ist somit, Herr seiner Umstände zu sein, indem man seine

Segel nach dem Wind richtet und nicht dagegen. Tappe also nie in die Falle, deinen Umständen die Schuld für deinen Misserfolg zu geben. Du musst schon die Segel richtig setzen. Gutes Timing ist somit absolut erlernbar."

„Wie denn?", fragte ich nach.

„Du liebst Wie-Fragen, oder?", lachte er. „Durch Erfahrung. Entweder durch die eigene oder die anderer Leute.

Die Geschichte wiederholt sich zwar nicht, jedoch reimt sie sich."

Dies hatte er mir schon oftmals zuvor erklärt, und es machte absolut Sinn. „Ist also nicht Talent oder harte Arbeit der Schlüssel zum Erfolg?", forderte ich ihn heraus.

„Denke ich nicht. Ich glaube eher das folgende:

> *Die Rezeptur für Erfolg lautet:*
>
> *51 Prozent ist Timing.*
>
> *Dies musst du lernen zu erkennen.*
>
> *44 Prozent ist harte Arbeit.*
>
> *Die musst du hineinstecken.*
>
> *Nur die letzten 5 Prozent sind Talent.*

Nachdem die wenigsten Menschen harte Arbeit in etwas investiert haben, reicht es meistens, wenn jemand mit ein wenig Talent das richtige Timing erwischt, um tolle Resultate zu erzielen. Im Gegenzug dazu kann man mit noch so viel Talent und harter Arbeit gutes Timing nicht schlagen."

Damals konnte ich das klarerweise noch nicht erahnen, doch wenn ich heute (2019) über die letzten Jahre seit damals hinwegblicke, so sollte mein Mentor auf krasseste Weise abermals Recht behalten: Im Jahr 2014 hatte ich das erste Mal von Blockchain gehört. Ich erkannte damals jedoch nicht, dass es noch nicht das richtige Timing war, um ein Unternehmen in diesem Bereich zu starten. Egal wie hart ich damals arbeitete und Einsatz zeigte, ich kam nicht voran. Dreht man die Zeit nun ein wenig nach vorne, so änderten sich die Dinge 2016 und 2017 schlagartig. Plötzlich war das Timing perfekt geworden, und die Massen sprangen auf den dezentralen Trend auf und hypeten das Thema Blockchain und Kryptowährungen. Viele Investoren, Influencer und auch die Presse, welche sich alle eigentlich nicht gut mit der Thematik auskannten, profitierten mit nur ganz wenig Arbeit und wurden praktisch über Nacht reich – zumindest auf dem Papier. Der Knackpunkt war aber, dass sie nicht wussten, warum sie Erfolg hatten. Sie hatten gedacht, es sei wegen ihres Talentes oder ihrer Arbeit gewesen – tatsächlich war es einfach nur glückliches Timing. Ich hatte zwar in diesen Jahren auch Glück und verdiente enorm viel Geld damit, doch ich wusste von den Jahren zuvor, wie schwer der Bereich in den „dürren Jahren" gewesen war. 2018 passierte das Unweigerliche und der Markt crashte teilweise um über 90 Prozent. Alle Menschen, welche sich den wahren Gründen ihres

Scheinerfolgs nicht bewusst waren (und das waren leider fast alle), verloren praktisch ihr gesamtes Investment. Nur wenige kombinierten Timing, harte Arbeit und Talent, um sich rechtzeitig umzupositionieren und ihr Kapital zu sichern. Heute (Anfang 2019) kann man im Blockchainbereich noch so gut sein und noch so hart arbeiten, man wird wahrscheinlich nicht auch nur annähernd solche Resultate wie damals erzielen, da das Timing derzeit nicht mehr das gleiche ist. Dies bedeutet jedoch, dass gerade heute, ähnlich wie im Jahr 2014 oder 2015, eine super Zeit ist, um sich mit der Thematik vertraut zu machen. Die Geschichte wiederholt sich zwar nicht, sie reimt sich aber.

„Timing verstehe ich, aber warum gibst du Talent nur so wenig Bedeutung? Ist Talent nicht unglaublich wichtig für Erfolg?", erkundigte ich mich.

„Harte Arbeit schlägt Talent jederzeit! Talent ist lediglich die Spitze des Eisbergs und nicht die Basis. Viele Menschen wollen die harte Arbeit, welche jemand in seinen Erfolg investiert hat, einfach nicht anerkennen und, anstatt sich die Wahrheit einzugestehen, reden sie sich lieber mit einem fehlenden Talent heraus. Du kennst doch den Spruch: Übung macht den…

„…Meister", vollendete ich das Sprichwort. Eigentlich hätte ich das wissen sollen, denn ich hatte es in den Jahren zuvor bereits mehrfach erlebt: Wenn mich Leute zum Beispiel bei Keynotes als Speaker sahen, dachten sie oft, dass meine Fähigkeit, einen guten Vortrag zu geben, ein Talent war. Ihre Einschätzung könnte jedoch nicht weiter von der Wahrheit entfernt sein. Der

Grund, warum meine Präsentationen so gut ausfielen, war, dass ich bereits tausende schlechte Vorträge in meinem Leben gehalten hatte – das ist keine Übertreibung. Ich kann mich noch ganz an den Anfang erinnern, als ich einen Übungsvortrag halten musste, und ein Kumpel namens Cyril zu mir sagte: „Alter, so scheiße wie deine Vorträge sind, da fangen meine Ohren ja an zu bluten!" Ernsthaft, das hatte er zu mir gesagt. Ich war dankbar für seine wahrscheinlich korrekte Kritik, denn so arbeitete ich damals und auch heute noch unentbehrt an jeglicher Facette meiner Keynotes, um sie bei jedem Vortrag besser und besser zu machen. Übung macht eben den… Na, du weißt schon ☺

„Julian", riss mich mein Mentor aus meinen Gedanken, „gerade, wenn wir nun in die Details zu Timehorizon gehen, kann es leicht sein, dass du frustriert wirst, weil du gewisse Dinge noch nicht so gut kannst. Das ist ganz normal. Erinnere dich einfach, dass noch kein solcher Meister vom Himmel gefallen ist, und du einfach noch ein bisschen brauchen wirst, bis du alles wirklich verinnerlicht hast."

„Diese Frustration habe ich bereits verspürt", amüsierte ich ihn.

„Gut, bist du bereit für die Timehorizon-Erfolgsformel?", erkundigte er sich mit mystisch vertiefter Stimme.

„Und wie!", brüllte ich ins Telefon. Er hatte mich mit voller Begeisterung gepackt.

> *„Die Timehorizon Erfolgsformel lautet:*
>
> *Wir definieren das „Was"*
>
> *über das Timehorizon-Dreieck.*
>
> *Danach bauen wir*
>
> *ein starkes „Warum" zur Motivation auf.*
>
> *Erst ganz am Ende, arbeiten wir das „Wie" aus."*

Stille. „Das war's?", ich hatte einen magischen Zauberspruch oder sonst ein Geheimnis, welches die Welt verändern würde, erwartet. „Ernsthaft? Das ist die Erfolgsformel? Hast du die nicht ein bisschen zu stark gehypet?"

„Nein, ganz im Gegenteil. Auf den ersten Blick sieht die Formel simpel aus, doch wie bei vielem, steckt oft mehr dahinter, als der erste Anschein vermuten lässt. Essenziell ist zum Beispiel nicht nur der Inhalt, sondern auch die Reihenfolge der Punkte. Du darfst der Frage nach dem „Wie" nicht gleich zu Beginn nachgehen", entgegnete er.

Er hatte Recht gehabt – ich wäre sofort zum Wie gesprungen. „Okay, fair enough. Lass uns deinen Weg nehmen. Eine Alternative gibt es wohl sowieso nicht", stichelte ich.

„Nope", verkündete er bestimmt, „either my way, or the highway". Entweder seinen Weg, oder keinen Weg.

„Meine Aufmerksamkeit gehört ganz dir", erklärte ich lachend.

Er blieb Todernst und so wusste ich, was folgen würde, waren die wahren Geheimnisse:

**„Dinge im Timehorizon basieren auf zwei
wichtigen Faktoren:**

1. Deadline (Anmerkung auf Deutsch: Frist)

**2. Impact (Anmerkung auf Deutsch: Auswir-
kung)"**

Jetzt war ich kurz verwirrt: „Aber sind dies nicht ähnliche Kategorien wie bei der Eisenhower-Matrix?"

„Nein, ganz im Gegenteil. Wir verwenden mit Absicht
nicht die Wörter „wichtig" oder „dringend". Die Evolution lässt uns Dinge, welche nahe an ihrer Deadline
sind, immer wichtiger erscheinen als Dinge, welche
noch weit von ihrer Deadline weg sind, oder gar keine
Deadline haben. Julian, merke dir folgendes für den
Rest deines Lebens:

> *Die wirklich wichtigen Dinge im Leben*
>
> *haben meist einen hohen*
>
> *Impact aber keine Deadline."*

„Das verstehe ich, doch woher weiß ich, was die
„wirklich wichtigen Dinge" im Leben sind?", wollte ich
wissen. Diese Frage hatte ich nun schon lange stellen
wollen.

Mein Mentor hatte darauf natürlich die Antwort parat:

„Ganz einfach, man rät nicht, sondern man fragt Menschen, die es wissen müssen."

„Wer sind diese Menschen?"

Er fuhr fort: „Menschen auf ihrem Sterbebett. Sie wissen, ob sie die Dinge in ihrem Leben gemacht haben, welche wirklich für sie wichtig waren. Eine australische Krankenschwester hat genau dies getan und zahlreiche Patienten auf einer Palliativstation in ihren letzten Wochen befragt, was sie denn am meisten bereuten[2].

Die fünf meistgenannten Antworten waren:

1. Das Leben so zu führen, wie man selbst eigentlich will, nicht was andere von einem erwarten.

2. Nicht so viel zu arbeiten.

3. Gefühle besser auszudrücken.

4. Mehr Zeit für Freunde.

5. Sich zu entscheiden, glücklicher zu sein."

„Diese Aussagen überraschen mich ganz und gar nicht", erklärte ich.

„Nein, sogar ganz im Gegenteil. Jeder kann sich in sie hineinversetzen. Wir wissen sogar insgeheim, dass wir wahrscheinlich ebenfalls dieselben Dinge bereuen werden – stimmt's? Denk mal darüber nach, was du, von heute aus gesehen, in deiner Vergangenheit bereust. Ähnliche Dinge!"

---

[2] Anm.: https://www.theguardian.com/lifeandstyle/2012/feb/01/top-five-regrets-of-the-dying

„Wie kann das denn sein?", erwiderte ich verwirrt. „Wie kann es sein, dass wir zwar wissen, was wir wahrscheinlich bereuen würden und wir es trotzdem nicht besser machen?"

„Spannende Frage, oder?", verriet mein Mentor. „Haben wir vielleicht als junge Menschen andere Ziele und Wünsche? Will man absichtlich mehr arbeiten, Freunde nicht sehen und unglücklich sein?"

„Das glaube ich kaum", war ich mir sicher.

Er zitierte eine Liste von Träumen, welche junge Menschen für ihr Leben haben[3]: „Man sieht eindeutig, dass die meisten Menschen eigentlich schon auf dem richtigen Weg wären:

- Menschen wollen viel Reisen und tolle Dinge erleben.

- Sie setzen sich sportliche und gesundheitliche Ziele.

- Sie wollen etwas hinterlassen, wie zum Beispiel ein Buch zu schreiben.

- Sie wollen sich weiterbilden, und zum Beispiel ein Instrument spielen lernen oder eine neue Sprache können.

- Sie wollen Zeit mit Tieren verbringen.

- Sie wollen frei sein, ohne Einschränkungen.

---

3   Anm.:   https://www.livestrong.com/slides how/1012668-worlds-20-popular-bucket-list-activities/

- Sie wollen Zeit mit ihren Freunden bei coolen Aktivitäten verbringen. Usw.

Ich weiß nicht, Julian, wie du dich mit diesen Dingen identifizieren kannst, ich kann es auf jeden Fall."

Ich stimmte ihm zu: „Ja, ich glaube fast jeder hat solche Ziele im Leben. Warum setzen dann so wenige Menschen diese Dinge in die Tat um, obwohl sie eigentlich jeder machen möchte und sie definitiv machbar wären?"

„Weil sie keine Deadline haben!",

erklärte mir mein Mentor.

„Die Reise kann man ja auch nächstes Jahr erst machen, das Buch erst irgendwann schreiben, und die Band spielt ihre Konzerte doch noch länger – bis eben nicht mehr genug Zeit da ist, weil uns die Evolution ständig Dinge mit naher Deadline untergejubelt hat, welche wir eigentlich nicht so gerne machen, sie uns aber in dem Moment jedes Mal wichtig erschienen sind."

Ich erinnerte mich an memento mori – Die ultimative Deadline für die wirklich wichtigen Dinge im Leben.

„Julian, stell dir mal eine Grafik vor. Unten auf der X-Achse ist die Deadline aufgetragen und auf der Y-Achse der Impact. So entsteht eine Übersicht."

Ich schloss die Augen und hatte beide Achsen klar vor mir:

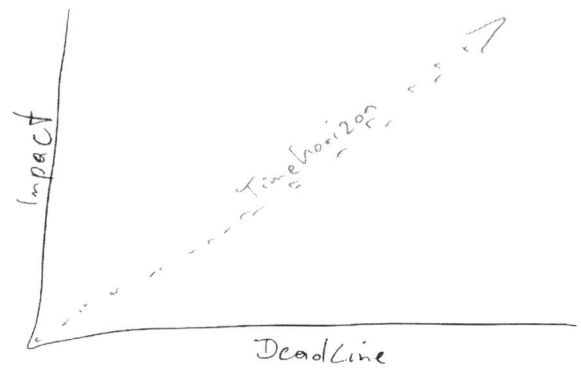

Hoher Impact, klare knappe Deadline

Er fuhr fort: „Der Bereich links oben ist ein Bereich mit hohem Impact und klarer und knapper Deadline. Darunter fallen Dinge, die wirklich einschneidend für uns sind und sofort gelöst werden müssen. Der hohe Impact entsteht meist dadurch, dass eine sofortige harte Strafe drohen würde, wenn man sich nicht darum kümmert. Mutter Evolution hat unsere Aufmerksamkeit also gleich über beide Hebel (knapper Zeitpunkt und drohende Strafe) auf das Problem fixiert, sodass wir hier unbedingt unsere Zeit gegen Wert tauschen, um das Problem loszuwerden."

„Hast du ein paar Beispiele für mich, damit ich mir das besser vorstellen kann?", unterbrach ich ihn.

„Klar, wenn du mich einmal ausreden lassen würdest, wäre ich sowieso dazu gekommen:

Eine drohende Jobkündigung, wenn wir nicht zur

Arbeit erscheinen.

Einen Flug zu verpassen, wenn wir nicht früh genug aufstehen.

Ein Medizinischer Notfall und wir müssen sofort ins Krankenhaus.

Dein Partner droht dir mit Trennung/Scheidung, wenn du nicht mehr Zeit mit ihm/ihr verbringst, usw."

Dies war komplett verständlich. Bei einem richtigen drohenden Notfall tat man alles, um das Problem zu lösen. „Sollten darunter nicht noch andere Dinge fallen, wie zum Beispiel eine dringende E-Mail sofort beantworten oder…", fragte ich nach, dieses Mal jedoch besonders vorsichtig, um ihn nicht schon wieder zu unterbrechen.

Doch dieses Mal fiel er mir ins Wort: „…Ich lasse hier mit Absicht ein paar deiner Vorschläge weg. Wir besprechen diese gleich noch, und du wirst dann eventuell anders über sie denken. Fakt ist, die Dinge mit hohem Impact und knapper Deadline sind für uns einfach zu erkennen und bringen uns auch in den meisten Situationen dazu, unsere Zeit sinnvoll in Wert zu tauschen. Machen wir es nicht, droht uns sofort eine große Strafe. Erledigen wir sie, bekommen wir sofort eine Belohnung. Meist sind diese Dinge jedoch nicht allzu gegenwärtig und Dinge mit anderer Impact/Deadline-Kombination kommen öfter vor."

„Wie geht's nun weiter?", fragte ich interessiert.

Wenig Impact, keine Deadline:

„Der Gegensatz dazu, nämlich rechts unten, ist auch relativ leicht zu erkennen. Dies sind Dinge, welche wir machen können, sie jedoch keinen Impact haben und auch keine Deadline beinhalten. Es sind Sachen, die meist so sinnlos sind, dass wir gar nicht daran denken, da sie weder eine drohende Strafe, eine potentielle Belohnung noch eine sofortige Wirkung haben. Ich kann dir hier nicht mal irgendwelche Beispiele nennen, da diese Dinge sowieso keiner machen würde. Bis auf psychisch kranke Menschen tauscht hier niemand Zeit gegen Wert, da eben kein Wert entsteht. Macht das Sinn?", beschrieb er.

„Ja", verkündete ich und war gespannt, wie es weitergehen würde.

Wenig Impact, Knappe Deadline:

„Kommen wir also zum Bereich links unten, welcher der problematischste von allen ist. Hier haben wir Dinge, welche sofort unsere Aufmerksamkeit und Zeit wollen und welche bei Erreichen auch eine Belohnung für uns haben. Einziges Problem? Wenn wir wirklich ehrlich mit uns selbst sind, haben sie keinen wirklichen Impact auf unser Leben."

„Fällt darunter mein Beispiel von zuvor?", hakte ich ein.

„Ja, doch bevor wir die Beispiele hierfür durchgehen, lass uns zuerst ein wenig detaillierter reflektieren, wie dieser Bereich überhaupt erst entsteht.

Du weißt ja selbst genau, dass wir vor allem durch potentielle Strafe und das „Jetzt sofort" motiviert sind. Bei einer knappen Deadline sind die Folgen sofort erkennbar und daher richtet sich unsere Aufmerksamkeit gerne darauf. Wenn Dinge in dieser Gruppe jedoch keinen wirklichen Impact haben, wie kann es dann zu einer potentiellen Strafe führen? Die Gruppe zuvor hatte auch keinen Impact und dort laufen wir auch nicht einfach sinnlos ins Schlafzimmer, legen uns ins Bett, stehen wieder auf, usw. Niemand tauscht hier seine Zeit gegen wenig Wert. Was hat sich in der dritten Gruppe durch die Deadline geändert?"

Er pausierte. Entweder wieder einmal für einen dramatischen Effekt, oder weil er wirklich eine Antwort von mir wollte. Doch dann fuhr er weiter fort:

„Die Herausforderung hierbei ist, dass unser „fehlprogrammiertes Wesen" noch nicht wirklich verstanden hat, dass wir uns nicht mehr in der Steinzeit mit all ihren Gefahren und Herausforderungen befinden, sondern im 21. Jahrhundert. Unsere Hormonbahnen und Instinktabläufe interpretieren immer noch alles wie vor ein paar tausend Jahren. Evolution bzw. Anpassung geschieht eben nicht von heute auf morgen, sondern braucht Zehntausende von Jahren für auch nur die kleinsten Veränderungsschritte. Tief in uns drin läuft eine Programmierung der Evolution, welche Menschen über die letzten Tausende von Jahren durch ihre Reaktionen vor Gefahren beschützt hat und die Menschheit überleben hat lassen."

„Ich weiß, du willst nicht, dass ich dich unterbreche, aber

du verlierst mich gerade. Kannst du mir ein paar Beispiele geben", unterbrach ich ihn und erkannte zugleich meinen Fehler.

„Würde ich ja gerne. Vor tausenden von Jahren waren die folgenden Dinge enorm wichtig:

Wenn Tratsch und Klatsch in der Jäger- und Sammlergruppe aufkamen, musste man sofort dabei sein, denn mit dem zusätzlichen Wissen über potentielle Gefahren oder darüber, welcher andere Mitmensch krank oder unfähig war, konnte man sein Überleben sichern.

Wenn man etwas hörte, was man schon öfter gehört hatte, war das nicht so wichtig, denn bisher hatte man ja auch überlebt. Ganz wichtig war jedoch, wenn man Dinge hörte, die neu waren. Hier musste man ganz genau aufpassen.

Wenn irgendwo ein Geräusch war, musste man sofort darauf reagieren, denn es konnte ein gefährliches Raubtier oder ein feindlicher Stamm sein.

Man durfte ja nicht anders sein als der Rest der Gruppe und musste sich anderen immer anschließen, denn nur wer nicht auffiel oder nicht zurückblieb, konnte im Schutze der Gruppe überleben.

Einen neuen Weg traute man sich nicht zu gehen, denn er war unbekannt und steckte wahrscheinlich voller Gefahren. Auch wenn vielleicht ein riesiger Vorteil am Ende gewesen wäre, so ging man lieber den bekannten Weg.

Alles was nicht sofort einen Benefit brachte, machte man lieber nicht, denn wer wusste schon, ob man bis morgen bei all den Gefahren im Urwald überhaupt noch leben würde.

Langfristige Projekte gab es nicht, da man als Nomade immer von Ort zu Ort wanderte. Lieber tauschte man die Zeit in „wertvollere" Dinge, bei denen man sofort etwas bekam, usw."

Ich ahnte schon, worauf er hinauswollte.

„Genau um diese Effekte zu erlangen, hat uns die Evolution über Hormone und Instinkte auf das Überleben ausgerichtet. In der heutigen zivilisierten Welt gibt es diese Steinzeitprobleme nicht mehr, doch die Hormonbahnen verlaufen praktisch immer noch gleich. Dies führt dann zu Dingen wie:

Oh, ich habe eine E-Mail bekommen. Die sollte ich besser sofort lesen, denn es könnte etwas Wichtiges drin stehen.

Ich sollte auf Social Media-Plattformen besser aktuell bleiben, denn so weiß ich, wie all die anderen Menschen drauf sind, und man fühlt sich in der Gruppe sicherer.

Wenn die eigene Mutter eine Whatsapp Nachricht schickt, lese ich diese besser sofort. Wenn ich nicht sofort antworte, mag sie mich vielleicht nicht mehr und alleine in dieser Welt, kann ich nicht überleben.

Wenn ich gerade ein Projekt hereinbekomme, welches

drei Monate dauern und tolle Resultate liefern würde, doch gleichzeitig kurzfristige Dinge erledigen sollte – welche zwar kleine Resultate, diese jedoch sofort bringen – so mache ich aus Sicherheitsgründen lieber die kleinen Dinge. Auch wenn ich so nie die tollen Resultate eines großen Projekts erreichen werde.

Den Job kündigen und etwas Neues, zwar ungewisseres jedoch deutlich spannenderes und aufregenderes machen? Das ist viel zu gefährlich!

Wenn ich in den Nachrichten etwas mitbekomme, welches zum allerersten Mal passiert ist, so muss ich mir das unbedingt merken und mich darauf vorbereiten, denn wer weiß schon, ob es mir nicht auch irgendwann passieren kann. Das sind dann meist Dinge, die schief gehen, denn wer interessiert sich schon für all die Dinge, welche glatt laufen. Klar, es passiert so etwas im Schnitt nur einer Person auf der Welt pro Jahr, aber man könnte genau dieser Mensch sein. Memo an mich selbst: Ich muss unbedingt mehr Nachrichten lesen, vor allem über Probleme und Unfälle, denn nur so bekommt man all die seltenen Dinge mit, welche einen vielleicht gefährden könnten.

Wenn das Lieblingssportteam spielt, muss ich alles verfolgen, denn irgendwie erinnert mich das Ganze an einen „Krieg", wenn das andere Team / der andere Stamm besiegt worden ist. Egal ob ich dabei meine Zeit sinnlos tausche – es ist wichtig für das Überleben, usw."

Er beschrieb diese Dinge, welche wir Menschen zugegebenermaßen tagein und tagaus machten, auf sarkastische, jedoch einprägsame Art und Weise. Doch er hatte Recht. Wir Menschen waren tatsächlich in dem Glauben, dass diese Dinge wichtig für uns waren und uns eines Tages extrem viel erreichen lassen würden.

„Stimmt", bestätige ich seine kreativen Beispiele. „Wir glauben, die Emails seien wichtig, Nachrichten müssen beantwortet werden, ohne Social Media seien wir ungebildet und ohne das Mitfiebern mit unserem Sportteam seien wir nicht loyal."

„Ja, doch Fakt ist, dass keines dieser Dinge einen wirklichen Impact auf uns hat", bestätigte er meinen Verdacht. „Auch wenn wir bei jedem Beispiel wahrscheinlich unterbewusst wissen, dass es eigentlich nichts bringt, wenn wir bei diesen Dingen Zeit gegen Wert tauschen, so fallen wir trotzdem jeden Tag von Neuem drauf herein. Wir schaffen es aufgrund der Programmierung der Evolution durch „potentielle Bestrafung" und „sofortiger Belohnung" nicht, dagegen anzukämpfen."

„Was ist die Bestrafung und Belohnung?", wollte ich nun wissen.

„Na, unsere Hormonausschüttung, das weißt du doch: Wir bekommen Dopamin, wenn wir auf Social Media sind, Oxytocin, wenn wir von jemandem eine Nachricht bekommen, Serotonin, wenn wir etwas noch so Kleines umsetzen, usw. Machen wir die Dinge nicht, bleiben nicht nur diese Belohnungen aus, sondern der Körper schüttet Stresshormone wie Cortisol und einige andere aus. Ein Resultat, welches wir alle gerne zu vermeiden versuchen und diese Dinge eben deshalb

sinnloserweise so gerne tun und uns dabei als „Ausrede" einreden, wie wichtig sie doch seien. Du wirst
mir vielleicht noch bei einigen der Punkte vehement
widersprechen und felsenfest davon überzeugt sein,
dass genau dein Punkt absolut essenziell sei für deinen Erfolg. Verliere vorerst keine weiteren Gedanken
daran, wenn dir diese Ideen derzeit noch Kopfweh
bereiten. Bald wirst du verstehen „Was" die Spreu vom
Weizen trennt:

**Es geht dann nicht darum, ob etwas
scheinbar wichtig ist,**

**denn das ist alles in einem Moment,
solange die Timeline knapp genug ist.**

Es geht darum, dass das, was wir machen,

auch wirklich einen Impact auf das hat,

was wir wirklich im Leben wollen.

**Nur so können wir langfristig
glücklich und zufrieden sein."**

Das saß. Nun verstand ich, warum er in der ersten Kategorie (High Impact / Knappe Deadline) ein wenig
vorsichtig damit war, mein Beispiel hinzugeben. Es
war genau die Frage, ob etwas wirklich einen Impact
hatte, oder eben nicht. Ich verstand zwar noch nicht
wirklich, wie ich diesen „Impact" messen sollte und
was wirklich „Wert hatte", doch wollte ich den offensichtlich wirkungsvollen Prozess meines Mentors nicht
schon wieder stören. Ich vertraute ganz einfach, dass
er wusste, was er machte.

„Julian, könntest du dir vorstellen, wie durch diese

Verteilung von Impact und Deadline Glück und Zu-friedenheit im Leben entsteht?", forderte er mich nun heraus.

Ich überlegte kurz. „Menschen, die mit ihrer Arbeit und ihrem Tun zutiefst glücklich sind, arbeiten wahr-scheinlich wenig an den Dingen mit niedrig-Impact und knapper-Deadline, sondern an Dingen, welche sie wirklich erfüllen. Sie haben somit ihren „Purpose" bzw. Sinn im Leben gefunden und lassen sich von den Dingen aus diesem „gefährlichen" Bereich, nicht ab-lenken", versuchte ich es.

„Korrekt!

Dinge mit knapper Deadline und niedrigem Impact erscheinen wichtig,

stellen jedoch den schlechtesten Tausch von Zeit gegen Wert dar

und führen langfristig unweigerlich zu

Unzufriedenheit, Stress oder sogar zum Burn-out!

Dies ist eine so wichtige Aussage, denn wie oft treffen wir Menschen, welche kurz vorm Burnout stehen oder vor lauter Stress gar nicht mehr wissen, wohin sie mit all den Dingen sollen, und nicht verstehen warum. Sie tun doch so viele Sachen, antworten immer auf alles, sie sind ja so busy (zu Deutsch: beschäftigt) – aber eben nicht produktiv!", untermalte er seine Aussage.

„Was ist denn der Unterschied zwischen busy und pro-duktiv?", ich hatte zwar eine Vorahnung, doch lieber wollte ich es klar verstehen.

„Produktivität bedeutet nicht, dass du ständig was zu tun hast, sondern, dass du Resultate lieferst.

$$Produktivität = Effektivität \times Effizienz$$

Produktivität beschreibt die Anzahl von Produkten in einer gewissen Zeiteinheit. Je höher, desto besser. Wenn wir uns zum Beispiel die Liste der Leute noch einmal ansehen, welche Träume sie für ihr Leben haben, so könnten wir hier Produktivität darin messen, wie viele Länder jemand in seinem Leben gesehen hat – angenommen natürlich, jemand will so viele Länder wie möglich in seinem Leben sehen.

Effektivität beschreibt, ob jemand an den richtigen Dingen arbeitet, um zum Ziel zu gelangen. Wenn jemand einen regulären Office-Job mit 50 Stunden die Woche hat und vier Wochen Urlaub nimmt, wird das wahrscheinlich bei der Anzahl der Länder nicht der Fall sein. Wenn jemand jedoch Flugbegleiter auf der Langstrecke wird und so jede Woche in ein neues Land fliegt, wäre dies sehr effektiv.

Effizienz bedeutet, wie gut man diesen Job der Effektivität macht. Ist man ein hervorragender Flugbegleiter, kann man sich vielleicht die Routen sogar aussuchen und kommt seinem Ziel, so viele Länder wie möglich zu sehen, noch schneller näher. Man wäre dann sehr effizient."

Ich fasste sein Beispiel zusammen:

„Effektivität bedeutet die richtigen Dinge zu tun,

Effizienz bedeutet die Dinge richtig zu tun.

Oder?"

„Ja, so könnte man es auch bezeichnen", bestätigte er mich.

„Was hat es nun mit der x-Funktion zwischen den beiden Wörtern auf sich?", kam ich aufs Thema zurück.

„Die **Funktion mit dem „x"** (mal) bedeutet, dass sich die beiden virtuell multiplizieren. Deshalb kann man hier einige Dinge falsch bzw. richtig machen. So kann es zum Beispiel sein, dass du war hoch effektiv bist (weil du genau das Richtige machst), es jedoch so falsch angehst, dass deine Effizienz extrem gering ist. Wenn wir nun eine hohe Effektivität mit einer extrem niedrigen Effizienz multiplizieren, kommt trotzdem eine geringe Produktivität heraus, ähnlich wie: 100 x 0 = 0. Ein Beispiel dafür wäre, dass du zwar Flugbegleiter geworden bist (effektiv), du dies jedoch so schlecht machst, dass du nirgendwo hinkommst, wo du hinwillst (ineffizient). Das Gegenbeispiel gibt es ebenfalls und leider noch viel öfter. Hier fokussieren sich Menschen auf Effizienz, machen jedoch die falschen Dinge (ineffektiv). Sie glauben dennoch, genau am richtigen Weg zu sein. doch die Wahrheit ist das Gegenteil.

Ich hatte zum Beispiel einmal einen Geschäftspartner, welcher immer unglaublich viel Zeit in eine Tätigkeit investierte, um scheinbar perfektionistisch an einem

Ziel zu arbeiten (effizient), nur um viel zu spät zu erkennen, dass er die ganze Zeit „perfekt" am Falschen gearbeitet hat (ineffektiv)."

„Haha, das erinnert mich an die Aussage einer meiner Basketballtrainer", prustete ich, er hatte immer gesagt:

„Das was du machst, machst du verdammt gut.

Das Problem ist nur, was du machst ist Scheiße,

du bist also richtig gut darin, Scheiße zu machen!"

Wir beide lachten herzhaft und mein Mentor fügte hinzu: „Leider trifft dies auf so viele Menschen im Leben zu. Sie sind so busy – mit den falschen Dingen."

Ich konnte mich selbst ebenfalls in sie hineinversetzen. Als ich viele Jahre zuvor durch eine Fehlinvestition praktisch mein ganzes Geld verloren hatte (Eine Geschichte welche ich in „25 Geschichten für mein Jüngeres Ich" erzähle), nahm ich mir vor, sorgfältiger mit meinem Geld umzugehen. Im Eingangskapitel habe ich dir erzählt, dass ich mich für die unterschiedlichsten Geschäftsmöglichkeiten interessiert habe, und eine davon war die des Immobilieninvestors. Immobilien sind ein wenig anders als Aktien oder Anleihen, da man hier meist sehr aktiv als Investor sein muss. Man muss sich um Mieter kümmern, Reparationen tätigen und bei Eigentumsversammlungen anwesend sein.

Misst man hier die Produktivität, so war das für mich das resultierende Einkommen der Mieterträge in Anbetracht meiner aufgewendeten Zeit. Mein Ziel damals war es, jedes Jahr mindestens eine neue Immobilie hinzuzubekommen, was aufgrund der immens steigenden Preise gar nicht so einfach war. Es war nämlich gar nicht so leicht, neue Objekte zu finden. Einmal verkaufte ich dann sogar eine Immobilie, weil ich dachte, die Preise wären bereits viel zu hoch gewesen. Summa summarum investierte ich relativ viel Zeit in dieses Business, vor allem da ich so wenig Eigenkapital wie möglich aufbringen und trotzdem eine gute Rendite erreichen wollte. Dies klappte nur, weil ich mich um all die Dinge selbst kümmerte und stetig nach Schnäppchen Ausschau hielt. In der Produktivitätsberechnung war ich somit der Meinung, dass meine Effektivität genau dies war, nämlich mich um Miete, Reparaturen, etc. zu kümmern. Ich wollte hier überall das Maximum herausholen, um mit voller Effektivität (die Dinge, in die ich meine Zeit eintauschte) und Effizienz (wie gut ich die Dinge dann umsetzte) somit hoffentlich volle Produktivität zu erreichen. Nachdem ich wirklich wenig Eigenkapital brauchte und trotzdem beachtliche Renditen erzielen konnte, war ich davon überzeugt, genau dies zu tun.

In Hong Kong traf ich dann auf einen extrem wohlhabenden Geschäftsmann, mit dem ich einige interessante Gespräche führen durfte. Ich erfuhr, dass er ebenfalls auf der ganzen Welt in Immobilien investierte und so wollte ich von ihm wissen, wie er das denn alles zeitlich hinbekam: „Wie balancierst du deine Zeit, wenn es ums Investieren in Immobilien geht?"

Er erklärte es mir: „Ich lass dies alles von Agenturen

managen. Ich habe jemanden für die Miete, für neue Immobilien, für Reparaturen, usw.!"

„Ja, aber so verdienst du doch deutlich weniger?" wollte ich wissen.

„Das kommt doch komplett darauf an, was du unter weniger verdienen verstehst!?" erwiderte er.

„Na ja, bei den Immobilien, welche ich habe, habe ich meist 200 bis 300 Euro Verdienst pro Immobilie und Monat. Das ist das Maximum, was ich herausholen kann. Mehr geht einfach nicht. So sind das dann zirka 2.000 Euro pro Monat mit allen Immobilien gesamt."

„Das ist doch super!", erwiderte er lächelnd.

Ich hatte mehr Widerstand erwartet, doch der kam nicht. Also fuhr ich fort: „Wenn ich jedoch so wie du eine Agentur bezahlen würde, welche sich um all die Immobilien kümmern würde, verdiene ich vielleicht nur mehr die Hälfte! Die Produktivität würde doch dann komplett sinken und ich wäre nicht mehr effizient!", bemerkte ich verwundert.

„Schon", sagte er, „doch du vergisst die Effektivitätsseite! Du verbrauchst sicher drei bis vier Stunden pro Immobilie und Monat, teilweise sogar mehr. Das sind dann gleich einmal 20 bis 30 Stunden pro Monat, welche du nicht für andere Dinge verwenden kannst, wo du dann teilweise viel mehr für deine Zeit bekommen würdest. Frag dich immer, ob es die Zeit und vor allem die Sorgen wert sind, oder ob du dich nicht lieber um andere Dinge kümmern solltest! Du bist wahrscheinlich viel effizienter als ich bei Immobilien, ich jedoch effektiver!" Er grinste mich an.

Mir war damals ein Licht aufgegangen. Ich hatte immer gedacht, dass ich bei meinen Immobilien die Zeit in die richtige Sache getauscht hatte, um maximale Produktivität zu erlangen. Doch dann hatte ich erkannt, dass ich in der falschen Sache mega effizient geworden war. Da in diesem Fall Geld der Messstab war, konnte ich in der gleichen Zeit in etwas anderem viel mehr herausholen und somit deutlich effektiver werden. Dies tat ich damals dann auch und konnte meine Immobilien so nicht nur besser skalieren, sondern bekam auch weniger Kopfschmerzen, wenn einmal etwas nicht so lief, wie es sein sollte.

Dies war eine wichtige Lektion für mich, was wahre Produktivität anging, und ich wendete sie immer wieder an. Am Telefon hatte mein Mentor dasselbe nun abermals bestätigt. So kam es dann auch, dass ich in den folgenden Jahren oftmals gefragt wurde, warum ich denn nicht selbst viel mehr Zeit mit Investieren in Kryptowährungen verbringen würde, wenn ich doch so viel darüber wusste. Meine Antwort war die gleiche: „Lieber habe ich ein bisschen weniger Rendite (Ineffizienz), verwende jedoch meine Zeit für Dinge wie zum Beispiel meinem Business, wo ich garantiert mehr aus meiner Zeit rayshole (Effektivität)!"

Leider machen dies viele Menschen falsch: Sie arbeiten nämlich extrem hart und fleißig an komplett falschen Dingen und denken trotzdem, dass sie alles richtig machen. Sie geben alles, nur um – fiktiv gesprochen – am Ende auf dem Sterbebett zu liegen und dann zu erkennen, dass ihre Produktivität für das, was sie wirklich alles hätten erleben, erreichen, sehen etc. wollen, komplett danebengelegen ist. Effizienz mit schlechter Effektivität führt eben nicht zum gewünschten Ergebnis.

„Worüber hast du gerade nachgedacht?", riss mich mein Mentor aus den Gedanken.

„Ach, nur, wie Recht du mit Effektivität und Effizienz hast", brachte ich meine Gedanken zurück ins „Hier und Jetzt".

Viel Impact, keine oder lange Deadline:

„Gut, lass uns das Thema abschließen, ich sollte eigentlich schon zum nächsten Termin. Wir haben noch den letzten, den goldenen Bereich zu besprechen: viel Impact, doch praktisch keine Deadline, bis wann etwas erledigt sein muss. Hier befinden sich „all" die richtigen Dinge, welche wir tun sollten, wenn wir maximale Freude, Zufriedenheit und Produktivität erlangen wollen. Dieser Bereich ist der absolut essenziellste Bereich in unserem Leben. Wenn du Leute kennst, zu denen du hochschaust, weil sie all jene Dinge haben, welche du gerne erreichen möchtest, so kann ich dir versichern, dass es daran liegt, dass sie sich genau auf diesen Bereich fokussieren. Es ist der Bereich, von dem eigentlich alle träumen, doch nur so wenige erreichen. Hier liegen die „perfekten" Beziehungen, die weltverändernden Businesses, die

Bestseller, die Musikhits, die Reichtümer, all die Gesundheit, die tollen Reisen usw. Es sind all die Dinge, welche einen unglaublich großen Impact auf uns ausüben, jedoch nur von so wenigen erlangt werden.

„Doch warum ist das so?", unterbrach ich ihn.

Unbeirrt fuhr er fort: „Weil sie scheinbar keine Deadline besitzen. Wir könnten diese Dinge immer irgendwann später machen. Es kommen immer Dinge aus dem Bereich von zuvor dazwischen, wo eben Dinge mit knapper Deadline auf uns einprasseln. Immer scheinen diese wichtiger zu sein bis es eben zu spät ist. Wir brauchen eine Fähigkeit, um hier erfolgreich zu sein, welche ich persönlich als die wichtigste im Leben sehe. Welche, denkst du, ist das, Julian?"

Ich dachte laut nach: „Wenn ich alle Fähigkeiten in meinem Leben verlieren würde und mit nur einer einzigen starten dürfte, welche würde das sein? Hmm… keine Ahnung, da gibt es zu viel Auswahl."

„Nicht wirklich", konterte er.

„Selbst-Disziplin ist die absolut wichtigste Fähigkeit für Erfolg im Leben.

Selbst-Disziplin ist die Basis, mit der du dich auf den wichtigsten Bereich des Zeittauschs konzentrieren kannst. Durch Selbst-Disziplin kannst du all die Dinge bekommen, welche du haben willst und welche dir

Spaß machen. Selbst-Disziplin ist jedoch nicht einfach und führt daher zu etwas recht Unvorhergesehenem."

„Zu was denn?", interessierte ich mich.

„Selbst-Disziplin macht frei,

doch mit Freiheit kommt Neid all jener,

welche auch gerne frei wären,

jedoch die Disziplin dafür nicht besitzen!

Sei also bereit, dass du bei Leuten gerade am Anfang „aneckst", wenn du dich auf die Big-Impact, No-Deadline Dinge fokussierst. Du antwortest dann nämlich nicht mehr sofort auf ihre Nachrichten, du verzichtest auf das Partymachen am Abend und du bist dann vielleicht der Langweiler, der sich lieber um die eigene Gesundheit kümmert, als sich sinnlos kalorienreichen Müll hineinzustopfen. Jemand, der sich um diesen Bereich des Zeittauschs kümmert, wird langfristig immer erfolgreich sein, doch dafür muss man nicht nur gegen die in sich selbst programmierte Evolution vorgehen, sondern auch darauf vorbereitet sein, dass das dein Umfeld nicht so toll findet wie du."

Ich konnte mich voll hineinversetzen, denn immer, wenn ich etwas „Großes" anreißen wollte, hatte ich diesen Gegenwind verspürt. So warf ich ein: „Glaubst du nicht, dass zu viel Disziplin schlecht ist? Ist das Wort Disziplin nicht ein wenig negativ behaftet?"

„Das mag sich die Masse der Menschen vielleicht einreden!", entgegnete er sofort. „Sie denken, dass jemand, der sehr diszipliniert ist, keinen Spaß haben kann. Das Gegenteil ist der Fall. Falls du daran zweifelst, überlege einfach kurz, zu welchem Menschen du hochschaust. Wer ist ein Mensch, über den du denkst, dass er etwas Tolles erreicht hat? Egal ob Geld, Beziehung, Gesundheit, Fitness, etc.? Wen siehst du als erfolgreich?"

„Kannst du mir kurz „Erfolg" definieren, sodass ich weiß, dass wir vom gleichen sprechen?", stellte ich sicher.

„Erfolg bedeutet für mich, dass man:

zu einem beliebigen Zeitpunkt,

mit einem beliebigen Menschen,

an einem beliebigen Ort,

das machen kann, was man will,

und man sich dabei unbeschreiblich glücklich und

zufrieden fühlt.

Viele Menschen scheinen erfolgreich zu sein, weil sie vielleicht viel Geld haben. Tatsächlich sind sie jedoch nicht glücklich, weil sie eben nicht das tun können, was sie wirklich wollen. Sie sind in einem Hamsterrad gefangen und kommen nicht mehr heraus. Wenn du das nicht glaubst, frag dich, warum sich so viele scheinbar erfolgreiche Menschen trotz ihres ganzen Reichtums und der Fans plötzlich umbringen – weil sie eben nicht wirklich erfolgreich waren. Wer ist jedoch ein Mensch, der die beschriebenen Dinge alle machen kann?"

Ich fand Gefallen an seiner Definition, und die Logik ergab für mich Sinn. Ich wollte schon mit „Jeff Bezos" antworten, doch er hatte gar keine Antwort hören wollen, stattdessen fuhr er fort: „Ich garantiere dir, egal an wen du denkst, dieser Mensch hatte enorme Disziplin, um dies zu erlangen. Wir Menschen wollen immer das, was „selten" ist. Um diese Dinge zu erreichen, brauchst du Disziplin. Lerne also, Selbst-Disziplin positiv zu assoziieren."

„Und wie soll das gehen?"

„Wie gesagt, Julian, ich muss jetzt wirklich los. In den nächsten Gesprächen werden wir Strategien und Taktiken entwickeln, damit du diese Selbst-Disziplin erlangst und du somit die Dinge, welche wirklich einen massiven Impact für dein Leben haben, auch verfolgst. Die Fähigkeit des Timehorizon ist, die Dinge mit langem Timehorizon in kleine Teilschritte herunterzubrechen, und wir werden uns ganz im Speziellen überlegen, was das alles für dich ganz individuell bedeutet und wie du dies danach für dich erfolgreich umsetzen kannst. Merke dir die Erfolgsformel WAS → WARUM → WIE, denn du kannst sie auf alle Dinge im Leben anwenden. Dies passt jetzt eh perfekt, denn das nächste Mal besprechen wir das „Was" davon. Denke daran, dass das „Wie" erst zum Schluss kommt."

Ich bedankte mich und machte auch gleich den nächsten Call aus. Meine Gedanken surrten, denn ich hatte so viele neue Dinge in so kurzer Zeit gelernt und spürte, dass ich meinem Ziel, meine Zeit wie ein Meister tauschen zu können, immer näher zu kommen schien.

Dieses Kapitel war ziemlich anspruchsvoll und das nächste geht noch eine Stufe höher. Halte dich also bereit und gehe vor dem nächsten Kapitel auf jeden Fall noch die Fragen im Arbeitsbuch durch.

8.
DAS "WAS" - WORK-LIFE-BALANCE

Ich konnte das nächste Telefonat mit meinem Mentor schon gar nicht abwarten. Endlich kam der abgemachte Zeitpunkt und ich rief ihn an. Ohne viel Smalltalk begann er sofort: „Heute müssen wir uns die Frage stellen, in welchen Bereichen wir unsere Zeit gegen Wert tauschen können. Lass uns hierfür dein Beispiel vom Timehorizon-Dreieck verwenden. Das übergeordnete Ziel ist, das Dreieck so groß wie möglich zu bekommen, indem man seine Zeit zwischen den drei Ecken optimal ausbalanciert. Ergibt das soweit Sinn, Julian?"

Ja, das tat es, doch es brachte mich sofort zur folgenden Frage: „Alles verständlich, nur...

Wie schaffst du dann Work-Life-Balance?"

Er lachte nur: „Ich hasse dieses Wort „Work-Life-Balance", weil ich davon überzeugt bin, dass der Ablauf anders funktioniert. Aber ich verstehe, was du mit deiner Frage wissen willst. Wenn du jedoch die Strategien des Timehorizon Prinzips anwendest, wird sich dir diese Frage nicht mehr stellen, denn Timehorizon löst das Problem auf eine einzigartig simple, jedoch elegante Art und Weise."

„Wie denn?", hakte ich ein und erkannte sofort, dass ich mit der „Wie-Frage" abermals ins Fettnäpfchen getreten bin.

Er ignorierte sie und entgegnete stattdessen: „Zähl mir mal all die Dinge auf dem Timehorizon Dreieck auf, wofür man seine Zeit eintauschen kann!"

So begann ich:

Selbst:

Gesundheit (physisch, mental, spirituell)

Wachstum (Lernen, Neues…)

Hobbys

Erlebnisse

Zurückgeben (Spenden…), usw.

Beziehungen:

Liebe (Beziehung, Partnerschaft…)

Freunde, Familie, Kinder

Networking (Professionell…), usw.

Business:

Job (Beruf, Karriere, Legacy…)

Geldmanagement (Investieren…), usw.

„Ganz genau", lobte mich mein Mentor, „entweder tauscht man seine Zeit in seinem Business (oder als Teil eines Business einer anderen Person als Angestellter), in andere Leute oder direkt in sich selbst. Klarerweise überlagern sich die Gruppen und manchmal werden Subgruppen aus unterschiedlichen Übergruppen „ernährt". Man kann die Gruppen auch ein wenig anders anordnen und andere Untergruppen hinzufügen, doch grob genommen, wird in diesem Dreieck ziemlich alles abgedeckt."

Ich warf jedoch sofort eine Frage ein, welche ich nun schon seit langem mit mir herumschleppte: „Sie sagen jedoch nichts über den erhaltenen Wert des Zeittauschs aus, denn in allen Subgruppen kann man viel oder wenig Wert für seine Zeit bekommen. Außerdem fehlt die Unterscheidung zwischen Arbeit und Leben, wie es das Wort Work-Life-Balance suggeriert. Trickst du mich hier nicht einfach nur aus, indem du die Wörter Work und Life herausnimmst, um so das Problem der Balance dazwischen zu umgehen?"

„Ganz und gar nicht!", erklärte er bestimmt, „neben der Tatsache, dass sich Menschen von den falschen Dingen ablenken lassen, ist der große Fehler, dass sie denken, Work-Life-Balance sei die Anzahl der Stunden pro Woche, die sie in einem Feld verbringen. Zum Beispiel sprechen sie von fünfzig Stunden Arbeit pro Woche und von nur zehn Stunden mit dem Lebenspartner. So haben sie das Gefühl, dass Work-Life-Balance nicht vorhanden ist. Im Timehorizon Prinzip existiert diese Ordnung nach Quantität nicht, sondern vielmehr geht es um Qualität. Um dies einfacher zu verstehen, lass uns dies an deinen drei eigenen Ecken als Beispiel durchspielen. Erst falsch in der Quantität, danach richtig in der Qualität. Bist du offen dafür?"

„Logo!"

Quantitativ

„Gut, gib mir mal eine grobe Aufteilung deiner Zeit in einer Woche?"

„Wenn ich zirka 7 x 8 Stunden für Schlaf und 7 x 3 Stunden für Essen und Hygiene jede Woche abziehe, welche zwar essenziell für meine Gesundheit sind, ich jedoch wahrscheinlich nicht so aktiv wahrnehme, so bleiben mir zirka 10 Stunden die Woche für Lernen, Gesundheit, etc. übrig. Im Business brauche ich zirka 50 Stunden pro Woche. Dann kommen wahrscheinlich 7 x 2 Stunden für Social Media oder YouTube dazu, doch diese würde ich lieber in die Gruppe der Beziehungen schieben. Wieviel habe ich jetzt noch übrig?"

Er rechnete: „Gehen wir von 168 Stunden pro Woche aus und ziehen alles bisher ab (168 – 56 – 21 – 10 – 14 – 50), so bleiben bei dir weitere 17 Stunden für Freunde, Familie, Kinder und Partnerschaft übrig.

In deinem Beispiel kommen wir so auf:

Selbst: zirka 10 Stunden (wenn man Schlaf, Essen und Hygiene weglässt)

Business: zirka 50 Stunden

<u>Beziehungen:</u> zirka 31 Stunden (wenn man Social Media hier dazuzählt)

Klarerweise ist das eine völlige Milchmädchenrechnung und bei jedem Menschen stellt sich dies individuell dar, doch die quantitative Reihenfolge bei dir wäre:

Business → Beziehungen → Selbst

Jetzt entsteht bei den meisten Menschen das Problem: Sie assoziieren Business mit ihrer Arbeit und sich selbst mit all den anderen „tollen" Dingen. So haben sie einen krassen Mismatch, weil sie Arbeit vor ihr Leben spannen und nach ihrer Work-Life-Balance fragen. Betrachtet man das ganze jedoch mit dem Timehorizon Prinzip, so geht man nicht quantitativ, sondern qualitativ an die ganze Sache heran.

Qualitativ

Hier können wir nicht nach Stunden (quantitativ) rechnen, sondern brauchen ein Szenario, welches jeder der drei Kategorien einen Wert (qualitativ) zuschreibt. Das einfachste hierfür ist, wenn wir jeweils ein Worst-Case-Szenario durchspielen.

Julian, stelle dir also vor, folgendes passiert gleichzeitig:

Selbst: Du erleidest gerade einen Herzinfarkt.

Beziehung: Dein Partner droht, sich scheiden zu lassen.

Business: Dir wird gedroht, dass du gekündigt wirst bzw. dein Business geht Bankrott.

Um welche der drei Dinge würdest du dich als erstes kümmern?"

Ich dachte kurz nach, doch dies war recht einfach: „Ich hoffe einmal, dass ich mich als erstes um mich selbst kümmere, denn sonst brauche ich nicht mehr an memento mori zu denken, denn der Tod ist dann schon da." Dann stockte ich kurz, ich konnte mich nicht entscheiden, ob ich meine Beziehungen oder mein Business an zweiter Stelle angeben sollte.

Mein Mentor erkannte das Dilemma und half mir: „Im Qualitativen steht bei dir also das „Selbst" an erster Stelle. Ob du nun deine Beziehungen oder das Business an die zweite Stelle stellst, wirst du ganz individuell entscheiden müssen. Elon Musk, der tatsächlich auf Biegen und Brechen all seine Firmen vor seine Beziehungen und teilweise vor sich selbst stellt, muss dafür auch seinen Obolus zahlen, mit all seinen gescheiterten zwischenmenschlichen Beziehungen und Gesundheitsproblemen. Wie ist es also bei dir, Julian?"

Nun war meine Antwort einfach:

„Qualitativ: Selbst → Beziehungen → Business"

Trotzdem hatte ich noch keine finale Antwort auf Work-Life-Balance und so hakte ich nach: „Alles klar, aber was bedeutet das nun für mich, was hat dies mit Timehorizon zu tun und wie wirkt sich dieser qualitative Zugang auf meine Work-Life-Balance aus?"

„Ganz einfach", beschrieb er stolz, weil ich mir die Antwort praktisch selbst gegeben hatte „du darfst dich langfristig nicht so sehr um die Anzahl der Stunden für Work-Life-Balance kümmern, sondern darfst niemals etwas Niedrig-Wertigeres statt etwas Höher-Wertigerem machen. Das ist wahre Work-Life-Balance."

„Heißt das jetzt, dass ich nicht mehr zur Arbeit gehen soll, um Work-Life-Balance zu haben?", war ich verwirrt.

„Nein, ganz im Gegenteil, es heißt, dass, wenn du dir vornimmst, jeden Tag eine Stunde Sport zu betreiben, hier weder eine Beziehung noch ein Business dazwischenfunken darf. Außerdem darfst du zum Beispiel bei einem romantischen Candlelight Dinner mit Bettina auch nicht das Businesshandy am Tisch haben, um gleichzeitig geschäftliche Dinge zu erledigen. Qualität übertrumpft Quantität fast immer. Klar, du wirst manchmal Abstriche machen müssen und zum Beispiel einmal nicht das Morgentraining durchziehen können, weil du ein Projekt bei der Arbeit fertigbringen musst, doch sobald sich das langfristig durchzieht, wirst du irgendwann „verlieren" und deine Work-Life-Balance ist nicht mehr existent. Du denkst dann, dass es daran liege, weil du zu wenig Zeit mit etwas verbringst, doch tatsächlich legst du auf die falschen Dinge Wert."

So hatte ich Work-Life-Balance noch nie gesehen. Doch nun schoss mir eine Frage in den Kopf, welche ich zwar schon gestellt hatte, mein Mentor jedoch bisher gekonnt ignoriert hatte: „Woran mache ich die Qualität der Dinge fest?"

Es schien, als hätte er genau darauf abgezielt, dass ich diese Frage genau zu diesem Zeitpunkt stelle: „Am Timehorizon-Graph ganz rechts oben befinden sich all die Dinge, Erlebnisse, Menschen, usw., mit denen wir uns irgendwann einmal im Leben identifizieren wollen. Diese haben alle einen massiven Impact auf uns. Und nun das Wichtigste: Wir Menschen müssen uns genau überlegen, was dort bei uns im Leben alles sein soll. Julian, weißt du, was ein **Visionboard** ist?"

„Klar weiß ich das. Als ich meine Arztkarriere beendet habe, habe ich mir ein solches gemacht", ließ ich meinen Mentor wissen. (Anmerkung: Im Vertiefungskapitel mit zahlreichen weiteren Tipps findest du das Anti-Komfortzone-Programm, welches dir gerade hier noch einmal enorm weiterhilft und mein Visionboard genau erklärt.)

„Ein Visionboard ist zwar noch machtvoller, doch hast du auch schon einmal eine Bucketlist geschrieben?", forschte er weiter nach.

„Eine was?", fragte ich.

„Eine Bucketlist ist dem Visionboard recht ähnlich. Darauf schreibst du all jene Dinge, welche du einmal in deinem Leben erleben, sehen, haben, usw. willst. Du kannst dir das ruhig für dein gesamtes Leben überlegen, doch meistens reicht es, wenn du dir die nächsten 10 bis 15 Jahre überlegst. Dies sind praktisch die Dinge mit maximalem Impact für dich. Träume ruhig groß und trau dich, tolle Wünsche auszusprechen. Am einfachsten ist, du teilst diese Liste in die folgenden acht Bereiche:

Erlebnisse: Reisen, etc.

Legacy (Vermächtnis): Wegen was erinnern sich Menschen an dich? Businesses? Bücher? Filme? Lieder? Kreationen? Etc.

Materielles: Was für Dinge willst du einmal besitzen bzw. kaufen?

Beziehungen: Kinder, Freunde, Geschäftspartner, etc.

Liebe: separat, da sie einen besonderen Platz in jedem unserer Herzen hat.

Wachstum: Welche Dinge willst du lernen, können, wissen, etc.?

Gesundheit: Körperlich, geistig, mental, spirituell, etc.

Zurückgeben: Wem willst du wie helfen, ohne etwas dafür zu bekommen? Spenden? Etc.

Julian, du weißt, warum das funktioniert, oder?"

Natürlich tat ich das. All dies war medizinisches Grundwissen: Es ging um eine Struktur im Gehirn, nämlich dem RAS[1]. So beschrieb ich: „Das RAS oder Formatio Reticularis besitzt viele Aufgaben, darunter die des „Sekretärs" für unser Gehirn, wo man meist unbewusst Entscheidungen trifft. Das **RAS** muss also entscheiden, welche der Informationen es auch wirklich durchlässt und welche es herausfiltert.

---

1   Retikuläres Aktivierendes System: https://de.wikipedia.org/wiki/Formatio_reticularis

Indem man es „programmiert" und sagt, was man wirklich alles mal erreichen willst, so weiß es besser, wie es einem dabei helfen kann.

Dies alles klingt jetzt nach ziemlich „Hokuspokus", doch es ist alles wissenschaftlich belegt. Deshalb ist ein Visionboard so wichtig, denn darauf ist in Bildern beschrieben, von was man alles träumt. Offensichtlich kann man diese Dinge jedoch auch schriftlich als soge- nannte Bucketlist niederschreiben – wenn auch nicht ganz so effektiv, gehe ich einmal davon aus, nachdem unser Gehirn in Bildern und nicht in Wörtern denkt."

Mein Mentor horchte aufmerksam zu und erklär- te dann: „Korrekt. In unserem Beispiel wird sich die Bucketlist als besser erweisen, auch wenn jeder ein Visionboard haben sollte. Darauf kannst du näm- lich all deine Träume und Ziele schön schreiben und dann die abgearbeiteten Dinge mental durchstreichen. Magst du es einmal probieren Julian? Traue dich, dar- auf auch wirklich groß zu denken und deine Träume voll auszuleben!"

Ich zögerte kurz: „Was jedoch, wenn ich diese Dinge nie erreiche?"

„Die Sorge, etwas nicht zu erreichen, hält viele Men- schen davor ab, es überhaupt aufzuschreiben. Es ist die Geißel des „Wie" – man fängt nicht an, weil man zuerst die Details wissen will, ohne darauf zu ver- trauen, dass man alles schaffen kann, wenn man sich darauf fokussiert und alles dafür gibt", entkräftete er jegliches Argument.

„Was ist jedoch, wenn ich diese Träume nie erreiche? Was, wenn ich mich selbst enttäusche?", zweifelte ich.

„Ja, aber was ist, wenn du dir die Ziele nie steckst und auf dem Sterbebett liegst und es dich ärgert, es nie versucht zu haben? Ich habe doch genauso Angst davor, was passiert, wenn ich meine Träume nie erreiche. Doch ich habe vielmehr Angst, ein Leben zu führen, welches nicht jenes war, welches ich eigentlich leben wollte. Was ist das Risiko, wenn du dir himmelhohe Ziele steckst? Dass du sie nicht erreichst, korrekt – ja und? Und was ist der potentielle Benefit? Dass du sie erreichst und das Leben deiner Träume lebst. Dieses Risiko-Nutzen-Verhältnis nehme ich gerne in Kauf. Ich verstehe, dass du verunsichert bist, aber ich verstehe es nicht, wenn du es nicht trotzdem versuchst – du würdest dein komplettes Potential verschwenden", ermutigte er mich.

Also versuchte ich Ängste und Selbstzweifel zu vertreiben und begann. (Anmerkung: Ich habe die bereits erreichten Dinge durchgestrichen.)

Erlebnisse:

USA Roadtrip

~~Neuseeland Roadtrip~~

~~Nordlichter~~

Mount Everest Base Camp

~~Rio de Janeiro~~

Hawaii

Malediven

Australien Roadtrip

Bali

Indien / Taj Mahal

Fiji

Pyramiden von Gizeh

Moskau

Eiffelturm

Vatikan

Chinesische Mauer

Machu Picchu

Alaska

Antarktis

Arktis

Gletscherlandung

Weltraum

Reise um den Mond (verrücktes Ziel)

Superbowl live erleben

~~NBA Finals live erleben~~

Kilimanjaro

Schwerelos in einem Flieger sein

10 Tage Schweigeretreat

Schamanenreise Südamerika

~~Kapstadt~~

~~New York~~

~~Sonnenfinsternis~~

~~Safari in Afrika~~

Osterinsel

200 Länder der Welt sehen[2]

und noch ein paar mehr…

Legacy (Vermächtnis):

Business, welches 1 Milliarde Menschen hilft

1 Buch pro Jahr (50 Bücher gesamt)

1 Milliarde Bücher in meinem Leben verkaufen

Durchbruch bei Fusion (verrücktes Ziel)

---

2   http://www.worldometers.info/geography/how-many-countries-are-there-in-the-world/

Nobelpreis (verrücktes Ziel)

Oskar (verrücktes Ziel)

Erinnerung der Legacy über Generationen hinaus

Eine College-Amendment-Speech geben

und noch ein paar mehr…

Materielles:

Top Grundlage für Kinder (Details in Notizen)

NBA Team

Villa am Strand mit perfekter Welle zum Surfen

500 Mietwohnungen weltweit

Forbes Top Liste

und noch ein paar mehr…

Beziehungen:

Zeit für 3 Kinder -> nie hinter Business stellen

Jungstrip jedes Jahr

Warren Buffett treffen

Elon Musk treffen

Schwarzenegger treffen

und noch ein paar mehr…

Liebe:

Leidenschaftliche Beziehung

1 Couple Seminar pro Jahr

2-3 Couple Trips pro Jahr

Dating Nights jeden Monat

und noch ein paar mehr…

Wachstum:

1.000 Wörter Chinesisch können

~~Programmieren lernen~~

18 Löcher Golf in unter 80 Schlägen

Neben Englisch, Deutsch, Französisch, Spanisch und Chinesisch noch mindestens eine weitere Sprache lernen

Musikinstrument lernen

und noch ein paar mehr…

Gesundheit:

~~Marathon laufen~~

3 bis 4 x pro Woche meditieren

Unter 15 Prozent Körperfett

Spartan Race

Toughest Mudder

Ninja Warrior

Ironman

mindestens das nächste Jahrhundert erleben (2100+)

und noch ein paar mehr...

Zurückgeben:

Jährlich bis zu 10 Prozent vom Einkommen spenden

Jährlich ein paar Tage meiner Zeit spenden

Kostenlose Vorträge für Kinder in Schulen geben

Animal Shelter

und noch ein paar mehr...

Als ich fertig war, fügte ich hinzu: „Wow, eine ganz schöne Liste. Ein paar davon sind auch wirklich verrückt geworden.“

„Ja, das sind sie“, bestätigte mein Mentor stolz. „Es gibt immer noch Potential nach oben, doch das war schon einmal ein guter Anfang.“

Ich wollte nun von ihm wissen, was denn nach der Bucketlist die nächsten Schritte waren: „Nur, damit ich das richtig verstehe: Die Dinge auf der Bucketlist sind ja all jene Träume und Wünsche, welche wirklich viel Impact für mich haben, meist wenig bis keine Deadline haben und im Optimalfall zirka zehn oder teilweise noch mehr Jahre in der Zukunft liegen. Manche kann ich schneller, manche erst später erreichen. Doch was mache ich nun mit dieser Liste?“

„Du pickst dir die absolut wichtigsten Punkte, also maximal zwei bis drei pro Kategorie, besser sogar nur einen davon, heraus und überlegst dir, welches Teilziel du hier im nächsten Jahr erreichen kannst!“, ließ er mich wissen.

„Also eine Art **Zielcollage**, oder?“, überraschte ich ihn, da mir sein Vorschlag bekannt war. (Anmerkung: Im Vertiefungskapitel beschreibe ich dir das im Anti-Komfortzone-Programm detaillierter. Falls dir das also nichts sagt, keine Sorge. Dort findest du alle Details.)

„Ganz genau. Wichtig ist hierbei der folgende Leitsatz:

> *Menschen überschätzen gerne,*
>
> *was sie kurzfristig erreichen können,*
>
> *und unterschätzen oft,*
>
> *was sie langfristig erreichen würden.*

Mach also bloß nicht den Fehler, dass du dir gleich alle Dinge vom Visionboard bzw. deiner Bucketlist dieses Jahr vornimmst, sondern ziehe dir nur ein paar Punkte heraus, welche du dieses Jahr für dich als Big-Impact siehst. Es zählt hierbei auf jeden Fall abermals Qualität vor Quantität. Dies kannst du nun selbst machen, Julian. Wir haben lange genug gequatscht. Schick mir deine Liste danach einfach per E-Mail, bevor wir das nächste Mal telefonieren."

Ich bedankte mich, setzte mich hin und arbeitete die folgende Liste aus. Abermals habe ich die erreichten Ziele durchgestrichen und du siehst, nur ein paar davon habe ich dann auch tatsächlich geschafft – was absolut okay ist!

Erlebnisse:

~~Finnland~~

~~Roadtrip~~

Bali

Malediven

Moskau

Legacy (Vermächtnis):

Business auf 25 Millionen USD bringen

1 Buch schreiben

Auf New York Times Bestseller Liste gelangen

100.000 Bücher verkaufen

Vlog starten

Bei einem Film dabei sein

Materielles:

10 Millionen USD liquide

Beziehungen:

Jungstrip

Kite Trip

Liebe:

Couple Seminar

2-3 Couple Trips pro Jahr

Dating Nights jedes Monat

Wachstum:

1.000 Wörter Chinesisch

~~Programmieren lernen~~

18 Löcher Golf in unter 90 Schlägen

Schauspielen lernen

Musikinstrument lernen

Gesundheit:

3 bis 4 x pro Woche meditieren

~~Unter 15 Prozent Körperfett~~

Kompletter Bodycheck

1.000 km Laufen gesamt

Zurückgeben:

~~10 Prozent vom Einkommen spenden~~

1 Woche meiner Zeit spenden

~~Kostenlose Vorträge für Kinder in Schulen geben~~

Bevor wir dann im „Wie"-Kapitel diese Jahresziele der
Lifegoals auf den allerersten Schritt herunterbrechen,

sprechen wir im „Warum"-Kapitel über die richtige Motivation dafür. Nur so gibt man der Evolution nicht nach und baut die wirkliche Timehorizon-Fähigkeit auf. So hat es mir mein Mentor vorgelebt. Arbeite jedoch zuerst noch dieselben Aufgaben im Arbeitsbuch aus, welche ich damals bei meinem Mentor gemacht habe. Ich sage dir jetzt schon, dass du dieses Mal ein wenig länger brauchen wirst als bei den vorherigen Fragen. Dieses Mal ist es umso wichtiger, denn es geht nun wirklich um die Dinge in deinem Leben, die dich glücklich und zufrieden machen sollten. Überspringe diesen Schritt hier nicht.

9.
DAS "WARUM" - RITUALE

Die Bucketlist, welche du hoffentlich im Kapitel zuvor ausgearbeitet hast, bringt nichts, wenn du deine Zeit nicht so eintauschst, dass du den Punkten darauf Schritt für Schritt näherkommst. Ich bin mir sicher, dass es dabei nicht an deinem Willen scheitern wird. Dass du wirklich Millionär werden, die Traumreise erleben oder den Partner fürs Leben finden willst, glaube ich dir sofort. Doch „wollen" alleine, reicht nicht aus. Timehorizon bedeutet, dass du diese Dinge kreativ und strukturiert umsetztst, und damit du das schaffst, brauchst du die richtigen Werkzeuge, allen voran nicht einfach nur Motivation, sondern die richtige Motivation.

Bevor ich dir nun zu diesem Thema vom Telefonat mit meinem Mentor erzähle, lass uns zuerst ein paar Dinge über das „Warum" reflektieren. Einige wirst du vielleicht schon kennen, doch Übung macht den… ☺ Motivation bedeutet, dass du dich mit dem richtigen Grund ohne scheinbare Anstrengung fast automatisch auf ein gesetztes Ziel hinzu bewegst. Wenn du also Leute kennst, welche total unmotiviert sind und Lust zu gar nichts haben, liegt das daran, dass sie keinen Grund besitzen, etwas anderes zu machen. Die Evolution macht uns hier leider einen Strich durch die Rechnung, denn sie motiviert uns jeden Tag, andere Dinge zu tun als jene, welche wir eigentlich tun wollen. Wir müssen dem also entgegenwirken.

Wir wissen bereits wie: durch mehr Belohnung und Vermeidung von Strafe. Unsere Belohnung steht ja bereits auf der Bucketlist, doch wie sieht es mit der Strafe aus? Hier müssen wir uns selbst austricksen und eine Strafe kreieren, falls wir etwas nicht machen. Wenn für dich beispielsweise, ein Buch zu schreiben, ein Big-Impact-Ding darstellt, brauchst du eine potentielle Strafe, falls du es nicht schreibst. Ich persönliche brauche diesen inneren Druck ebenfalls und kreiere ihn meist, indem ich öffentlich verkünde, dass ich etwas tun werde. Weil ich meine Leser, Zuseher oder Zuhörer nicht enttäuschen möchte, ziehe ich das dann auch immer durch. Falls du dich also fragst, warum ich meine Bücherlisten heutzutage öffentlich stelle, transparent über meine Businesses rede oder einen Buchlaunch ankündige, weißt du es jetzt ☺. Ich benötige das als Motivation, und gleichzeitig bekommen all die Menschen einen immensen Mehrwert.

Es gibt dutzende andere Möglichkeiten, doch der Knackpunkt ist, dass du unbedingt eine potentielle Strafe brauchst, wenn du etwas nicht machst, das dir du eigentlich vorgenommen hast. Das kannst du mir glauben. Sonst wirst du deine Zeit viel zu oft für Dinge eintauschen, für welche dich deine Evolution programmiert hat und die du eigentlich nicht als Gegenleistung haben wolltest. Um dir zu zeigen, wie es bei mir abläuft, wenn ich es nicht richtig mache, lass mich dir noch eine Geschichte dazu erzählen. Nachdem ich 2012 nach Hong Kong gezogen bin, wollte ich immer schon Chinesisch lernen. Jetzt ist 2019 und weißt du, wie es mir bisher dabei gegangen ist? Bescheiden ist untertrieben. Ich kann zwar ein paar hundert

Wörter, aber niemals so, wie ich Chinesisch eigentlich beherrschen will. Warum? Es liegt keinesfalls an einer fehlenden Belohnung. Chinesisch könnte ich gerade in Singapur, wo ich nun seit Jahren lebe, hervorragend nutzen, und zwar sowohl in der Businesswelt als auch im Privaten. Nein, es liegt an der fehlenden Bestrafung, wenn ich es nicht lerne. Es passiert ganz einfach nichts, wenn ich nicht mindestens das komplette HSK-Programm (Ein Chinesisch-Einsteiger-Kompendium von ein paar tausend Wörtern) bis Ende des Jahres durcharbeite.

Anfang 2019 hat sich das geändert, da ich nun eine Wette mit einem Kumpel abgeschlossen habe: Er muss koreanisch lernen, welches er sich immer schon vorgenommen hat. Dann machen wir gemeinsam eine Reise, welche uns knapp 25.000 Euro pro Person kosten wird – ja, eine fette Reise. Wenn er sein Koreanisch-Ziel nicht bis zum Ende des Jahres erreicht, muss er für uns beide bezahlen. Wenn ich mein Chinesisch nicht verbessere, muss ich alles bezahlen. Wenn wir beide versagen, machen wir die Reise nicht und wenn wir es beide schaffen, bezahlt jeder seinen Anteil und erhalten die Reise als Belohnung für unsere Mühen. Mein Wettkampfsgeist sagt hier: Maximal bezahle ich meinen Teil, aber sicher nicht seinen ☺. Also habe ich jetzt eine potentielle Bestrafung und somit auch die volle Motivation, Chinesisch zu lernen. Status quo hierbei? Ich bin weiter im Programm als je zuvor – es scheint also zu funktionieren. (PS.: Falls dich das interessiert, ich kombiniere reines Vokabellernen [mindestens fünf pro Tag] mit Duolingo[1].

---

1   www.duolingo.com

All diese Dinge waren mir wie dir wahrscheinlich auch damals schon bekannt. Ich war also gespannt, was mir mein Mentor zu meinem „Warum" beim Telefonat erzählen würde.

Er begann mit einer Frage, welche ich überhaupt nicht erwartet hatte:

„Hast du schon einmal vom **Pareto-Prinzip** gehört?"

„Natürlich", antwortete ich, „Die 20/80 Regel besagt, dass 20 Prozent meiner Taten für 80 Prozent meiner Resultate verantwortlich sind. Wenn man also besonders effektiv sein will, muss man die 20 Prozent bei einer Sache herausfinden, welche einem einen großen Teil der Resultate für recht wenig Aufwand geben. Genau dank dieser Regel habe ich doch mein Medizinstudium während des Reisens für das Kitesurfen mit Auszeichnung abgeschlossen: Indem ich zwar weniger lernte als die anderen, doch eben das richtige."

„Genau, doch hast du die Regel noch weiter vertieft angewendet?", forderte er mich nun heraus.

„Du meinst in anderen Bereichen?", ich war nicht ganz sicher, was er von mir wissen wollte.

„Nein. Du kannst diese Regel vertieft anwenden und eben die 20/80 von 20/80 ausrechnen. Du kommst nun darauf, dass 4 Prozent von etwas für 64 Prozent verantwortlich sind", rechnete er mir vor.

„Nein, daran habe ich noch nie gedacht", gab ich ehrlich zu.

„Alles klar, dann rechne es noch eine Runde weiter",
gab er mir auf. Er gab mir kurz Zeit und verkündete
dann:

„Die richtigen 1 Prozent sind für

51 Prozent der Resultate verantwortlich."

Ich brauchte ein wenig, um dies zu verarbeiten. Es
war tatsächlich ziemlich beeindruckend.

„Verstehst du, was das für deine Zeit bedeutet?", wollte
er mir beim Prozessieren helfen.

„Ja, es gibt etwas ganz Kleines und Simples, das einen enormen Einfluss auf meinen Zeittausch ausüben
könnte. Doch was soll das sein? Die richtige Motivation?", wollte ich wissen.

„Wegen deiner Motivation mache ich mir keine Sorgen. Gehe sonst einfach zu deiner Bucketlist zurück
und füge die Gründe und Emotionen zu den Dingen
hinzu – außerdem noch die negativen Folgen, falls
du die Dinge nicht erreichst. Das weißt du alles und
solltest es auch tun. Ich rede aber von der richtigen
Motivation der Evolution!"

„Von was?", ich dachte, ich hätte ihn nicht richtig verstanden.

„Na, das „Warum" der Evolution. Wie kannst du das

für dich nutzen?", beschrieb er.

„Komm mir jetzt nicht mit dem Sinn des Lebens", scherzte ich.

„Ganz im Gegenteil, ich komme damit um die Ecke, weil die Evolution für alles die geringste Energie aufwenden will", erklärte er.

„Redest du von Energiepotenzialen in der Physik?", ich war immer noch verwirrt und verstand nicht, auf was er hinauswollte.

„Nein, wenn du ehrlich mit dir selbst bist, wirst du zugeben müssen, dass du gelernt hast, relativ automatisiert an Dinge heranzugehen, und in den seltensten Fällen deines Handelns bewusst Entscheidungen triffst. Diese eingespielten Abläufe nennen wir **Gewohnheiten**. Wir Menschen haben solche Gewohnheiten so in uns aufgenommen, weil wir auf diese Weise weniger Entscheidungen treffen und somit weniger Energie aufbringen müssen.

Falls du mir nicht glaubst, lass mich dir ein paar Beispiele dazu geben:

Wenn du in der Früh aufwachst, in was tauschst du als erstes deine Zeit?

Wenn dir langweilig ist, in was tauschst du deine Zeit?

Wenn du auf die Toilette gehst, in was tauschst du deine Zeit? (Ja, das meine ich ernst!)

Wenn du im Café/Restaurant auf jemanden wartest,

in was tauschst du deine Zeit?

Wenn du dein Handy entsperrst, in was tauschst du als erstes deine Zeit?

Wenn du im Bus/Zug/Flieger/Taxi sitzt, in was tauschst du deine Zeit?

Wenn du in einem Meeting bist, in was tauschst du deine Zeit?

Wenn du gerade eine Pause bei deiner Arbeit machst, in was tauschst du deine Zeit?

Wenn du beim Arzt oder Friseur oder sonst wo warten musst, in was tauschst du deine Zeit?

Wenn du am Abend ins Bett gehst, in was tauschst du deine Zeit? Usw.

Es bedeutet, dass uns Gewohnheiten eben nicht dazu bringen, unsere Zeit dafür zu tauschen, dass wir unseren Big-Impact Zielen näherkommen, sondern dass wir der Evolution nachgeben.

Die meisten Gewohnheiten sind reaktiv und nicht proaktiv!"

Bevor ich jedoch eine Frage stellen konnte, zerpflückte mich mein Mentor bereits weiter: „Komm, sag mir mal, was du immer in den jeweiligen Momenten machst:

Nach dem Aufstehen?" „Social Media checken."

„Nach dem Handy Entsperren?" „Emails checken."

„Langweile im Meeting?" „Nachrichten durchscrollen."

„Beim Arzt oder Friseur?" „Magazine durchblättern."

Beim „Autofahren?" „Radio hören."

„Beim ins Bett gehen?" „YouTube Videos gucken."

„Eben", fuhr er fort, „ich garantiere dir, keine dieser Gewohnheiten lässt dich deine Zeit auf wertvolle Art und Weise tauschen. Es kann evolutionsbedingt gar nicht sein, denn die Evolution will, dass du überlebst und damit du bisher (also nicht heute, sondern in den letzten Tausenden von Jahren) überlebt hast, musstest du dich vor allem um Dinge mit knapper Deadline kümmern, welche eben meist nur wenig Impact haben. Diese hast du dir dann als unbewusste, destruktive und reaktive Gewohnheiten angewöhnt."

Sprachlos saß ich da. Ich war noch nie auf die Idee gekommen, die Motivation der Evolution zu meinen Gunsten auszunutzen. Klar, ich würde trotzdem an meiner eigenen persönlichen Motivation arbeiten, doch sein Konzept war genial. „Was kann ich nun dagegen tun?", interessierte mich.

„Überlege dir ganz einfach den folgenden Kreislauf: Das, was du regelmäßig unbewusst tust, wird zu einer Gewohnheit, welche wiederum zu unbewussten Resultaten und somit zu deinem unbewussten Leben wird.

Daraus folgt:

> *Proaktives Tun → konstruktives Ritual →*
> *wertvoller Zeittausch → Big-Impact Ziele*

Die Lösung liegt also auf der Hand:

> *Reaktives Tun → destruktive Ge-*
> *wohnheit → schlechter Zeittausch*
> *→ unbefriedigendes Leben*

Du musst dir bei all den kleinen Gewohnheiten in deinem Leben überlegen, warum du diese durchziehst. Findest du keinen konstruktiven Grund – und in den meisten Fällen wirst du keinen finden – dann musst du deine großen Big-Impact Ziele so gut reduzieren, damit du stattdessen **konstruktive Rituale** einbauen kannst. So tauschst du deine Zeit automatisch in diejenigen wertvollen Dinge, welche du wirklich willst. Es wird einige Zeit dauern, bis du eine destruktive Gewohnheit nach der anderen in ein konstruktives Ritual überführt hast."

„Wie fange ich am besten an?", fragte ich nun.

„Es geht keinesfalls darum, alles sofort perfekt umgesetzt zu haben. Nimm dir lieber eine einzige zuerst zur Brust und bessere sie über die Zeit. Danach nimmst du die nächste, usw. Weißt du übrigens, woher der Anspruch zum Perfektionismus kommt?"

Ich wusste es nicht, also fuhr er fort: „Wir denken, dass wir weniger wert oder nicht gut genug sind, wenn wir nicht perfekt sind. Wenn wir nicht gut genug sind, glauben wir fälschlicherweise, dass uns niemand mag und wir somit alleine sein würden und so auch die Spezies nicht weiterbringen können. Nichts anderes bedeutet es – Die Handschrift der Evolution ist mächtig, oder?"

„Krass, ja!" Wie oft hatte ich schon einmal etwas nicht gemacht, weil ich Angst davor hatte, dass es nicht gut genug war? Ständig.

„Es gibt zwei **Standards**, welche wir uns selbst setzen, die absolut destruktiv sind:

Keine Standards, denn dann machen wir alles schrecklich und ohne gute Umsetzung.

Perfekte Standards, denn dann fangen wir möglicherweise nie an, weil wir immer glauben, nicht gut genug zu sein.

Gerade dieser Drang nach **Perfektionismus** ist leider bei vielen Menschen präsent."

Ich nickte.

„So, Julian, das ist alles zu Motivation, das ich dir mitgeben kann. Bis zum nächsten Mal will ich, dass du die unterschiedlichsten Szenarien herausschreibst und diese mit konstruktiven Ritualen ergänzt. Dies ist ein wichtiger Baustein für guten Timehorizon. Wir hören uns!", und weg war er.

Nach dem Telefonat setzte ich mich sofort hin und arbeitete die neuen Rituale aus, welche ich umsetzen wollte. Über die Jahre hinweg wurde ich dann nicht nur hervorragend, diese umzusetzen, ich habe sie auch immer weiter verbessert und angepasst. Lass mich dir deshalb an dieser Stelle meine Beispiele von heute geben und nicht, was ich damals aufgeschrieben habe. Dies war natürlich ein Work-in-Progress über die Jahre hinweg. Damit dies bei dir funktioniert, musst du dir im Klaren sein, welcher Zeittausch für dich wertvoll ist. Du brauchst dafür deine Bucketlist bzw. Zielcollage und überlegst dir dann jeweils, welches kleine Ding du tun könntest, um irgendwann beim Großen anzukommen.

In der Früh aufwachen:

Bevor ich Timehorizon angewendet habe, war das erste, was ich in der Früh tat, das Handy vom Nachtschränkchen zu nehmen, um WhatsApp, E-Mails oder Social Media zu checken. Vom Tagesbeginn an begleiteten mich also meine destruktive Gewohnheiten, welche mich weit weg vom wertvollen Zeittausch brachten. Ich versuchte, vieles in diesen ersten Minuten zu integrieren. Heute lege ich mir spannende und gute Artikel am Abend zuvor zurecht und lese sie in der Früh. Manchmal lese ich auch ein Buch, doch meist will ich mein Gehirn nur ein paar Minuten in Schwung bringen, und konstruktive Artikel zu Themen, welche mir Wert bringen, passen hier genau richtig. Wenn ich unter Tags Dinge finde, welche ich interessant finde, speichere ich sie mir als Lesezeichen auf dem Handy ab und kann sie so in der Früh lesen. Mittlerweile stehen bei vielen Posts sogar die verbleibenden Lese-minuten dabei – umso besser für dieses konstruktive Ritual.

Der Gang zur Toilette:

Alleine der Gang zur Toilette oder während des Stehens oder Sitzens beim Geschäft, bringt uns oft dazu, das Handy herauszunehmen und uns durch Nachrichten usw. in einen reaktiven Modus zu schalten. Dies ist genau das Gegenteil von den proaktiven Ritualen, welche wir für guten Timehorizon brauchen. Was ich hier für mich integriert habe ist, dass ich eine kurze Reflektionsminute einlege und darüber nachdenke, was ich bisher gemacht habe und was ich noch machen soll. Ganz proaktiv nehme ich das Handy NICHT heraus.

Langeweile:

Langeweile ist tödlich für unser vergnügungssuchendes Gehirn. Es will abgelenkt werden. Wenn ich gerade ein paar Minuten Zeit habe und Langweile droht, schalte ich Headspace an[2] und meditiere kurz. Manchmal ist das nur eine Minute oder, wenn es der Terminplan hergibt, auch einmal zehn Minuten. Falls ich irgendwo bin, wo ich nicht einfach meine Augen zumachen und meditieren kann, fokussiere ich mich einfach proaktiv darauf, ein paar tiefe Atemzüge zu nehmen. Das geht immer.

Café/Restaurant:

Wenn ich in einem Restaurant oder Café auf jemanden warte, achte ich darauf, meinen Laptop oder

---

Handy nicht herauszunehmen. Generell habe ich gelernt, dass uns diese technischen Geräte rasch in einen reaktiven Ablauf bringen – etwas, das gar nicht gut für den Big-Impact Timehorizon ist. Am liebsten nehme ich hier mein Notizbuch heraus und schreibe ein paar Reflektionen oder Gedanken rauf. Geht ein Gesprächspartner kurz auf die Toilette, notiere ich mir ein paar der Gesprächspunkte. Generell finde ich es immer sehr beeindruckend, wenn ich ein Gegenüber mit Notizbuch sehe, wenn ich selbst ein Restaurant betrete. Somit denke ich, dass ich den gleichen Eindruck hinterlasse, wenn ich meine Gedanken mit Stift und Papier und nicht auf dem Handy sortiere. Etwas, das mir schon lange aufgefallen ist, ist, dass meine Konzentration und Kreativität sinken, bloß wenn mein Handy oder Laptop in Sicht- oder Griffweite liegt. Also lasse ich mein Handy, Tablet oder Laptop bei Treffen am liebsten in meinem Rucksack, nicht einmal in meiner Hosentasche. Strategien dazu gebe ich dir im nächsten Kapitel zum „Wie".

Handy/Laptop entsperren:

„Tödlich" für Timehorizon ist das Handy zu entsperren, um etwas zu erledigen. Reaktivität lauert nur so durch WhatsApp, Email usw. Um konstruktive Rituale zu kreieren, habe ich alle „gefährlichen" Apps ganz nach hinten auf einen separaten Screen geschoben. So habe ich die „guten" Apps am Startbildschirm. Außerdem habe ich alle Benachrichtigungen ausgeschaltet, sodass ich proaktiv im Besitz der Kontrolle bin, wann ich mir Dinge anschauen will. Am Laptop nutze ich einen Webseiten- und App-Blocker namens WebBlock[3]

---

3   http://bit.ly/AppCrypt

und Freedom[4]. So kann ich kontrollieren, welche Programme und Webseiten ich überhaupt erst aufmachen kann.

<u>Bus, Flieger, Zug, Taxi:</u>

In Fahrzeugen, wo ich nicht der Fahrer bin (und ich versuche so oft es nur geht nicht selbst zu fahren, um meine Zeit in andere Dinge zu tauschen als zu fahren), wird mir leider sehr schnell übel. Ich kann hier also nur sehr schlecht etwas lesen oder schreiben. Allerdings nehme ich dort oft Sprachnachrichten für meine Assistentin auf, welche sie dann abtippt bzw. verschickt. Was ebenfalls geht, sind Podcasts oder Hörbücher anzuhören. Außerdem kann ich hier ganz besonders gut Vokabeln für

neue Sprachen lernen. Wenn ich telefonieren darf und andere Passagiere nicht störe, erledige ich hier sehr gerne Telefonate. Wichtig ist, dass man sich zuvor bereits eine kleine Liste zurechtlegt, was man hier alles machen will. Das Stichwort ist Proaktivität.

<u>Im Auto fahren:</u>

Glaub mir, ich freue mich schon so auf selbstfahrende Autos. Wenn ich selbst fahren muss, höre ich meistens Podcasts oder Hörbücher. Ich kann während des Autofahrens aufgrund der Konzentration nur schlecht telefonieren und auf keinen Fall höre ich Radio. Wenn ich einen Beifahrer habe, habe ich entweder konstruktive Gespräche oder er/sie weiß, dass ich einen Kopfhörer zum Podcast-Hören im Ohr habe, ohne dass er/sie

---

4   https://freedom.refersion.com/c/345916

sich gekränkt fühlt, weil ich nicht mit ihm/ihr spreche.

Im Meeting / Call:

Ich habe die Angewohnheit, bei Meetings aufzustehen und herumzugehen. Anfangs verwirrt das die Leute, doch wenn sie merken, wie produktiv und konstruktiv ich so bin, lernen sie, damit umzugehen. Meetings können jedoch extreme Zeitfresser sein. Wenn man also nicht in ein Meeting gezwungen wird (ich versuche Leute eher von Meetings abzuschrecken), sollte man auf diese Weise erst gar nicht seine Zeit tauschen. Falls du in einem Meeting bist, musst du auch wirklich anwesend sein. Dies heißt: Wenn möglich, kein Handy und keinen Laptop. Sonst schweifen deine Gedanken ab, und du bist geistig nicht anwesend.

Pause zwischen Arbeit:

Pausen zwischen der Arbeit sind wichtig, sonst nimmt die Effizienz der Arbeit irgendwann ab. Ich selbst arbeite mit der Pomodoro Technik[5] und arbeite meist zirka 50 Minuten durch, um dann eine kurze Pause von zirka 10 Minuten zu machen. Was du in diesen Pausen machst, ist absolut essenziell. Normalerweise ziehen Leute hier gerne ihr Handy hervor oder begeben sich ins Internet, anstatt ihrem Gehirn kurz etwas anderes zu bieten. Ich versuche, hier vielmehr kleine körperliche Abwechslungen einzubauen:

Kurz aufstehen

---

5   http://www.tomighty.org/

Ein paar Atemübungen

Meditieren

Herausgehen und Herumgehen

Ein paar Minuten still an einem anderen Ort ruhig dasitzen

Musik hören

Duschen

Zähneputzen

Kleine Tätigkeiten (wie den Abwasch, etc.) erledigen

Schnell etwas im Supermarkt einkaufen

Essen vorbereiten

Kurzes Workout wie Liegestütze, Kniebeugen, Situps, etc.

Prinzipiell versuche ich hier, nichts mental Anspruchsvolles zu machen. Also kein Internet, Social Media, Emails, Nachrichten oder Hörbücher.

Arzt, Friseur, etc.:

Wenn ich früher beim Arzt oder Friseur warten musste, habe ich entweder am Handy rumgespielt oder in Magazinen rumgeblättert. Heute versuche ich, gerade hier kleine Bausteine von großen Projekten unterzubringen. Zum Beispiel nutze ich ein paar Coding-Apps, wo ich jeden Tag für ein paar Minuten einige Coding-Challenges löse. Wenn ich gerade an einem neuen Buch schreibe, nutze ich die Wartezeit zum Brainstormen und Notizenmachen oder ich strukturiere Dinge für die Arbeit durch. Im nächsten Kapitel und in den unterschiedlichen Specials beschreibe ich dies noch einmal genauer.

Abend:

Am Abend versuche ich, Laptop und Handy so früh wie möglich auszuschalten. Ich nutze meist mein iPad, lese etwas darauf oder mache mir ein paar Gedanken zum Tag. Auf keinen Fall lese ich irgendwelche Nachrichten oder Social Media, denn dies kann mich dann noch stundenlang wachhalten, weil ich das Gefühl habe, auf etwas reagieren zu müssen.

Du musst klarerweise keines der Rituale so umsetzen wie ich. Was du aber tun solltest, ist, deine destruktiven Gewohnheiten in einen konstruktiven Zeittausch zu ändern. Sonst bist du nicht gut im Timehorizon. Vielleicht fallen dir auch noch ein paar andere Momente in deinem Tag ein, wo du rasch in reaktives Verhalten wechselst. Wenn ich über den Tag hinweg die meisten meiner Rituale hinbekomme (alle schaffe ich nie), ist mein Zeittausch extrem effizient. Noch dazu wird alles über die Zeit hinweg immer einfacher, denn sobald man sich daran gewöhnt hat, nicht sofort zum Handy oder Laptop zu greifen, sondern an den eigenen Timehorizon Projekten zu arbeiten, macht man es irgendwann automatisch, und der Wert für die eingetauschte Zeit geht exponentiell nach oben. Wenn du einmal im reaktiven Modus gefangen bist, wirst du bemerken, dass du recht lange brauchst, bis du deinen Zeittausch wieder proaktiv kontrollierst. Falls dir schon mal so eine Art Nebel im Gehirn aufgefallen ist, durch den du einfach nur so treibst, ohne dass du das Gefühl hast, die Kontrolle zu haben, liegt dies unter anderem genau daran, dass du eben nicht Timehorizon anwendest, sondern von der Programmierung der Evolution getrieben bist.

Wir werden im nächsten Kapitel noch detaillierter darüber sprechen, wie du zur kreativen strukturierten Umsetzung gelangst. Arbeite zuerst die Fragen im Arbeitsbuch durch, denn hier geht es darum, deine eigenen Gewohnheiten zu reflektieren und zu verbessern.

PS.: Schau dir im Vertiefungskapitel die zahlreichen Tipps des Anti-Komfortzone-Programm an. Dort spreche ich ausführlich darüber, wie du Probleme wie Perfektionismus oder Ängste lösen kannst, oder wie du dich traust, etwas anzugehen, obwohl du Angst hast, dass es noch nicht gut genug ist.

10.
DAS "WIE" - UMSETZUNG

Bis jetzt haben wir es noch nicht gewagt, uns auf das „Wie" zu stürzen. Doch du solltest nun genau wissen, in „Was" und „Warum" du deine Zeit tauschen willst. Nun ist es an der Zeit, den genauen Ablauf rund um Strategien und Taktiken zu besprechen. Genau hierfür rief ich wieder meinen Mentor an.

Er begann das Gespräch: „Du spielst doch Schach, oder Julian?"

„Ja, für mein Leben gerne!", erwiderte ich.

„Dann solltest du Strategie und Taktik gut verstehen?"

„Klar", erklärte ich, „unter **Strategie** versteht man einen langfristig ausgedachten Plan. Beim Schach geht es zum Beispiel darum, wie du von Anfang an versuchst, deine Figuren zu platzieren, um eine möglichst starke Position einzunehmen und den Gegner letztlich zu besiegen.

Unter **Taktik** versteht man spontane, kurzfristige Reaktionen in einer Situation. Beim Schach geht es zum Beispiel darum, wie du situationsbedingt einen Angriff auf den Gegner startest."

„Ganz genau", lobte er mich, „bei Timehorizon brauchen wir beides. Lass uns zuerst mit der Strategie starten und danach individuelle Taktiken für unterschiedliche Bereiche besprechen.

Im Timehorizon Prinzip brechen wir die Zeit in Bausteine herunter. Die Bucketlist kümmert sich zum Beispiel um die nächsten zehn bis fünfzehn Jahre und die Zielcollage um das nächste Jahr bzw. die nächsten ein bis drei Jahre. Nun müssen wir die Zielcollage in kleinere Bausteine aufteilen. Du kannst die Zeitabschnitte selbst wählen – ich nehme hier gerne drei Monate, einen Monat, eine Woche, einen Tag und dann den Vormittag und Nachmittag. Gehen wir das Schritt für Schritt durch."

Er erklärte und beschrieb mir alles bis ins Detail, und ich notierte fleißig alles mit. Wie schon im „Warum"-Kapitel hat sich seitdem jedoch nicht nur technologisch, sondern auch vom Prozess her viel verbessert und so möchte ich dir hier lieber den Ablauf erklären, wie ich ihn heute mache. Wir kommen dann im nächsten Kapitel auf das Gespräch zurück.

Bei mir sieht das so aus: Nachdem ich das Visionboard lediglich hin und wieder mit neuen langfristigen Zielen ergänze, habe ich es physisch bzw. eingescannt mit Fotos und Details. Die dazugehörige Bucketlist habe ich digital als Google-Doc zum Abhaken. Die Zielcollage ist wie das Visionboard physisch mit Bildern ausgearbeitet bzw. eingescannt.

Den **Quartalsplan** arbeite ich jedoch am liebsten in einem Notizbuch aus. Ich starte jedes Jahr ein neues Heft, egal ob das alte voll ist oder nicht. Vorne nummeriere ich dieses immer mit der Jahreszahl und hebe alle auf. Falls ich eines vollmache und mehrere pro Jahr brauche, notiere ich dies am Cover als:

2018/1, 2018/2, 2018/3, usw. So habe ich immer eine Ordnung und kann Notizen untereinander referenzieren, indem ich beispielsweise im Notizbuch 2018/4 beschreibe, dass etwas im Notizbuch 2016/3 drin steht. Am liebsten habe ich ein Notizbuch mit Zeilen, ohne irgendeinen Kalender oder sonstige Besonderheiten. Für mich gilt: Je einfacher, desto besser.

Ich nummeriere jede Seite, denn so kann ich diese innerhalb der Ordnung ebenfalls referenzieren. Meistens nehme ich mir dafür jedes Quartal (Januar, April, Juli, Oktober) ein paar Stunden Zeit und reflektiere, welche Ziele ich dieses Quartal von meiner Zielcollage angehen möchte. Außerdem reflektiere ich, wie das letzte Quartal verlaufen ist. Ich mache dies deshalb gerne auf Papier, weil ich so ein bisschen besser zum Nachdenken komme.

Wichtig ist hier abermals, dass man sich nicht übernimmt und gerade bei so kurzfristigen Zielen eher kleine Limits setzt, um sich nicht zu demotivieren. Langfristig entsteht dadurch ein immenser „Zinseszinseffekt". Würdest du dich zum Beispiel jeden Tag um nur 1 Prozent verbessern, so wärst du im Vergleich zum Beginn nach einem Jahr 38-mal besser (1.01^365). Irre, oder?

Rein zum Vergleich: Würdest du jeden Tag 1 Prozent schlechter werden, so hättest du dich über dieses Jahr auf 1/50 verschlechtert (0.99^365). Krass, oder?

Bei meinen Jahreszielen damals wären dies zum Beispiel die folgenden Unterziele für ein Quartal:

Erlebnisse:

Finnland

Roadtrip

Legacy (Vermächtnis):

Neues Business starten

Buchkonzept fertig

Buch dem Verlag pitchen

50.000 Bücher verkaufen

Materielles:

3 Millionen USD liquide

Beziehungen:

Jungstrip planen

Liebe:

Couple Seminar geplant

3 Date Nights pro Monat

<u>Wachstum:</u>

500 Wörter Chinesisch als Wortschatz

Python und JavaScript programmieren lernen

<u>Gesundheit:</u>

40 x meditiert haben (Tracking über Google-Sheets)

40 x Gym (Tracking über Google-Sheets)

250 Kilometer Laufen gesamt

<u>Zurückgeben:</u>

1 Woche einplanen

Kostenlose Vorträge für Kinder in Schulen planen

Noch ist das ziemlich oberflächlich, doch nun kommen wir zum **Monatsplan**. Diesen mache ich, wie den Wochen- und Tagesplan auch, am liebsten über die App Todoist[1], da ich diese am Laptop und Handy einfach synchronisieren kann. Diese App habe ich dann auch auf dem Startbildschirm am Handy und am Laptop, denn diese Liste will ich ja immer sofort sehen, damit ich weiß, was Big-Impact ist. Ich verwende bei Todoist zwar die Premium-Bezahlversion für ein paar Euro pro Monat, doch du kannst auch die kostenlose Version nutzen.

---

1   <u>https://todoist.com/r/dr_julian_hosp_crvkck</u>

Die App erlaubt mir, die Dinge abzuhaken oder sie auf wiederholend einzustellen, wenn sie regelmäßig automatisch aufpoppen sollen. Im Monatsplan arbeite ich dann schon recht detailliert die Dinge vom Quartalplan aus, welche ich unbedingt machen will. Gerade im Business muss man sich hier genaue Gedanken machen, denn meist erfordert das die meiste kreative strukturiere Arbeit und es kann sein, dass dies 95 Prozent des gesamten Denkprozesses einnimmt. Gleichzeitig reflektiere ich hier ausgiebig, wie denn der letzte Monat so gelaufen ist und wie ich dies im darauffolgenden ein bisschen verbessern kann. Das Ziel ist nie, perfekt zu sein. Perfekte Standards sind die schlechtesten Standards. Das Ziel ist, einfach besser zu sein als zu zuvor.

Dasselbe mache ich dann jede Woche mit dem **Wochenplan** und jeden Tag mit dem **Tagesplan**. PS.: Wenn ich „jede" Woche sage, heißt das „öfter" als überhaupt nicht ;-) Ich breche meinen Tag sogar noch in einen **Vormittag** und **Nachmittag** herunter. Der Grund dafür ist, dass Studien zeigen, dass Menschen ihre Zeit oft deutlich effizienter in unterschiedliche Dinge tauschen können, je nachdem ob es Nachmittag oder Vormittag ist. Zum Beispiel tausche ich meine Zeit am Vormittag lieber ausschließlich in kreative Arbeit, ohne Meetings, Calls, etc. Am Nachmittag ändert sich dies und ich versuche, hier all diese Dinge einzubauen. Ganz wichtig ist, dass du verstehst, dass es ein Muss ist, deine Zeit in diesen Wert zu tauschen. Es gibt nichts, das sich vordrängeln darf, denn nur so bleibst du zumindest annähernd am Weg zum Ziel.

Ganz in der Früh und nach dem Mittagessen trage ich meine Task-Liste aus Todoist in meinen **Kalender** ein, um abzuschätzen, dass sich alles zusammenfügt und ich auch weiß, für was ich meine Zeit alles tausche. Hierfür verwende ich den kostenlosen Google-Kalender. **Terminabsprachen** mit anderen Menschen mache ich entweder über meine Assistentin oder über Calendly[2]. Wenn bereits Termine für diese Woche eingetragen wurden, ich jedoch finde, dass der Termin keinen passender Tausch für meine Zeit bietet, cancel ich den Termin oder sag meiner Assistentin, dass sie ihn canceln soll. Ich erinnere mich selbst immer daran, dass meine Zeit das wichtigste im Leben ist und ich meinen Träumen und Zielen nachgehen muss und anderen Menschen nicht erlauben darf, hier herum zu pfuschen. Dies ist ein extrem wichtiger Gedanke, der nicht immer einfach umzusetzen ist.

Was natürlich klar sein dürfte, ist, dass jeden Tag etwas Unvorhergesehenes passiert. Hier gilt es flexibel zu bleiben und gute Taktiken zu nutzen. Lass uns ein paar davon besprechen.

E-Mails checke ich einmal (maximal zweimal) pro Tag und ich verwende G-Suite von Google. Dies kostet mich zwar 12 USD pro Monat, dafür habe ich viele tolle Features und unlimitierten Speicherplatz für Drive, Docs, Kalender, etc. Ich habe drei E-Mail Ordner: Impact, Later und Follow-Up. In den Impact Ordner schiebe ich alles, was Big-Impact ist und ich am selben Tag zu beantworten versuche.

Hier kommt nur ganz, ganz wenig rein. Alles, was eine knappe Deadline und Low-Impact bedeutet, kommt in

---

2   www.calendly.com

den Later-Ordner. Wenn ich nicht sicher bin, ob es

Big-Impact ist oder nicht, kommt es ebenfalls in den Later-Ordner – nur Dinge, welche sicher Big-Impact sind, kommen in Impact. Den Later-Ordner schaue ich mir zirka einmal pro Woche an und überlege, ob ich irgendwelche E-Mails davon beantworten muss. Ich versuche, hier so wenig wie möglich und so viel wie nötig zu erledigen.

Wenn hier eine E-Mail länger als eine Woche eingeordnet ist, schiebe ich sie in den Follow-Up Ordner oder archiviere sie sofort. Der Follow-Up Ordner enthält E-Mails, welche ich wahrscheinlich nie erledige. Meist archiviere ich hier die E-Mails nach zwei bis drei Wochen. Hier befindet sich eine Vielzahl von E-Mails, welche ich lediglich zum Suchen benötige, jedoch nicht, weil ich diese bearbeite. Nachdem Speicherplatz praktisch kostenlos geworden ist, lösche ich recht wenige E-Mails, sondern behalte sie eben zum Suchen archiviert auf.

Außerdem lege ich zahlreiche Ordner für unterschiedliche Projekte an, in die ich E-Mails verschiebe, statt in den Archiv-Ordner. So erleichtere ich es mir, Dinge unter den zehntausenden E-Mails zu finden.

Beim **Versenden von E-Mails** verwende ich FuT[3], welches mich für ein paar Euro pro Monat daran erinnert, wenn mir jemand nach einer gewissen Zeit nicht zurückgeschrieben hat.

Um bei komplexeren Projekten nicht den Überblick

---

3   http://fut.io/a?7f6b500ece

zu verlieren, verwende ich Trello als **Projektmanage-ment-Tool**[4]. Hier kreiere ich für jedes Board fünf Kategorien:

1. Brainstorm: Ideen für die Zukunft bzw. Dinge, an denen ich noch nicht arbeite.

2. Task-List: Dinge, mit einer Deadline versehen, welche ich jetzt machen muss.

3. In Process: Dinge, an welchen ich gerade arbeite.

4. Done: Selbsterklärend – erledigt.

5. Dropped: Dinge, welche ich doch nicht mache, sie aber mal im System belasse.

So kann ich Dinge zwischen den fünf Kategorien hin- und herschieben. Außerdem kann ich die einzelnen Felder nach oben und unten für unterschiedliche Wichtigkeit verschieben und verliere so nie den Überblick darüber, was ich noch alles machen muss.

Sprechen wir über **Messaging**. E-Mail haben wir bereits abgehakt, doch wie sieht es mit WhatsApp aus? Ich gebe meine WhatsApp-Nummer nur für persönliche Dinge heraus. Sonst erledige ich alles über E-Mail, Slack oder Telegram. Der Grund ist ganz einfach: Ich will nicht Business machen, wenn ich mein Whatsapp öffne, sondern will es rein für private Dinge nutzen. Innerhalb meiner Firmen verwende ich Slack und für gelegentliche Businesskontakte nutze ich Telegram. So weiß ich genau, auf was ich mich einlasse, wenn ich die jeweilige App öffne.

---

4   https://trello.com/julianhosp/recommend

Ich habe sowohl auf dem Handy als auch auf dem Laptop alle **Benachrichtigungen** abgeschaltet. Damit meine ich alle: Keine Töne, Pop-ups oder rote Punkte. Ich will selber bestimmen, wann mich meine Emotionen dazu zwingen, etwas als wichtig zu sehen und es zu öffnen oder es zu lassen. Dies ist absolut essenziell, denn nur so kann ich diese technischen Werkzeuge nutzen, ohne dass sie mich benutzen. Außerdem schalte ich ganz oft den Flugzeugmodus am Handy und am Laptop an. Ich habe bemerkt, dass mich das Internet leicht dazu bringt, meine Zeit schlecht zu tauschen, und so kann ich dem gezielt entgegenarbeiten.

Ich schaue mir gerne **Dokumentationen oder andere Videos auf YouTube** an. Viel zu leicht wird man hierbei jedoch dazu verleitet, auf andere Videos zu klicken, die einen mit aufregenden Titeln „anschreien". „Die Top 10 von dem…" und „Die unglaublichsten Dinge von…" sind eben die totalen Meister darin, unseren Timehorizon durch scheinbare Dringlichkeit zu verkürzen. Der Trick, welchen ich daher hierfür nutze, ist, sich die Videos vorab herunterzuladen, welche man sehen möchte, um so nicht durch den YouTube Algorithmus ausgetrickst zu werden. Es gibt zahlreiche YouTube-Videos-Downloader – google einfach einmal danach! Dieser Hack war für mich ganz besonders wichtig, weil ich sonst allzu gerne auf YouTube hängengeblieben bin und meine Zeit enorm schlecht getauscht habe.

Mit diesen Strategien und Taktiken solltest du das Timehorizon Prinzip extrem effizient umsetzen können. Du musst deine eigenen Träume und Ziele natürlich ganz individuell und von ganz groß nach ganz klein herunterbrechen. Gewonnen hast du, wenn du sie in kleine leicht, abzuarbeitende Blöcke konvertiert hast. Generell liebe ich es, **1-Stunden Blöcke** für mich zu nutzen, ich achte jedoch auch immer darauf, dass ich gerade die paar Minuten zwischendurch effizient nutzen kann. Dies haben wir ja im Kapitel zuvor mit Ritualen detailliert besprochen. Am Ende des Tages zähle ich dann, wie viele von diesen Big-Impact 1-Stunden Blöcken ich abgearbeitet habe. Etwas, was dich vielleicht schockiert ist, dass ich super happy bin, wenn ich mehr als drei pro Tag schaffe. Das mag wenig klingen, doch ich bin hier extrem pingelig, was diese Big-Impact Blöcke sind. Die wenigsten Meetings zählen hier dazu, auch selten Dinge, welche mich an Zielen arbeiten lassen, welche lediglich ein bis zwei Monate in der Zukunft liegen. Hier geht es wirklich um die massiven Jahresziele. Dies kann konzentrierte Arbeit am Business sein, ein tolles Abendessen mit meiner Frau, eine Reise, bei der ich weiß, dass ich sie mein Leben nicht vergessen werde, usw. Wenn ich **1.000 solcher Big-Impact Stunden pro Jahr** schaffe, fühle ich mich dann wie ein Hero.

Prinzipiell versuche ich nie, Zeit perfekt zu tauschen. Solange ich das Gefühl habe, dass ich aus meiner Zeit mehr als überhaupt keinen Wert für langfristige Timehorizon Projekte bekomme, bin ich mehr als happy. Ich denke, das ist ein riesiger Fehler, welchen Leute hier zu oft machen: Die Ansprüche an sich selbst lassen sie denken, dass sie immer produktiv sein müssen. Das Gegenteil ist der Fall. Ich bin oftmals nicht produktiv und mache auch viele **Pausen**. Wenn ich vier bis fünf Tage pro Woche produktiv bin und an diesen Tagen jeweils zirka die Hälfte der Zeit gut nutze, ist das schon hervorragend. Auch beim **Schlaf** achte ich zum Beispiel darauf, so oft es geht davon acht Stunden pro Tag zu bekommen. Die ganzen Pseudoproduktivitätsmeister auf Instagram schauen eben nur auf Social Media toll aus, die Realität ist jedoch meist eine ganz andere.

Planen und umsetzen alleine, hilft wenig. Du musst auch regelmäßig **reflektieren**, damit du Schritt für Schritt besser wirst, und wenn du deine Teilziele erreichst, solltest du diese feiern. Wir werden dies später noch einmal ein bisschen detaillierter besprechen. Damit dir all die Taktiken und Strategien ein bisschen leichter fallen, gehe ich mit dir nun die acht Zielbereiche des Timehorizon-Dreiecks in acht Unterkapiteln ein bisschen spezifischer durch und gebe dir jeweils ein paar konkrete Tipps aus eigenen Erfahrungen und Lektionen. Zuvor, arbeite noch die Dinge im Arbeitsbuch durch.

II.
ERLEBNISSE SPECIAL

Erlebnisse sind eines der wichtigsten Dinge im Leben. Gerade hierbei tendiert man jedoch leicht dazu, einen Alltag einkehren zu lassen und zu versäumen, dieser Kategorie Bedeutung zuzuschreiben und seine Zeit darin einzutauschen. Viel zu oft drängen sich andere Dinge, wie der Beruf oder andere scheinbare Notwendigkeiten auf, und Timehorizon wird nicht angewandt. Auch ich hatte hier bis vor ein paar Jahren massiven Nachholbedarf, denn mir war einfach nicht bewusst, was Erlebnisse alles bewirken konnten. Ich dachte immer, es gäbe viele andere Dinge zu tun, die deutlich wichtiger waren, als „Erlebnisse zu haben".

Eine Reise mit Freunden machen? Das konnte ich doch noch in Jahren.

Ein tolles Abendessen mit meiner Freundin? Das kostete doch nur Geld.

Mich um das Onboarding neuer Angestellten zu kümmern? Da hatte ich als Firmenchef wichtigeres zu tun, usw.

Vielleicht kannst du dich in mich hineinversetzen. Klar wollte ich all die tollen Dinge und Reisen im Leben machen, von denen jeder nur so träumt und die nun auch einmal auf meiner Bucketlist ganz oben standen, doch … nicht jetzt. Später! Aber während des nächsten Telefonats mit meinem Mentor, in welchem er mich mit Fragen nur so löcherte, begann ich, dies komplett zu überdenken. Es dämmerte mir, dass der Grund, warum Erlebnisse an der absolut ersten Stelle der acht Punkte standen, der war, weil er alle anderen beeinflussen würde: Positiv wie auch Negativ. Wenn dir das, so wie mir damals, bewusst wird, wirst du Erlebnissen einen ganz anderen Stellenwert in deinem Leben geben. Du wirst deine Zeit anders eintauschen, Geld für andere Dinge ausgeben und Beziehungen komplett anders behandeln. Doch alles der Reihe nach.

Mein Mentor damals am Telefon:

„Julian, was, denkst du, macht uns Menschen wirklich glücklich? Sind es materielle Dinge oder doch ganz andere Sachen?

Falls uns tolle Erlebnisse glücklich machen, warum tun sie das?

Was hat einen drastischeren Einfluss auf uns Menschen: besonders schlechte oder besonders tolle Erlebnisse?

Müssen diese Erlebnisse besonders lang sein, um sie als toll einzustufen?

Was bedeutet das für dich Julian?

Was bedeutet das für deine Beziehung mit Bettina?

Was bedeutet das für deine Firma?

Was bedeutet das für deine Freundschaften?“

„Wow, gleich so viele Fragen auf einmal, hmm?", antwortete ich.

„Ja", konterte er. „Julian, du verstehst nun wirklich die gesamten Grundprinzipien rund um langfristiges strukturiertes Denken. Doch dir ist, glaube ich, noch nicht wirklich bewusst, wie du deine Denkweise am einfachsten beeinflussen kannst, sodass du dein Timehorizon-Dreieck rund um dich selbst, deine Beziehungen und dein Business wirklich optimal maximieren kannst."

Das war mir wirklich noch nicht ganz klar. An diesem Punkt verstand ich zwar die Wichtigkeit des richtigen Zeittauschs und hatte mir auch bereits einige gute Strategien überlegt, dies umzusetzen, doch tief in mir verspürte ich, dass es noch etwas mehr brauchte.

„Also gut, erhelle mich!", lachte ich ein wenig ins Telefon. „Was macht uns Menschen wirklich glücklich? Deiner Frage nach werden es wohl **keine Statussymbole** wie Ferraris, Yachten oder teure Kleidung sein."

„Richtig!", erwiderte er. „Viele Menschen, die wenig Geld haben und unglücklich darüber sind, denken, dass Geld all ihre Probleme lösen könnte und sie dadurch unendlich glücklich würden. Bei Leuten, welche extrem schnell extrem reich werden, sieht man das am deutlichsten. Ganz egal ob man von Profisportlern oder Lottomillionären spricht. Sie erfüllen sich sofort ihre tiefsten Wünsche, kaufen sich eine teure Uhr, weil sie immer schon geglaubt hatten, dass sie das glücklich macht. Dann haben sie eine Uhr, doch es macht sie nur für ein paar Tage oder Wochen glücklich. Also brauchen sie etwas Größeres. Ein Auto. Nun sitzen sie in ihrem teuren Mercedes und erfreuen sich, dass sie von anderen Menschen bewundert werden. Sie fühlen sich toll, wenn sie mit dem Ellbogen aus dem Fenster heraushängend im Auto sitzend an der Ampel stehen – die neidischen Blicke der anderen Autofahrer im Nacken. Doch auch dieses Gefühl vergeht. Wenn sie nicht in den Bankrott gehen, was jedoch bei vielen Lottogewinnern passiert, sondern aufgrund ihres scheinbaren Erfolgs als Sportler, Musiker oder Unternehmer immer mehr Geld bekommen, verzweifeln sie irgendwann. Sie verstehen nicht, warum sie nicht glücklich und zufrieden sind. Einige enden in einer Depression, manche leider sogar im Suizid…"

„Das weiß ich doch alles! Das hast du mich schon hunderte Male gelehrt!", unterbrach ich ihn.

„Ja, doch trotzdem weißt du nicht, was Menschen wirklich glücklich macht!", schoss er zurück.

„Ja, woher denn auch? Auf der Uni gab es das Fach ‚Glücklich sein' nicht!"

„Gut, fairer Punkt", stimmte er zu. „Dann lass es mich dir sagen. Studien belegen, dass vor allem **drei Dinge Menschen glücklich** machen:

1. **Persönliches Wachstum** wie Lernen usw.,

2. anderen **Menschen zu helfen**, ohne dabei etwas zu erwarten, und …

3. … du wirst es dir bereits denken können:

unvergessliche **tolle Erlebnisse.**

Lass uns auf die ersten beiden Punkte später eingehen und zuerst über die Erlebnisse sprechen."

Doch bevor er fortfahren konnte, hatte ich schon eine Zwischenfrage: „Okay, nach all dem, was ich selbst in der Medizin gelernt und in den letzten Monaten zum Thema Zeitmanagement recherchiert habe, machen die ersten beiden Punkte vollkommen Sinn. Die Evolution will dies von uns, denn so überlebt die Spezies Mensch. Wenn wir als Individuen besser werden und uns gegenseitig selbstlos helfen, kommen wir ganz klar eher voran. Doch warum machen uns Erlebnisse glücklich? Das macht doch evolutionstechnisch null Sinn?"

„Du musst mich auch immer unterbrechen! Genau darüber will ich doch mit dir sprechen."

„Na, dann sprich schneller – in meinem Gehirn spukt es sonst nur so voller Fragen!" forderte ich ihn heraus.

„Du darfst nicht das Erlebnis als solches betrachten und dich fragen, warum uns Erlebnisse glücklich machen, sondern stell dir lieber die Frage:

Was macht ein Erlebnis toll?

So verstehst du dann auch sofort, warum es mit der Evolution im Einklang ist und dich glücklich macht."

Sofort schaltete mein Gehirn auf Denkmodus: Wodurch… wurde… ein… Erlebnis… toll? Hmm. Ich dachte an tolle Erlebnisse in meinem Leben:

Aufregende Kitesurfreisen an die entferntesten Orte der Welt.

Also rief ich: „Reisen macht ein Erlebnis toll!"

„Da hast du teilweise Recht. Doch denk einmal nach, du hast sicher noch viele andere unvergessliche Erlebnisse, wo du nicht gereist bist und die genau so toll sind. An welche Geburtstage kannst du dich denn noch erinnern?", forderte er mich heraus.

„An den letzten kann ich mich erinnern. Da bin ich gerade 28 geworden. Doch als ich 27 wurde? Oder 26? Keine Ahnung. An meinen sechzehnten Geburtstag kann ich mich noch erinnern. Damals durfte ich in Amerika zum allerersten Mal mit meinem Gastbruder selbst Autofahren. Ich werde nie wieder vergessen, wie ich mitten auf der Landstraße gefahren bin. Also kann ich mich eigentlich gar nicht an den Geburtstag selbst erinnern, sondern an das erste Mal Autofahren. Auch wenn ich damals in Amerika war, so hat dies nichts mit Reisen zu tun. Häh?" Die Stille verriet, dass ich verwirrt war. Ich kam beim besten Willen nicht darauf, was ein Erlebnis besonders machte.

Also löste mein Mentor das Rätsel auf: „Ein tolles Erlebnis braucht zwei Dinge:

1. **Ein neuer Umstand wie zum Beispiel eine neue Umgebung** oder, dass man aus der **Komfortzone** geschoben wird, und

2. **Mitmenschen**, welche wir gernhaben und mit denen wir das Erlebnis teilen können."

Er ließ mir kurz Zeit zum Nachdenken, dann fuhr er fort: „Deine Kitesurfreisen?"

„Neue Umgebung und tolle Mitmenschen!" antwortete ich.

„Erstes Mal Autofahren?"

„Neuer Umstand, außerhalb der Komfortzone und mein Gastbruder."

„Genau", antwortete er erfreut.

„Wie passt das jedoch mit Timehorizon und Evolution zusammen?", wollte ich nun wissen.

„Naja, denk mal nach: die Evolution will, dass du neugierig bleibst und Neues ausprobierst. Sonst entwickelt sich ja niemand fort. Außerdem will sie abermals Menschen zusammenbringen! Überleg mal, Social Media?"

„Fuck, natürlich! Wir wollen alle unsere Erlebnisse darauf teilen. Je krasser die Story, desto besser…"

„…doch…" fiel er mir diesmal ins Wort und ließ mich dann erst weiter reden.

„… werden wir dabei nicht glücklich, sondern legen uns nur selbst hinein!", vervollständigte ich den Satz.

Mein Mentor war nur still. Er genoss es, wenn er diese Erkenntnisse in mir auslösen konnte, ohne mir, von oben herab, etwas erklären zu müssen.

Nun dachte ich jedoch, dass ich einen Fehler in seiner Theorie gefunden hatte: „Okay, aber wie passt dies zusammen, wenn meine Mutter zum Beispiel für ihr Leben gerne alleine auf den Berg hinaufgeht. Dies ist keine neue Umgebung, sie befindet sich nicht außerhalb der Komfortzone und macht dies auch noch alleine. Trotzdem macht sie es gerne! Wie ergibt das Sinn?", wollte ich wissen.

„Ich kenne deine Mutter nicht, doch ich bin mir sicher, dass sie sich dabei immer wieder an ein Gefühl erinnert, wo sie in einer neuen Umgebung außerhalb ihrer Komfortzone war!"

„Hmm, ja, das könnte sein", bemerkte ich.

„Gut, dass du mir diese Frage gestellt hast, denn sie leitet perfekt in etwas über, was mein nächster Punkt ist:

Für uns Menschen entstehen mit einem Ereignis positive oder negative Assoziationen und diese…"

„…entscheiden massiv darüber, wie wir uns aufgrund des Ereignisses verhalten", fuhr ich seinen Satz fort. „Genau deshalb hast du auch zu mir gesagt, dass Erlebnisse alle anderen Punkte beeinflussen!"

„Korrekt!", erwiderte er erfreut, „dies führt zu zwei wichtigen Punkten:

- Erlebnisse mit **negativen Assoziationen** passieren von alleine und haben drastische destruktive Auswirkungen auf einen Menschen.

- Erlebnisse mit **positiven Assoziationen** müssen proaktiv kreiert werden, da sie nicht von alleine passieren."

Klar, das verstand ich total. Ein Erlebnis mit einer negativen Assoziation, zum Beispiel eine Vergewaltigung in der Kindheit, hinterließ oft bleibende psychische Schäden. Das Erlebnis war brutal. Doch das Kind konnte nicht einmal etwas dafür, dass es passiert war. Etwas Ähnliches trifft auf uns Menschen zu, wenn wir gekündigt werden, uns ein Partner betrügt, wir hintergangen werden, usw. Erlebnisse mit positiven Assoziationen hingegen müssten wir proaktiv kreieren. Da ergab sich sofort meine Folgefrage:

„Okay, aber wie kreiere ich nun diese positiven Erlebnisse?"

„Dafür hast du zwei Möglichkeiten:

Erstens, du gibst Erlebnissen mit anfänglich negativen Assoziationen eine positive Bedeutung. Dies ist etwas, das wir nicht heute am Telefon besprechen – dafür brauchen wir länger. (Anmerkung des Autors: Dieser Punkt hat mich später so gefesselt, dass ich anschließend das gesamte **Grenzenlos-Erfolgreich-Programm rund um die EVT (Emotionsveränderungstechnik)** kreierte. Im allerletzten Kapitel rund um Vertiefungen und weitere Tricks findest du hierzu noch mehr.)

Zweitens, du hast die beiden Punkte ja bereits für tolle positive Erlebnisse:

Neue Umstände und Mitmenschen!"

„Nein, man braucht auch Geld für tolle Erlebnisse!", warf ich ein.

Doch er entgegnete:

„Geld hilft, tolle Erlebnisse zu kreieren,

was du jedoch wirklich brauchst,

sind Kreativität und Intensität!"

„Okay, Kreativität leuchtet mir ja ein, aber Intensität verstehe ich nicht!"

Also erklärte er mir:

„Studien belegen, dass die

Intensität eines Moments,

egal ob mit positiver oder negativer Assoziation,

deutlich wichtiger für uns ist als dessen Dauer!"

„Ah, ich verstehe, deshalb kann ein ganzer Urlaub schlecht verlaufen, nur weil das Wasser in der Dusche kalt war, obwohl sonst alles super war. Oder wir sind auf die Airline sauer, weil unser Gepäck weg ist, obwohl sonst alles gepasst hat!", fügte ich hinzu.

„Ganz genau!", bestätigte er meine Annahme.

„Alles klar, aber was hat all dies nun damit zu tun, dass ich hierbei besser langfristig denken kann und nicht abgelenkt werde? Wie kann ich dieses Wissen für mich selbst nutzen bzw. für meine Firma oder meine Beziehung mit Bettina?"

„Ach komm, das muss dir wohl jetzt klar werden!",

forderte er mich heraus.

Ich dachte angestrengt nach und dann glaubte ich, die Lösung verstanden zu haben:

„Erlebnisse beeinflussen maßgeblich

unsere Fähigkeit, Timehorizon zu besitzen!"

„Korrekt", antwortete er ruhig wie ein Meister, der nun wusste, dass sein Schüler die wichtigste Lektion verstanden hatte. „Verstehst du nun, warum ...

... manche Menschen nie langfristige Businesses aufbauen, sondern nur kurzfristig denken? Weil gewisse Erlebnisse in ihrem Leben sie dies machen lassen.

Warum ein Partner in einer Beziehung bleibt, obwohl sich der andere Partner wie das letzte Arschloch verhält? Weil der eine Partner sich an ein paar tolle Erinnerungen klammert.

Warum manche Menschen nicht auf ihre Gesundheit achten? Weil sie denken, dass es nichts bringt, auch wenn sie sich was anderes einreden."

Ja, ich verstand es. Ich verstand die Wichtigkeit von Erlebnissen. Ich verstand, wie man sie kreierte und warum sie an erster Stelle standen. Mein Mentor forderte mich am Ende des Telefonats auf, mir genau zu überlegen, **welche Erlebnisse ich kreieren wollte und vor allem warum.** Mit dieser Liste möchte ich dieses Special beenden und dich dazu inspirieren, dir genau dieselben Gedanken zu stellen.

<u>Selbst:</u>

Geld nicht für Materielles, sondern für unvergessliche Reisen ausgeben -> Siehe Bucketlist – Erinnerungen an diese Reisen bleiben, Materielles ist viel zu vergänglich.

Bei Erlebnissen eher auf die Intensität als auf die Dauer achten. Deshalb gebe ich manchmal lieber 1.000 Euro mehr für einen Business Class Flug aus, als eine Woche lang eine Zimmerkategorie besser zu schlafen. Die 2 Quadratmeter Platz in 10.000 Meter Höhe hinterlassen eine ganz andere Erinnerung als die einer besseren Zimmerkategorie.

Geld für die eigene Gesundheit ausgeben, um länger tolle Erlebnisse zu erleben.

Ich musste lernen, Erlebnisse mit negativen Assoziationen zu positiven zu verändern. Dies wurde damals zu meiner persönlichen Mission und führte zu „Grenzenlos Erfolgreich".

Achte bei Erlebnissen darauf, dass du aus deiner Komfortzone kommst – nicht zu weit, jedoch zumindest ein bisschen.

Ich versuche so oft ich kann, etwas Neues in meinen Alltag zu integrieren. Wann immer sich die Möglichkeit bietet, probiere ich etwas Neues aus. Einfach nur, um den Alltag nie einkehren zu lassen.

Ich erinnere mich so oft ich nur kann, dass Geld nicht die limitierende Ressource für Erlebnisse ist. Kreativität ist es. Ich reflektiere wirklich jeden Tag (na gut, fast jeden Tag... na gut, zumindest öfter als überhaupt nicht ;), welches unvergessliche Erlebnis des Tages ich mitnehme. Manchmal ist es etwas, das ich gelernt habe, manchmal etwas, das ich ausprobiert habe, manchmal ein Mensch, den ich getroffen habe.

<u>Beziehungen:</u>

Ich weiß nun, dass ein Grund, warum wir nach der Uni-Zeit fast keine neuen Freunde fürs Leben mehr gewinnen, der ist, dass wir keine tollen Erlebnisse mit ihnen aufbauen. Deshalb versuche ich mit meinen besten Freunden lieber Qualitätszeit, als rein „mehr" Zeit zu verbringen. Dies heißt, ein langer Spaziergang oder eine Bergtour mit intensiven Gesprächen oder gemeinsamem Sport – und eben nicht einfach nur einmal pro Woche ein kurzes Catchup am Telefon. Qualität statt Quantität.

Außerdem versuche ich, ein- bis zweimal pro Jahr auf einen „Jungstrip" zu fahren. Hier machen wir die unterschiedlichsten Dinge – achten jedoch immer darauf, dass wir eine „coole" Truppe sind und immer ein wenig aus der Komfortzone kommen. Manche der Trips kosten praktisch nichts, weil wir campen gehen, andere hingegen kosten 5.000 Euro am Tag (ja, schockierend, ich weiß!), weil wir uns einen Privatjet mieten. Spannenderweise sind die teuren Trips oft nicht einprägsamer als die günstigeren. Kreativität zählt.

Gute Freundschaften bauen ähnlich wie Liebesbeziehungen auf diese tollen Erinnerungen und Momente auf. Diese können wie ein Fels in der Brandung sein, wenn es einmal nicht so gut läuft. Dennis, einer meiner besten Freunde und zugleich Trauzeuge bei meiner Hochzeit, habe ich kennengelernt, kurz nachdem ich Timehorizon verstanden hatte. Wir merkten zwar, dass uns irgendetwas verband, doch eine richtige Freundschaft entwickelte sich erst, als wir gemeinsam ein paar coole Erlebnisse kreiert hatten.

Bei meinen Mentoren ist dies ähnlich – hier begebe ich mich meist zu ihnen, und wir machen etwas Spezielles. Dies ist bei einer Mentor-Mentee-Beziehung eben so. Ich darf lernen, dafür brauchen sie nirgend wo hinkommen. Ich investiere Zeit und Geld, um zu ihnen zu gelangen – Mehr als fair.

Mit Bettina versuche ich, diese Erlebnisse so oft wie möglich aufzubauen. Ebenfalls immer ein wenig außerhalb der Komfortzone. Einmal waren wir in einem Kletterpark und mussten gemeinsam durch die Höllen der Höhenangst. Dies hat uns sehr zusammengeschweißt.

Auch Anfang 2019, als Bettina und ich keine andere Wahl hatten, als unsere Firma zu verlassen und etwas Neues aufzubauen, war dies ein Erlebnis, welches uns für immer enger zusammengebracht hat.

Einer der eindrucksvollsten Momente für Bettina und mich entstand jedoch genau, nachdem ich das letzte Gespräch mit meinem Mentor über Timehorizon geführt hatte. Wir machten eine Low-Budget-Backpacker-Reise nach Island. Die Momente mit den Nordlichtern, Schneestürmen und in der Wildnis verbinden uns auf besondere Art und Weise.

Ich achte darauf, dass ich mit meiner Familie besondere Erlebnisse kreiere – so viele wie nötig, denn oft ist Familie ein schwieriges Thema, wie du noch hören wirst.

Business:

Im Business kreiert man Erlebnisse für Kunden, Mitarbeiter und Geschäftspartner.

Mit Geschäftspartnern spiele ich gerne Golf. Hier lernt man sehr schnell das tiefe Innere des anderen kennen. Außerdem kann man auch, wie es in Asien oft üblich ist, etwas trinken gehen und so etwas Tieferes aufbauen.

Bei Mitarbeitern ist gerade der erste Arbeitstag enorm wichtig. An diesen erinnern sie sich ganz besonders. Hierfür tausche ich sehr gerne meine Zeit, auch wenn andere Dinge oft dringender erscheinen. So verzeihen mir meine Teammitglieder auch später einmal etwas, wenn etwas schiefläuft.

Kunden haben eine besondere Erlebnisbeziehung zu einem Business. Vor allem, wenn einmal etwas schlecht läuft, kann dies Jahre des guten Services zerstören. Deshalb: zuerst die negativen Erlebnisse so gut es geht entfernen und danach versuchen, besondere, unvergessliche Momente für sie zu kreieren und nicht zu versuchen, den Durchschnittspegel zu erhöhen. Intensität ist, was zählt.

Mit meiner guten Freundin und Geschäftspartnerin Patricia habe ich auch schon etliche Erlebnisse durchgemacht – dies verbindet und hilft, die Höhen und Tiefen des Geschäftslebens zu überstehen.

Kimbal Musk (der Bruder von Elon Musk) hat einmal erzählt, dass seine dutzende Millionen Dollar Investment in Space-X auch nicht verloren gewesen wären, wenn es die Firma nicht geschafft hätte. Er beschrieb das Erlebnis mit all den Raketen als wertvoll genug. Ich finde es immer wieder interessant, sich daran zu erinnern.

Auch wenn bei diesen Dingen andere scheinbar wichtigere Sachen oft dazwischenfunken möchten, weiß ich, wie wichtig es ist, hier nicht den Schlendrian zu Wort kommen zu lassen, sondern mich auf den langen Timehorizon zu fokussieren. Es zahlt sich immer aus. Manchmal nicht sofort, doch genau das ist es ja, was Timehorizon ausmacht: Jene Dinge zu tun, die wirklich wichtig sind. Entscheidend ist, dass man dies gerade bei Erlebnissen nicht zu lange hinausschiebt, denn tolle Erinnerungen aufzubauen, ist eines der wichtigsten Dinge überhaupt, um viel Spaß zu haben und gleichzeitig einen besseren Timehorizon zu finden. Bevor du zum nächsten Special übergehst, gehe noch die Fragen und Anweisungen im Arbeitsbuch durch.

12.
LEGACY SPECIAL

Dieses Special liegt mir ganz besonders am Herzen. Ich für meinen Teil denke nämlich, dass viele „erfolgreiche" Menschen nicht durch Geld motiviert werden, sondern vielmehr durch ihre Legacy.

> *Legacy bedeutet, wenn man*
>
> *das Zeitliche segnet,*
>
> *etwas in dieser Welt hinterlassen zu haben.*

Dies kann ein Business sein, ein bestimmter Ruf, Kinder, usw. Menschen wollen einen positiven Einfluss auf andere hinterlassen und sich wertvoll und geschätzt fühlen. Genau das ist Legacy. Umso wichtiger ist es also, dass du in diesem Special ganz besonders verstehst, wie Timehorizon hier wirkt. Bevor ich das Prinzip verstanden habe, war ich an dieser Stelle besonders frustriert: Ich verstand zum Beispiel nicht, wie ich ein Business langfristig aufbauen konnte, obwohl ich noch nicht viel Erfahrung hatte, mehr Geld gebraucht hätte und ständig von kurzfristigen Dingen abgelenkt wurde.

Die letzten Jahre habe ich im Legacy-Bereich auf Timehorizon geachtet. Seitdem ist dieser Bereich wahrlich explodiert – und hat sich zum Positiven gewandelt. Ich habe seither jedes Jahr ein neues Buch herausgegeben, welche sich bis heute offline und online hunderttausende Male verkauft haben. Ich konnte mir über die Jahre einen Ruf als Blockchain-Experte und Keynote-Speaker aufbauen und bin daher so gut vernetzt wie noch nie zuvor. Ohne Timehorizon hätte ich nie eine Firma in Singapur aufbauen können und wäre heute nicht Advisor bzw. Board-Member bei so vielen Unternehmen. Im Legacy-Bereich ist Timehorizon ist deshalb so wichtig, weil eben jeden Tag „kleine schreiende Dinge" hereinkommen, welche fordern, dass du dich nicht den richtigen Big-Impact Projekten widmest, sondern den scheinbar dringenden, wichtigen und kleinen.

Doch wieder einmal gilt: alles der Reihe nach. Auch ich hatte damals noch überhaupt keine Ahnung, wie ich Timehorizon im Rahmen meiner Legacy anwenden sollte. Es war wieder eines der folgenden Telefonate mit meinem Mentor, in welchem ich Frage für Frage begann, die notwendigen Schritte zu verstehen. „Begann", weil ich glaube, dass dieses Thema niemand vollständig versteht und korrekt umsetzt. Mein Mentor kannte sich hier ganz besonders gut aus, und so war ich schon ganz gespannt, welche Tipps er mir geben würde.

„Ich brauche hier wirklich deine Hilfe!", flehte ich per E-Mail meinen Mentor an.

„Julian, kein Mensch will einfach nur seine Zeit für dich vergeuden, auch ich nicht. Ich beantworte dir gerne ein paar konkrete weitere Fragen zu Timehorizon, aber ich erkläre dir sicher nicht stundenlang, wie die Welt funktioniert", schrieb er nur forsch.

Ich wusste, dass er es hasste, wenn ich nicht mit genauen Fragen zu ihm kam. Noch mehr hasste er es, wenn ich nicht im Vorhinein bereits Recherchen getätigt hatte, sondern ihn mit „google-baren Fragen" löcherte. „Gut, fair enough", dachte ich. Ich wusste, dass ich einen Zeitpunkt erhalten würde, an dem ich ihn anrufen konnte, sofern meine Fragen gut waren. Genau zu diesem Zeitpunkt, keine Minute früher oder später. Sonst war er nicht zu erreichen. Wenn meine Fragen jedoch schlecht oder „google-bar" waren, kam nur ein „Next" zurück, was so viel bedeutete wie, versuch's noch mal. Dieses Spiel konnte auch einmal über Tage gehen – hierbei war er gnadenlos. So begann ich, meine Fragen als E-Mail zu verfassen:

Was sind die besten Möglichkeiten, um Legacy zu hinterlassen?

Auf welche Fähigkeiten sollte ich mich als Startup-Gründer fokussieren, wenn ich ein solides und langfristiges Business aufbauen möchte.

Wenn ich am Anfang nur wenig Geld besitze, jedoch ein Business starten möchte und auch hier noch nichts verdiene, auf welche Dinge muss ich achten, um dies trotzdem umsetzen und ein nachhaltiges Business aufbauen zu können?

Sollte ich meine Geschäftsidee sofort monetarisieren oder das „Long Game" spielen?

Woher weiß ich in meinem Business, worin ich meine Zeit eintauschen muss? Es gibt so viele Möglichkeiten.

Sollte ich eher ein Manager oder ein Leader sein, wenn ich Timehorizon besitzen will?

Worauf muss ich achten, um meinen Timehorizon im Business zu verlängern?

Was ist der größte Zeitdieb in einem Business?

Ich wusste, dass ich keine „Wie" Fragen stellen durfte – dies waren seiner Aussage nach immer schlechte Fragen. „Was", „Warum" oder „Worauf achten" nannte er immer gute Fragen. Ich verstand auch warum, denn so verfiel ich nie in die Geißel des „Wies". Außerdem hasste er es, wenn er mehr als zehn Fragen auf einmal bekam. Ich hatte keine Ahnung, warum das so war. Doch so lernte ich, ihm meist sieben bis acht Fragen zu schicken. Warum? Naja, neun war zu knapp an den zehn dran und mit acht Fragen war genug Spielraum nach oben. Ich schickte die E-Mail ab und binnen weniger Minuten kam die Antwort:

„6:00 a.m. PST."

Mist, das war zwar 6:00 Uhr morgens an der Westküste der USA, doch bei meinem Zeitunterschied Punkt Mitternacht. „Warum will er denn immer zu solch unmenschlichen Zeiten telefonieren?", dachte ich mir nur. Ich selbst hasste es, spätnachts zu telefonieren, da ich hierbei meist schon zu müde war. Doch ich wusste, dass dieses Telefonat für mich wichtiger war als der Schlaf und daher priorisiert werden musste. Ich hielt mich so gut es ging wach und um Punkt Mitternacht, skypte ich ihn an.

Er meldete sich mit: „Gute Fragen, das muss ich dir lassen!"

„Ich bin lernfähig", stachelte ich zurück.

„Gut, dann lass uns hierzu ein paar Dinge besprechen. Beginnen wir wie immer mit den Basics: Warum denkst du, Julian, dass Menschen überhaupt Legacy hinterlassen wollen?"

Gute Frage, darüber hatte ich mir noch gar keine Gedanken gemacht. Doch die Logik musste immer eine ähnliche sein. Ich begann, diese Gedanken ganz einfach laut auszusprechen: „Die Evolution will, dass der oder die Anpassungsfähigere überlebt. Ursprünglich wurde dies biologisch vor allem durch Nachfahren und Fortpflanzung erreicht, doch ich könnte mir vorstellen, dass wir Menschen mittlerweile mehr unter „Hinterlassenschaft" verstehen. Ich glaube also, dass wir mit Legacy unbewusst der Evolution nachgeben, weil wir so unsere Stärke zeigen."

„Dein Medizinstudium hat sich also doch bezahlt gemacht!", witzelte er. „Ganz genau, dies wäre eine passende Erklärung."

Ich lachte nur, denn ich wusste, dass er mein Studium auch wirklich guthieß, obwohl ich es gar nicht nutzte. Er meinte immer wieder, dass ich hier oft mehr langfristiges Denken besessen hatte, als mir damals bewusst gewesen war.

Meine Frage in der E-Mail war jedoch eine andere gewesen: „Okay, aber welche Möglichkeiten haben wir nun, um Legacy zu kreieren?"

Ich hatte erwartet, er würde mir eine Liste von zehn unterschiedlichen Dingen aufzählen, doch stattdessen erwiderte er: „Es gibt nur zwei Möglichkeiten:

Konstruktive Legacy

Destruktive Legacy."

„Was soll denn destruktive Legacy sein?", wollte ich nun wissen.

„Hast du dir schon mal überlegt, warum jemand ein Gebäude in die Luft sprengt, oder einen Präsidenten umbringt oder sonst irgendwelche Gräueltaten verübt?"

„Weil diese Menschen geisteskrank sind?", antworte ich ratlos.

„Manchmal schon, doch vielmehr, weil sich diese Menschen erhoffen, durch ihre Taten eine Legacy zu hinterlassen – dies natürlich auf destruktive Art und Weise", klärte er mich auf.

„Krass, darüber habe ich noch nie nachgedacht. Ist dies auch der Grund, warum Zeitungen oder Fernsehen die Namen der Täter nicht veröffentlichen, um auf diese Weise Nachahmer zu reduzieren und diese Art der Legacy-Bildung zu unterbinden?", hakte ich nach.

„Ganz genau! Ich hoffe natürlich, du interessiert dich nicht für diese destruktiven Legacymöglichkeiten, sondern…"

„Natürlich nicht!", fiel ich ihm wieder mal ins Wort.

Weil er dies von mir bereits gewohnt war, fuhr er unbeirrt fort: „...für die konstruktiven. Hierfür brauchst du dir eigentlich nur die simple Frage stellen, für welche Errungenschaften du einmal bei Menschen in Erinnerung bleiben möchtest. Der Sportler für den Olympiagewinn, der Autor für den Bestseller, der Musiker für den Hit, der Regisseur für den Oscar, der Unternehmer für das Business, usw. All dies ist Legacy!"

„Okay, aber welche Form daraus ist nun die beste? Welche sollte ich verfolgen, um Legacy zu hinterlassen?"

„Das ist doch komplett individuell!", belehrte er mich, „es gibt genauso viele Möglichkeiten, wie es unterschiedliche Interessen auf der Welt gibt! Das, was für den einen das optimale Vehikel ist, ist absolut kontraproduktiv für jemand anderes."

„Was soll ich nun machen? Etwas, das mir Spaß macht?"

„Jein, Spaß ist so eine Sache. Hattest du Spaß, als du als Profikitesurfer jeden Tag denselben Trick üben musstest oder für ein Photoshooting bei schlechten Bedingungen etwas machen solltest?"

Wir hatten darüber schon mal in der Vergangenheit gesprochen, weswegen er meine Antwort kannte: „Nein!"

„Warum hast du es dann trotzdem gemacht?", inspirierte er mich, weiterzudenken.

„Weil mir der Sport als Ganzes Spaß gemacht hat!"

„Ja, aber warum?". Er ließ nicht locker.

„Weil ich eines ganz besonders verstanden habe: Wenn ich nicht aufgebe, sondern immer weitermachte, werde ich immer besser werden, mehr gewinnen und so mehr Spaß haben." Ich war mir bei der Antwort zwar nicht zu 100 Prozent sicher, doch sie schien Sinn zu ergeben.

„Dies ist nur teilweise richtig, denn du hast mir bereits früher einmal erzählt, dass du am Ende keinen Spaß mehr am Kitesurfen gehabt hast. Nein, der Grund ist, dass es etwas in dir gibt, das dich in dem Glauben lässt, du bist „erfolgreich", wenn du gut in dem Sport wirst. Du erhoffst dir einen besseren Status in der Gesellschafft, mehr Freiheiten, usw. Eben alles Dinge, welche wir Menschen unweigerlich verfolgen."

„Okay, aber woher kommt dieser Wunsch in mir?"

„Dies solltest du dir als Arzt und Extremsportler noch besser erklären können als ich – Stichwort: eigene Werte und Leitbild. Denk einfach später mal darüber nach – heute geht es eher darum, dir die Frage zu beantworten, was Legacy für dich bedeutet!", gab er die Richtung vor. (Anmerkung des Autors: mehr zu Leitbild und Werte findest du im Kapitel Vertiefungen und weitere Tipps)

Er fuhr fort: „Du hast im Prinzip unzählige Möglichkeiten – frag dich also einfach, wer sind die Menschen, zu denen du hochschaust. Was haben diese

Menschen erreicht, dass du zu ihnen hochschaust?"

Ich dachte kurz nach und wusste dann sofort die Antwort: „Bei mir sind das Unternehmer und Autoren. Ich glaube das liegt daran, dass ich Bücher selbst so wertvoll finde und gerne Produkte und Services guter Businesses nutze und eben anderen Menschen auch gerne einen solchen Mehrwert bieten möchte!"

„Das ergibt auf jeden Fall Sinn. Kannst du dir jedoch auch vorstellen, dass Menschen hier lieber tolle Bilder malen, Musik machen, Filme produzieren, Schauspielen, e-Sports am Computer spielen, usw.?"

Ja, das konnte ich, trotzdem wollte ich wissen: „Warum tun sich dann so viele Menschen schwer, Legacy zu hinterlassen?"

„Ganz einfach, weil sie das Timehorizon Prinzip nicht anwenden. Sie laufen ständig den unterschiedlichsten Dingen hinterher, ohne sich auf die wenigen zu konzentrieren, welche sie wirklich interessieren. Sie hören nur vom berühmten „Erfolg über Nacht", erkennen dabei aber nicht, was oftmals für eine harte Arbeit dahinter steckt. Jeder Mensch weiß das instinktiv, doch zu viele haben Angst, ihre Interessen voll auszuleben und dabei andere Dinge dafür zu opfern. Dann stressen sie sich, weil sie glauben, alles muss innerhalb eines Tages passieren, nur um dabei zu vergessen, dass die meisten großen Legacys über Jahrzehnte aufgebaut wurden. Genau deshalb ist Timehorizon bei Legacy so essenziell und deshalb schaffen es nur die wenigsten. Wer hier die meiste Disziplin an den Tag legt, wird am

Ende gewinnen. Denk daran, es braucht immer Mut für Disziplin. Doch so wirst du ultimativ frei!"

Dies machte wirklich Sinn und erklärte einiges: Warum ich in den letzten Jahren nicht weitergekommen war, während einige andere Menschen scheinbar weiterkamen: Ablenkungen, falsche Prioritäten und fehlender Mut. In diesem Moment versprach ich mir selbst, mich von nun an auf meine beiden Legacy-Ziele, Businesses und Bücher, zu fokussieren, auch wenn ich schon vor dem Telefonat insgeheim geahnt hatte, dass sie mich am meisten interessieren würden. Daher hatte ich auch weiteren Fragen darauf ausgerichtet. Nun versprach ich mir selbst, hundertprozentigen Fokus und vollen Timehorizon darauf anzuwenden.

„Wenn ich nun ein Business starten möchte, welche Fähigkeiten muss ich lernen? Ich habe in den letzten Jahren so ziemlich alles probiert und irgendwie hat nichts funktioniert."

„Man kann dies nicht über einen Kamm scheren. Als Unternehmer brauchst du Voraussicht und Strategie, darfst jedoch das Hier und Jetzt unter keinen Umständen vergessen. Persönlich denke ich, dass man als „Leiter" einer Firma folgende drei Fähigkeiten verinnerlichen muss, um Timehorizon zu haben:

1. **Strategisches, kreatives und vorausschauendes Denken**, um Probleme zu lösen,

2. Andere Menschen für **eigene Ideen begeistern**,

3. Stetige persönliche **Weiterbildung**.

Sieht man sich einen der besten in diesem Bereich an, also Elon Musk, erkennt man diese drei Dinge bei ihm ganz einfach: Erstens nimmt er sich jede Woche ein paar Stunden ungestört Zeit, wo er vorausschauend und kreativ daran denkt, was kommen könnte und wie er sich daran am besten anpasst. Zweitens musste er lernen, andere Menschen für seine Ideen zu begeistern. Dies bedeutet natürlich, Angestellte zu finden, Investoren zu inspirieren und Kunden zu überzeugen. Ich denke, es gibt fast niemanden, der darin so gut ist wie er. Der dritte wichtige Punkt ist, dass er sich stetig weiterbilden muss. Nur so kann sich Elon immer wieder an neue Herausforderungen heranwagen. Vorher hatte er zum Beispiel kein Wissen über Raketentechnologie. Das musste er sich alles beibringen. Insofern musst du dich stetig weiterbilden, sonst gehörst du rasch zum alten Eisen."

Dies zu lernen, würde zwar ein bisschen dauern, doch zumindest hatte ich drei Anhaltspunkte. „Erkläre mir doch bitte, was ich auf finanzieller Ebene am besten machen sollte? Soll ich ein Produkt oder einen Service von Anfang an monetarisieren? Sollte ich sofort all-in in mein Business gehen und sagen, ich habe vollen Timehorizon mit vollem Fokus? Hier bin ich besonders verwirrt!"

Mein Mentor klärte mich auf: „Im Prinzip fragst du nach einem **Werttausch**. Wann soll der stattfinden? Wenn du den Werttausch nach hinten verschieben kannst, bekommst du am Ende deutlich mehr. Als reiner Marketer willst du zum Beispiel einen Online-Kurs anbieten und sofort Geld dafür bekommen. Wenn du es jedoch schaffst, Wert zu liefern, ohne etwas im Gegenzug zu wollen, bauen Menschen unterbewusst „Schulden" dir gegenüber auf. Darauf entsteht ein Zinseszinseffekt, welchen man in der Soziologie als „Don-Corleone-Prinzip"[1] bezeichnet. Wenn du deinen Gegenwert erst ganz spät einlöst, bekommst du umso mehr. Viele der erfolgreichsten Startups funktionieren genauso. Wie kann es zum Beispiel sein, dass Whatsapp für 18 Milliarden USD verkauft wurde, obwohl es kostenlos ist. Genau durch diesen Effekt!

Gerade hier ist die Kunst, so langfristig wie möglich zu denken und diesen Timehorizon immer weiter zu verlängern. Am Anfang denkst du vielleicht drei Monate in die Zukunft, dann ein Jahr, dann drei Jahre und hoffentlich irgendwann ein Jahrzehnt. Das wird dauern und ist ganz normal, aber dann lohnt es sich umso mehr. Du musst hier proaktiv an dir arbeiten, damit du den Timehorizon immer weiter in die Zukunft verlängern kannst. Dies heißt auch, dass du deine Haupteinnahmequelle am Anfang deines Businesses nicht sofort aufgibst, sondern dein Business nebenbei aufbaust. Glaub mir, so war das bei mir am Anfang auch. Denke hier nicht zu kurzfristig, sondern fokussiere dich wirklich auf Nachhaltigkeit und falle nicht auf die Schnell-reich-werd-Tricks herein!"

„Das bin ich schon oft genug!", lachte ich ins Telefon.

„Genau deshalb sage ich dir das auch", erwiderte er.

„Wie geht's dann aber weiter? Wie optimiere ich jetzt meinen Timehorizon? Worauf muss ich mich fokussieren

---

1   Anm.: https://www.repetico.de/card-59653448

und wie manage ich die Prioritäten?", wollte ich wissen.

„Da könnte ich ein ganzes Buch darüber schreiben. Es gibt wiedermal kein klares Ja oder Nein. Jeder muss es individuell für sich entscheiden. Prinzipiell versuchst du als Gründer des Projekts, dich um den längsten Timehorizon zu kümmern. Outsourcen funktioniert dann am besten, wenn du etwas an Leute gibst, welche einen kleineren Timehorizon haben als du. Natürlich muss die Projektlänge auch dem Timehorizon der Person entsprechen, sonst über- bzw. unterforderst du die Person. Falls du Leute einstellst, denke daran, wie wichtig es ist, dass du Leute korrekt über- bzw. untereinander einordnest, indem du ihre Timehorizons vergleichst. Du merkst das relativ schnell, wenn du einfach nur beobachtest, wie weit die Leute strategisch in die Zukunft denken können.

Du hast das Thema Manager und Leader in deiner E-Mail angesprochen."

„Ja, hast du da ein paar Tipps für mich?"

„Klar. Selten bist du beides, und keiner der beiden Typen ist, entgegen der Meinung vieler Pseudoexperten, besser oder schlechter. Was sie unterscheidet, ist meist der Timehorizon. Als **Manager** managest du keine Leute, sondern Prozesse und Ziele. Du kümmerst dich um aktuellere Strukturen und achtest darauf, was in den Abläufen nicht gut funktioniert, und warum Ziele aus dem Timehorizon nicht erreicht werden. Als **Leader** geht es darum, Leute zu führen, indem du sie zu Höchstleistungen inspirierst. Meist brauchst du dafür einen längeren Timehorizon, denn dies begeistert andere. Beide Positionen haben Vor- und Nachteile. Der Trick ist, zu verstehen, wo du dich eher siehst. Nur weil der Manager einen scheinbar kürzeren Timehorizon hat als ein Leader, bedeutet das letztlich gar nichts. Denn dies ist relativ. Ich kenne viele Manager, die deutlich längere Timehorizons haben, als so manche Leader.

Bildhaft gesprochen, geht der Leader in einen dunklen Raum hinein, stellt die ersten Kerzen auf und inspiriert andere Leute, nachzugehen. Der Manager hilft den Leuten dann dezidiert bei den einzelnen Schritten, passt das Hereingehen der Leute an bzw. hilft, wenn zum Beispiel eine Kerze umgeschmissen wird. Meistens brauchst du am Anfang eher ein oder zwei Leader, damit etwas „begonnen wird", danach jedoch recht schnell Manager, um kein Chaos ausbrechen zu lassen. Elon Musk wird zum Beispiel oft dafür kritisiert, dass er selbst zwar ein guter Leader sei, bei Tesla jedoch keine so fähige Managerin gefunden habe, wie mit Gwynne Shotwell als Präsidentin bei SpaceX[2]."

„Wow, das hilft mir schon einmal immens weiter!", antwortete ich erfreut. „Hast du noch einen letzten Tipp für mich? Was hast du erst im Laufe deiner Karriere gelernt, das du gerne von Anfang an gewusst hättest?"

„Habe große Ziele, starte jedoch klein! Zu oft will man seinen Timehorizon maximieren und vergisst dabei, dass der erste Schritt genau vor einem liegt. Wenn du ein Buch schreiben willst, starte zum Beispiel mit einem kleinen Blog auf Medium[3]. Wenn du

---

2   Anm. des Autors: https://en.wikipedia.org/wiki/Gwynne_Shotwell
3   www.medium.com

ein Business starten willst, jedoch nicht weißt, wie du vorgehen sollst, arbeite zuerst kostenlos oder gegen ein kleines Gehalt bei einem anderen Business mit – und falls du denkst, dass du bei deinem eigenen Business am Anfang mehr verdienst als nichts oder wenig, irrst du dich. Mach einfach den ersten kleinen Schritt, er wird zwar einschüchternd sein, doch gerade deshalb ist er umso wichtiger. Genau das ist Timehorizon: Ein großes Ziel in kleine Schritte zu portionieren. Im Legacy-Bereich geht das am allerbesten. Bleib nicht an großen Ideen hängen, sondern beginne, diese umzusetzen. Du weißt, lass dich nie entmutigen, nicht ablenken, sondern bleib fokussiert. So schaffst du alles, was du dir in den Kopf setzt. So, jetzt muss ich aber los. Mach's gut, Julian, wir hören uns!"

Er legte auf, bevor ich mich verabschieden konnte, doch das Gespräch war fantastisch verlaufen. Es hatte in mir viele neue Ideen und Konzepte geweckt, welche mir in den Jahren danach nicht nur viele Millionen Euro, sondern dazu auch viel Spaß in meinen Alltag brachten.

Hier ein paar der Taktiken und Strategien, welche ich seitdem erfolgreich für mich anwende:

Für mich sind Business Aufbau und Bücher die Hauptvariante meiner Legacy. Dieses Buch ist nun mein fünftes Buch, und alle Bücher zusammen haben sich hunderttausende Male verkauft. Ebenfalls hätte ich im Businessbereich kein Startup gegründet oder wäre als Advisor oder Board-Member bei anderen Firmen vertreten. Ohne Fokus wäre dies nie passiert. Frage dich, was deine Legacy einmal sein soll!

Ich frage mich bei einer Geschäftsmöglichkeit immer, ob dies dem entspricht, was ich wirklich gerne machen möchte. Nein zu sagen, ist viel Wert.

Ich stelle am liebsten Menschen ein, welche meine eigenen Schwächen kompensieren. Ich brauche mich selbst nicht noch einmal. Zum Beispiel brauche ich immer einen guten Chief Operating Officer (COO), der bei mir die Ausarbeitung einiger Schritte übernimmt. Oft denke ich viel zu groß und vergesse dann die Details.

Bei allem, was ich im Business mache, frage ich mich, ob das wirklich mein bester Zeittausch ist. Kann das nicht vielleicht jemand genauso gut oder sogar besser als ich? Hier versuche ich, nicht in Perfektionismus zu verfallen und zu glauben, dass nur ich etwas kann oder ich es am besten kann. Das blockiert und verhindert, dass sich Leute trauen, Dinge outzusourcen und Verantwortung zu übertragen.

Ich fokussiere mich auf strategisches, langfristiges Denken, Delegieren ins Team und eigene Weiterbildung. Das allein kann wirklich nur ich selbst im Business machen.

Meetings nur dann, wenn sie wirklich notwendig sind → Sie sind riesige Zeitdiebe.

Wenn eine Geschäftsmöglichkeit zu gut um wahr zu sein klingt oder zu kurzfristig erscheint, lehne ich sie aus Prinzip ab. Gerade Onlinescams oder MLMs (Multilevel Marketing Systeme) fallen hier oft darunter.

Die richtigen Geschäftspartner sind essenziell. Leider habe ich mich auch hierbei immer wieder getäuscht. Die Quintessenz: Man lernt nie aus.

Ich reflektiere regelmäßig, wie weit mein Timehorizon gerade reicht und versuche, ihn stetig zu erweitern. Am einfachsten geht dies, indem man ein Thema immer mal wieder proaktiv über ein paar Wochen oder Monate hinaus plant, und zwar weitblickender als bei der letzten Planung.

Jeden Tag (na gut, öfter als überhaupt nicht) halte ich nach Problemen Ausschau, welche es wert sind, gelöst zu werden. Wer rastet, der rostet – deshalb gilt: nie damit aufhören.

Mir ist bewusst, dass ich in Zukunft möglicherweise einmal an anderen Legacy-Bereichen arbeite. Eventuell werde ich ja noch Sänger oder Schauspieler – man weiß nie ;-)

Legacy ist wirklich wichtig, auch wenn du dir bisher vielleicht keine großen Gedanken darüber gemacht hast. Falls dich große Ziele überfordern, dann starte doch einfach im Kleinen, wie ich damals auch. Gehe zum Schluss die Aufgaben im Arbeitsbuch durch.

13.
FINANZ SPECIAL

Geld ist immer ein sehr spezielles Thema. Manche Menschen haben eine enorm schlechte Assoziation damit, weil sie es mit etwas Bösem oder Schlechtem assoziieren, andere wiederum sehen darin den Schlüssel, der alle Türen öffnet. Geld alleine bringt jedoch recht wenig, schließlich kann man es nicht essen oder trinken. Geld stellt lediglich eine Form des Speichers da, in die man Zeit tauschen kann. Der Rücktausch ist jedoch nicht möglich, Geld kann man nur in andere Dinge weitertauschen. Es ist daher recht gefährlich, sich ausschließlich Geld als Ziel auf die Bucketlist schreiben. Vielmehr sollte man sich immer überlegen, für was man das Geld wirklich eintauschen will.

Viele Menschen wollen einfach „nicht mehr arbeiten müssen" und finanziell frei sein. Das war damals auch mein Ziel, als ich als Arzt gekündigt hatte, und mit dreißig Jahren nun auch erreicht habe. Es ist dabei wichtig, zu verstehen, dass finanziell frei zu sein nicht unbedingt bedeutet, eine Menge Geld zu besitzen. Es geht vielmehr darum, wie viel Geld am Ende des Monats übrigbleibt, wenn du alle Einnahmen (welche du nicht als Arbeit ansiehst) addierst, und davon deine Ausgaben abziehst. Bleibt etwas übrig, dann bist du finanziell frei, denn dann hast du die Freiheit, öfter Dinge zu unternehmen, welche dir Spaß machen, und kannst dir trotzdem deinen Lebensstil leisten. Wenn nichts übrigbleibt, befindest du dich in der Gruppe der 99 Prozent aller Leute, welche Zeit gegen Geld tauschen müssen, obwohl ihnen diese Tätigkeit keinen Spaß macht. Die meisten Leute schaffen die „finanzielle Freiheit" erst mit der Rente – doch mit harter, schlauer Arbeit kann man das binnen zehn Jahren oder sogar noch schneller erreichen. Wenn das derzeit nicht dein Ziel ist, dann lass mich noch einmal betonen, wie wichtig es ist. Denn es erlaubt dir, dein Leben so zu leben, wie du willst, ohne dir Sorgen um Geld machen zu müssen und deine Zeit nicht nur für Geld zu tauschen, sondern für wichtigere Dinge. Ich behaupte nicht, dass du durch finanzielle Freiheit zu 100 Prozent glücklich wirst, lediglich, dass du so eher Dinge machen kannst, die dir hoffentlich Spaß machen. Dabei ist es ganz egal, ob du dann trotzdem bei deiner Arbeit bleibst, Spenden gibst, Briefmarken sammelst oder Zeit mit den liebsten Menschen um dich herum verbringst. Mit Geld kannst du dir kein Glück kaufen, doch es gibt dir Optionen, und wenn du diese klug nutzt, kannst du sehr glücklich und zufrieden sein.

Meine Lektionen zu Geld erschienen vor allem in einer Zeit, als ich die Grundregeln von Timehorizon brach. Dies war in meinen frühen Zwanzigern. Ich wollte immer schon mit dreißig Jahren finanziell frei sein, doch hatte ich ein paar Grundkonzepte zum Thema Geld noch nicht verstanden. Statt nachhaltigem und langfristigem Kapitalaufbau, wie es Timehorizon lehrt, wollte ich Reichtum über Nacht, denn ich hatte ja nicht mehr viel Zeit. Doch diese Schnell-Reich-Werd-Geschichten waren viel zu gut, um wahr zu sein, und so verlor ich nur Geld und kam meinen finanziellen Zielen keinen Schritt näher.

Mein Mentor wollte mir nie konkrete Tipps zum Thema Geld geben. Ich wusste, dass er selbst einen doppelstelligen Millionenbereich besaß, und konnte mir damals nie erklären, warum er meine Fragen hierzu immer ablehnte und lieber über andere Themen sprechen wollte. Mich hätte vor allem interessiert:

In was soll ich mein Geld investieren?

Macht es jetzt Sinn, Immobilien oder eher Aktien zu kaufen?

Ist dies ein guter Zeitpunkt für Gold?

Was ist denn ein Geheimtipp als Investment? usw.

Heute verstehe ich es nur zu gut, warum er das nie getan hatte. Eine Frage beantwortete er mir jedoch gerne: „Kann Geld auch eine Form von Legacy sein? Kann man sich durch reinen Reichtum messen?" Dies hatte mich immer schon interessiert, denn aus sportlicher Sicht wollte ich natürlich immer der Beste oder Schnellste sein. So wollte ich wissen, ob man sich als Ziel 100 Milliarden Kapital stecken konnte, aber nicht des Geldes wegen, sondern weil man so alle anderen in den Schatten stellte und auf der Nr. 1 stand. (Anmerkung: Damals war noch kein Mensch offiziell reicher als 100 Milliarden USD gewesen, heute ist das natürlich schon anders)

Seine Antwort war ziemlich klar: „Julian, klar kannst du dir ein solches Ziel stecken, nur sage ich dir, dass du das wahrscheinlich nie erreichen wirst! Es geht hier nicht darum, dass ich dich entmutigen will, sondern es geht vielmehr darum, dass du Geld nicht des Geldes wegen als Ziel haben kannst – auch nicht als Legacy-Bucketlist-Item. Man bekommt Geld, indem man Wert an andere liefert. Abgesehen von einem Service oder Produkt, wo du ein spezifisches Problem für Menschen löst, hast du drei generelle Möglichkeiten dies zu tun:

1. Du hilfst anderen Menschen, **Geld zu bekommen, bzw. Zeit zu sparen**, was in diesem Fall ausnahmsweise das Gleiche darstellt.

2. Du **unterhältst andere Menschen**, wie das zum Beispiel Musiker, Schauspieler, usw. tun.

3. Du **lehrst andere Menschen was Neues.**

Wenn du Menschen keinen Wert lieferst, wirst du früher oder später auch kein Geld mehr dafür bekommen. Nur nebenbei sei erwähnt, dass das Dramatische in unserer heutigen Gesellschaft leider die Tatsache ist, dass gerade die Unterhalter teilweise am meisten verdienen und nicht mehr die, welche meiner Ansicht nach die Menschheit durch Forschung, neues Wissen, etc. eigentlich nach vorne bringen – aber das ist einmal eine Diskussion für einen anderen Tag."

„Okay, aber was, wenn ich Wert liefern will, aber nicht des Wertes wegen, sonders des Geldes wegen?", hakte ich nach.

„Dann wirst du bis zu einem gewissen Einkommensstatus kommen, doch dann ist Schluss. Du kannst dir mit 100 Milliarden nicht viel mehr kaufen als mit einer

Milliarde. Vielleicht würdest du sogar bei 100 Millionen stehen bleiben, auch wenn du dir 100 Milliarden als Ziel gesetzt hast. Der Grund ist, dass du irgendwann keine Motivation hast, mehr Wert zu liefern, weil du schon genug von dem hast, was du eigentlich wolltest. Setze dir also Geld nie als Legacy-Ziel!", belehrte er mich.

Das tat ich dann auch nicht, sondern orientierte meine Ziele eher daran, wie vielen Menschen ich helfen werde, welchen Wert ich liefern könnte und was ich mit dem Geld machen werde.

„Julian, du kennst ja den Unterschied zwischen aktivem und passivem Einkommen, oder?"

„Ja!" antwortete ich.

„Okay, du weißt jedoch, dass ich nie von passivem Einkommen spreche, sondern von…"

„… **Residualeinkommen**!", unterbrach ich ihn in gewohnter Manier.

„Genau. Und weißt du, warum ich das hier so betone?", hakte er nach.

„Weil man immer eine gewisse Zeit für sein Einkommen aufwenden muss!", bestätigte ich ihn.

„Ganz genau, doch exakt das wird viel zu oft unterschätzt. Der Zeittausch geht weit über die eigentliche Arbeit hinaus. Wenn du in Aktien investierst, dann würden die meisten Menschen dies als passives Einkommen bezeichnen, weil die Aktien ja ohne weiteres Zutun nach oben oder unten gehen. Doch, der Knackpunkt ist, wie viel Zeit du für die Recherche eintauschen musstest? Wieviel Zeit hast du aufgewendet, um den Account deiner Tauschplattform aufzusetzen? Was macht es mit deinem Körper, wenn du aus lauter Sorge um deine Investments nicht mehr schlafen kannst? Viel zu viele Menschen reflektieren hier nicht ehrlich, investieren in irgendwelche Vehikel und das eigentliche Ziel verliert man aus den Augen – nämlich seine Lebensqualität zu verbessern: also die Fähigkeit, seine Zeit in das zu tauschen, was einem gefällt. Mach diesen Fehler bloß nicht!", betonte er.

Ich verstand komplett, was er sagen wollte, auch wenn es mir bis dahin nie so wirklich bewusst gewesen war. Das Ziel ist ja, seine Zeit durch Timehorizon in hohe Lebensqualität tauschen zu können. Wenn seine Investments genau das Gegenteil machen, ist dies kontraproduktiv. Ich weiß noch genau, als ich Jahre später mit dem Rapper Kool Savas ein Interview führte und er mir darin über seine Investments in Kryptowährungen erzählte. Er beschrieb, dass er stundenlang am Tag den Kurs verfolgen würde. Nicht nur, dass dies praktisch zu seiner eigentlichen Arbeit wurde, auch seine Schlaf- und Lebensqualität verringerte sich dramatisch. Wir diskutierten, wie schlecht dies alles war, und siehe da: Kurz darauf schrieb er mir, dass er dieses Verhalten nun eingestellt und sich sein Leben wieder „normalisiert" habe.

„Kennst du eigentlich das achte Weltwunder?", fuhr mein Mentor fort. Ich war mir nicht sicher, also sagte ich vorerst nichts. So begann er: „Wie Albert Einstein schon wusste, ist es der Zinseszins: Zinsen auf den Ursprungsbetrag zuzüglich der bereits angefallenen Zinsen."

Ja, Zinseszins kannte ich schon, doch warum dies das achte Weltwunder sein sollte, war mir nicht so ganz klar: „Worauf willst du hinaus?"

„Du hast mir doch gesagt, dass du bei deinen vergangenen Investments oft viel zu kurzfristig gedacht und versucht hast, über Nacht reich zu werden, und so immer wieder Geld verloren hast. Das stimmt doch, oder?"

„Ja", erwiderte ich kleinlaut.

„Gut. Stell dir vor, du startest mit 1.000 Euro und bekommst jedes Jahr unglaubliche 100 Prozent Zinsen. Es gibt jedoch keinen Zinseszins. Wie viel hättest du nach zehn Jahren?", fragte er.

Dies war einfach zu berechnen: Jedes Jahr würde man 100 Prozent, also am Ende jeden Jahres wieder 1.000 Euro bekommen. Weil es keine Zinseszinsen gab, würde diese Rendite über die zehn Jahre gleichbleiben. Also antwortete ich: „Die ursprünglichen 1.000 Euro plus zehnmal 1.000 Euro – also 11.000 Euro am Ende der zehn Jahre."

„Korrekt, doch wie sieht das mit Zinseszins aus?", konterte er nun.

Das war nun deutlich schwieriger zu errechnen. Im ersten Jahr sind es 1.000 Euro Rendite. Weil es im zweiten Jahr dann schon 2.000 Euro sind, auf welche sich die 100 Prozent Rendite auswirken würde, gibt es 2.000 Euro Rendite. Im Jahr darauf wären es schon 4.000 Euro usw. Ich war zwar gut in Mathe, doch diese Exponentialrechnung konnte ich nicht einfach so im Kopf ausrechnen. Also riet ich: „100.000 Euro – das ist aber nur geschätzt!"

„Nein, Julian, du liegst ziemlich daneben. Es wären 1 Million Euro. Durch den Zinseszins entsteht eine Vertausendfachung im Vergleich zu einer Verelffachung ohne Zinseszins!"

Krass, erst war ich kurz sprachlos, doch dann: „Was willst du mir damit sagen? Dass ich nach Investments mit 100 Prozent pro Jahr suchen soll?"

„Nein, ganz im Gegenteil", entgegnete er: „Du sollst damit aufhören, immer nur kurzfristig zu denken und dir lieber langfristige Investments mit soliden Renditen anstatt kurzfristigen Investments mit hoher Ausfallrate suchen. Die Rechnung funktioniert mit 10 Prozent pro Jahr genau gleich, es dauert einfach nur ein bisschen länger als mit 100 Prozent, doch der Unterschied zwischen einer Rendite mit oder ohne Zinseszins ist gleich massiv!"

„Ich verstehe nicht richtig, wie du das meinst", sagte ich jedoch. Ich verstand wirklich nicht, was dies mit Timehorizon zu tun hatte.

„Was der Zinseszins bei langfristigem Timehorizon und einem soliden Investment erreichen kann, ist dir nun klar, oder? Was du bisher gemacht hast, ist jedoch das folgende: Angenommen du hast mit 1.000 Euro gestartet und wolltest 1.000 Prozent in einem Jahr erreichen, welche du dann auch kurzfristig bekommen hast. Anschließend hast du dann jedoch wieder 100 Prozent verloren. Wie viel hast du dann übrig?", stellte er mir als Rechenaufgabe.

Ich rechnete im Kopf: 1.000 Prozent waren eine Verzehnfachung. Von 1.000 Euro waren dies also 10.000 Euro plus 1.000 Euro, also 11.000 Euro. Minus 100 Prozent, also 1.000 Euro abgezogen… Ich hatte immer noch… Doch als ich ihm meine Antwort geben wollte, fiel bei mir der Groschen. Ich hatte einen Rechenfehler: „Ha, ich habe dann 0 Euro! Die 100 Prozent, welche ich dann verliere, beziehen sich auf den Gesamtwert und ich starte wieder von vorne!"

„Ganz genau!", freute er sich mit mir: „Den meisten Menschen ist dies jedoch nicht klar. Sie verstehen nicht, dass minus 100 Prozent etwas anderes ist also plus 100 Prozent. So sehen sie nur die fetten Renditen und springen darauf auf, ohne genauer über die Risiken nachzudenken. Das kurzfristige Denken verleitet sie zu dummen Investmententscheidungen. Hier spielt abermals die Evolution eine Rolle:

Wir Menschen schätzen unsere Risikotoleranz total falsch ein!

Viele Menschen denken, sie können minus 50 Prozent locker verkraften, doch wenn sich ihre 1.000 Euro auf 500 Euro verringern, schieben sie Panik. Ihre Emotionen verringern ihre Fähigkeiten, korrekten Timehorizon zu besitzen, und sie verkaufen, wenn sie es vielleicht gar nicht tun sollten."

„Ja, so ist es mir selbst schon öfter ergangen!", lachte ich, „doch, was soll ich dagegen machen?"

Mein Mentor schmunzelte nur:

„Investieren ist eigentlich recht leicht: Verkaufe teurer als du etwas gekauft hast!

Doch aufgrund unserer Ängste verzerren wir unseren Timehorizon in den schlechtesten Momenten!"

„Unserer Ängste?", fragte ich verunsichert.

„Ja, unserer Ängste. Wenn eine Hype-Phase kommt, wo scheinbar alle schnell reich werden und Freunde und die Presse über das nächste große Ding sprechen, bekommen wir Angst, dass andere durch den gewonnenen Reichtum im Status nach oben steigen und uns zurücklassen. Wir denken nicht mehr rational und unser Timehorizon schrumpft von Jahren oder Monaten zu Tagen oder teilweise Stunden. Wir denken, dass es zu spät sein könnte, wenn wir nicht jetzt sofort investieren. Das ist natürlich vollkommener Blödsinn. So kommt es, dass die Masse kauft, wenn etwas am teuersten ist, nicht am billigsten. Umgekehrt verhält es sich genauso: wenn ein Investment nach unten geht, und wir Panik bekommen. Unser Timehorizon schrumpft auf Tage oder Stunden und wir denken, dass alles den Bach hinunter geht. Wir verkaufen, wenn etwas am billigsten ist und nicht am teuersten", erklärte er mir.

„Im Englischen nennt man sowas doch FOMO – Fear of Missing Out!", warf ich ein.

„Genau!", antwortete er. „Der Grund, warum ich dir nie irgendwelche Investmentfragen beantworte, ist, dass eben jeder ein eigenes Limit für seinen Timehorizon hat. Bei dem einen ergibt dieses Investment Sinn, für jemand anderen ist es der Untergang, weil genau diese Panik ausbricht. Selbst Isaac Newton war dem nicht gewachsen und verlor riesige Summen in Zeiten der Südsee-Aktien-Blase. Daraufhin meinte er nur, dass er zwar die Laufbahn der Planeten vorhersagen könne, nicht jedoch die Aktienkurse."[1]

„Was kann ich nun dagegen tun?", wollte ich wissen.

„Genau das, was Warren Buffett empfiehlt:

Schließ dich ein, hör nicht auf die Presse oder die Meute!

Genau das ist die Kunst beim Investieren.

Es geht darum, seinen **Timehorizon** zu kennen, diesen nicht durch andere Menschen zu **kurz werden** zu lassen und den **Zinseszins** die restliche Arbeit erledigen zu lassen!"

Ich nickte nur. Wow, das ergab so viel Sinn. So oft habe ich mich bereits durch andere entweder verunsichern oder gerade erst gierig werden lassen.

---

1   Anm. des Autors: https://www.businessinsider.sg/isaac-newton-lost-a-fortune-on-englands-hottest-stock-2016-1/?r=US&IR=T

Ich bedankte mich für seine Zeit und nahm mir vor, dies nie mehr wieder falsch zu machen. Und tatsächlich setzte ich es auch glücklicherweise immer um – na gut, *meistens* – okay, *öfter* als überhaupt nicht – und genau das ist es, was mir schlussendlich zu meinem heutigen Wohlstand geholfen hat! Lass mich dir zum Schluss ein paar der **Taktiken und Strategien** mitgeben, welche ich erfolgreich nutze. Diese sind auf keinen Fall als Investmentempfehlungen zu sehen.

1. Cash

Cash ist für mich auch ein Investment. Generell streue ich es in unterschiedliche Währungen und versuche, immer genug Liquidität mit 10 bis 20 Prozent meines Kapitals zu haben.

2. ETFs

Ich investiere vor allem in Aktien, Anleihen und Rohstoffe über ETFs (Exchange Traded Funds). Dabei investiere ich jeden Monat eine regelmäßige Summe nach einem klaren und strukturierten Ablauf. Man kauft den ETF, erhält aber gleichzeitig eine Vielzahl an Aktien, Rohstoffe und Anleihen, was das Risiko streut. Ich würde nicht nur meine Zeit mit all den Recherchen zu Einzeltiteln vergeuden, sondern aufgrund des Medienchaos inklusive der Panikmache und Gier zusätzlich noch falsche Entscheidungen treffen. Warren Buffett, der erfolgreichste Investor aller Zeiten, sagt selbst: „Als

Privatanleger würde ich in ETFs investieren." Deshalb läuft das bei mir vollkommen automatisiert. So optimiere ich meinen Timehorizon, weil ich nicht viel Zeit eintauschen muss und langfristig denke. Falls dich meine Strategie im Detail interessiert, schau dir im Kapitel Vertiefungen und weitere Tipps den ETF-Sparplan an, welchen ich selbst nutze. In ETFs sind zirka ein Drittel meines Kapitals eingelagert.

3. Immobilien

Immobilien sind eines meiner Lieblings-Investments. Sie sind jedoch relativ zeitaufwändig und ohne andere Menschen, die mich sehr dabei unterstützen, Immobilien zu bewerten und zu restaurieren, könnte ich es gar nicht effizient umsetzen. Du musst wirklich darauf achten, dass du bei Immobilien Timehorizon gut nutzt. Wenn du zu viel Zeit darin investierst, ist es kein Passiveinkommen, sondern Arbeit. Außerdem solltest du Immobilien nicht in der Hoffnung auf eine rasche Wertsteigerung kaufen, sondern wegen des langfristigen Mieteinkommens. Genauso wie bei ETFs, befindet sich zirka ein Drittel meines Kapitals in Immobilien.

4. Edelmetalle

Gold und Silber sind für mich Timehorizon pur. Es gibt praktisch kein langfristigeres Investment, denn Edelmetalle als Wertform gibt es, praktisch seitdem es zivilisierte Menschen gibt. Sie werfen zwar keine Zinsen ab, doch wenn man die richtige Herangehensweise hat, ergeben sie unglaublich viel Sinn. Ich kaufe sie am liebsten in Münzform, hin und wieder auch als ETF. Münzen sind nicht nur toll zum Anschauen ☺, sondern auch zum Verschenken. Gerade in physischer Form, finde ich, ergeben sie also für Timehorizon absolut Sinn. Prinzipiell halte ich nicht mehr als 5 Prozent des Kapitals in Edelmetalle und ich sehe dies eher als Absicherung gegen einen Wertverfall als ein reines Investment.

5. Peer-to-Peer-Lending

Peer-to-Peer Kreditplattformen, kurz P2P genannt, erlauben es Investoren, mit relativ geringem Risiko einen doch attraktiven Zins zu erzielen. Das Konzept ist denkbar einfach und für praktisch jeden nutzbar. Gerade aufgrund der Unabhängigkeit zu Aktien und Immobilien ist diese Zinsvariante hochinteressant. Anstelle einer Bank verleiht man sein Geld direkt an andere Personen (deshalb auch Peer to Peer), teilt sein Geld jedoch auf mehrere Kreditnehmer auf, um das Risiko zu streuen. Zum Beispiel leiht man 1.000 Euro an 100 Leute, von welchen jeder 10 Euro bekommt. Andere Kreditgeber machen dies über die P2P-Plattform ebenfalls und so erhält jeder Kreditnehmer 1.000 Euro, aber eben nicht von einer einzelnen Person, sondern beispielsweise von 100 verschiedenen Gebern. Der Kreditnehmer bezahlt den Kreditgebern in Relation zum Risiko faire Zinsen. Da das Risiko auf die gesamte Gruppe verteilt wird, sind dadurch nie die gesamten EUR 1.000 gefährdet. P2P Kreditplattformen werden auf der ganzen Welt immer beliebter, da höhere Zinsen erreicht werden und Banken außen vorgelassen werden. Im ETF-Sparplan von zuvor findest du auch ein Bonuskapitel, wo ein Geschäftsfreund detailliert über P2P spricht. Schau dir das einfach in den Vertiefungen detaillierter an. Ich habe hier zirka 5 Prozent meines Kapitals angelegt.

6. Kryptowährungen

Kryptowährungen sind eine spannende, jedoch hochriskante Anlageklasse, und ich habe viele Bücher und Kurse dazu kreiert. Gerade Kryptowährungen verleiten jedoch leicht dazu, seine eigene Risikotoleranz zu überschätzen und zu kurzfristig zu denken. Genau dies ist in den Jahren 2017 und 2018 mit einem riesigen Hype und dem folgenden Crash passiert. Achte also gerade bei diesen hochvolatilen Anlagen auf einen langen Timehorizon. Knapp 10 Prozent von meinem Kapital habe ich hier angelegt. Im Vertiefungskapitel am Ende des Buches gehe ich auf mein aktuelles Portfolio und weitere Tipps zu Kryptowährungen ein.

7. Startup-Investments

Hier braucht man als Investor auf jeden Fall den ausdauerndsten Timehorizon, denn anders als bei liquideren, anderen Anlageformen ist man bei Startup-Investments oft Jahre lang gebunden. Man muss sich hier also ganz genau überlegen, wie die nächsten drei, fünf oder zehn Jahre ausschauen können und ob ein Team seine Idee umsetzen kann. Es ist die machtvollste Investmentkategorie von allen, doch sie kann auch den meisten Verlust bringen, weil Startups meist binär ausgehen: Entweder gehen sie durch die Decke oder in den Boden. Minus 20 Prozent oder plus 20 Prozent wie bei Aktien gibt es hier meist nicht. Ich möchte jedoch nicht weiter darauf eingehen, da dies viel zu umfangreich für dieses Buch wäre. Im Vertiefungskapitel spreche ich deshalb für weitere Tipps über „Von Null zum MVP". Ich habe hier zirka 5 Prozent meines Kapitals investiert.

In **Sammlerstücke** wie Wein, Diamanten, Oldtimer, etc. investiere ich praktisch gar nicht und du solltest in diese Dinge nur dann investieren, wenn du dich in dem Bereich sehr gut auskennst – was ich nicht tue.

Zum Schluss sei vielleicht noch einmal erwähnt, dass das **beste Investment immer noch in dich selbst ist.** Lernen, Wachstum und insgesamt besser werden bringt langfristig die beste Rendite überhaupt. Gerade wenn du noch jung bist und noch nicht so viel Kapital zum Investieren hast, würde ich eher in die eigenen Fähigkeiten investieren als in andere Vehikel.

Vergiss bei all dem Kapitalismus außerdem nicht, dass es im Leben um einen tieferen Sinn als nur Geld geht. Wenn du nämlich irgendwann einmal, hoffentlich in der sehr entfernten Zukunft, auf deinem Sterbebett liegst, wird es dir scheißegal sein, wie viel Geld du wirklich hast. Du kannst es nicht zurück in mehr Zeit tauschen. Das einzige, was dich kümmern wird, sind die Leute, die du positiv beeinflusst hast und die Spur, die du im Universum hinterlassen hast. Verschwende deine Zeit also nicht damit, dem Geld hinterherzulaufen, sondern benutze es, um so schnell wie möglich ein Residualeinkommen aufzubauen, damit du dich um die wichtigen Dinge im Leben kümmern kannst. Dies ist schlussendlich Timehorizon. Bevor du zum nächsten Kapitel übergehst, gehe noch die Fragen im Arbeitsbuch durch.

14.
BEZIEHUNGS SPECIAL

Lass mich dir zuallererst eine Frage stellen: Was glaubst du, in welchem Zeitalter wir uns heute befinden? Du magst dich nun fragen, was das mit Timehorizon zu tun hat. Die Antwort ist wiederum eine einfache Frage:

Was ist heutzutage eine der wichtigsten Ressourcen überhaupt?

Timehorizon besagt, dass du dich um die wirklich wichtigen Dinge kümmern sollst und genau deshalb ist diese Frage essenziell. In der Steinzeit drehte sich alles um Steine, in der Eisenzeit alles um Eisen. Und heute? Manche mögen meinen, dass wir uns im Informationszeitalter befinden und Informationen somit das absolut wichtigste seien. Dies glaube ich jedoch nicht, denn mittlerweile haben wir eine Überflut an Information. Man könnte also höchstens vom Informationsverarbeitungszeitalter sprechen. Viel besser finde ich jedoch zu sagen:

Wir leben im Beziehungszeitalter.

Meiner Ansicht nach, sind die richtigen Beziehungen das, was wirklich wichtig ist. Nicht nur im Business, sondern auch im Privaten. Wie schon im Erlebnis Special angedeutet, sind Beziehungen unfassbar wichtig für uns Rudeltiere namens Menschen. Wir brauchen Menschen um uns herum, von welchen wir einerseits selbst etwas lernen und denen wir andererseits auch etwas zurückgeben können.

Für mich gibt es die folgendenden fünf Beziehungen im Leben:

1. Familie, wo ich das Kind bin.

2. Engste Freunde.

3. Mentoren

4. Business Network.

5. Liebe, bzw. Familie, wo ich der Mann / die Frau bin.

Den fünften Punkt werden wir im Liebes Special im nächsten Kapitel besprechen, da hier komplett andere Dinge zutreffen, als auf die vier anderen Kategorien. Für die ersten vier Punkte, kennst du sicher den Leitspruch, dass du der **Durchschnitt der fünf Menschen** bist, mit denen du dich am meisten assoziierst. Meist sind das jene Menschen, mit denen du die meiste Zeit verbringst. Dies ist daher ein wichtiges Konzept bei all den Punkten. Gehen wir diese der Reihe nach durch und reflektieren gerade in Bezug Timehorizon, was wir jeweils schon gut machen und wie man diese Beziehung noch einmal verbessern könnte.

Beziehungen mit Eltern oder Geschwistern können extrem schwierig, jedoch auch einfach sein. Es gibt viele Traumata aus der Kindheit, Dinge, welche nie ausgesprochen werden oder Probleme, die nie gelöst werden. Egal wie deine Situation ist, falls deine Eltern noch leben, kann ich dir nur raten, dich zu versöhnen und mehr Zeit miteinander zu verbringen. Natürlich gibt es auch die Gegenwarnung: Wenn du eigentlich weißt, dass die Zeit mit deinen Eltern nicht die bestgetauschte ist, verbringe so viel Zeit wie nötig und so wenig wie möglich mit ihnen. Gerade bei der Familie kann dieser Tipp wichtig sein. Timehorizon ist hier also gar nicht so eindeutig: Einerseits musst du bedenken, dass deine Eltern irgendwann nicht mehr da sein werden (oder es vielleicht schon gar nicht mehr sind), und du somit jeden Moment mit ihnen schätzen solltest. Andererseits kann ein zu intensiver Zeittausch in diesem Bereich auch eher kontraproduktiv sein. Vielmehr kann ich dir hier nicht mitgeben, ohne nicht gleich ein weiteres Buch mit allen möglichen psychologischen Mustern zu schreiben. Im Anti-Komfortzone-Programm innerhalb des Vertiefungskapitels halte ich noch ein paar weitere Tipps hierzu bereit. Ich selbst habe bei meiner Familie schon alle Höhen und Tiefen miterlebt. Glücklicherweise haben wir uns dann jedoch immer wieder versöhnt, und so ist unserer Beziehung sehr positiv.

Viele Dinge über **engste Freunde** habe ich bereits im Erlebnisse Special geschrieben, deshalb möchte ich hier nur noch eine Sache in Bezug zu Timehorizon betonen: Bei richtig guten Freunden gilt: weniger ist mehr. 500 Social Media Kontakte können nie den besten Freund ersetzen. Achte also darauf, dass du wertvolle Big-Impact-Zeit mit deinen besten Freunden verbringst. Beschränke dich nicht auf oberflächliche Zeit: Qualität über Quantität. Gehe noch einmal das Erlebnisse Special durch, falls du dich nicht mehr an die Grundkonzepte erinnern kannst.

Neben guten Freunden, welche wahrscheinlich auf einer ähnlichen Ebene sind wie du, brauchst du auch noch den einen oder anderen Mentor: Jemanden, wie die wundervolle Person, von der auch ich zum Beispiel all die Dinge in diesem Buch erlernt habe. Mentoren kommen in den unterschiedlichsten Variationen: Manche kennst du persönlich, andere siehst du nur auf YouTube oder du liest von ihnen. Alles ist okay, solange du von ihnen lernst und so besser wirst.

Gerade hierzu bekomme ich oft Fragen wie:

Wie finde ich einen Mentor?

Wie verbessere ich mein Netzwerk?

Wie treffe ich neue Leute? usw.

> *Wie findest du nun einen Mentor?*
> *Indem du nicht nach einem suchst!*

Das mag auf den ersten Blick ein wenig verwirrend klingen, doch versetze dich einmal in die Lage eines Mentors. Wenn ich das für meinen Mentor tue, der mir für dieses Buch so viele wertvolle Tipps gegeben hat, weiß ich ganz genau, was er definitiv nicht will: Ein Mentor sein! Wie passt dies nun zusammmen, wenn er mir doch all die wertvollen Tipps gibt und sich die Zeit nimmt, mir zu helfen?

Ein Mentor beantwortet gerne spezifische und nicht-google-bare Fragen, um dir die richtige Tür zu zeigen, nicht, um selbst noch mal hindurchzugehen!

Was ein Mentor überhaupt nicht will, ist, dein Motivationsäffchen zu sein oder mit dir an der Hand den Weg noch einmal zu gehen. Die meisten Mentoren sind den harten steinigen Weg, den du gerade erst begonnen hast, bereits gegangen. Sie kennen daher die Tücken und Schwierigkeiten. Sie wollen dich jedoch keinesfalls jeden Tag aufs Neue motivieren, auf dem Weg weiterzugehen – das musst du selbst aus Eigenmotivation machen. Wenn du jedoch eine konkrete Frage hast, zu der du dir auch bereits Gedanken gemacht hast, wird ein Mentor etwas Wichtiges zu deinem Timehorizon beitragen können:

Ein guter Mentor verlängert deinen Timehorizon und erlaubt dir, Zeitintervalle zu komprimieren, weil du von seiner Erfahrung lernen darfst, indem er deine Fragen beantwortet.

Wenn du all das wirklich verstehst, erkennst du, dass du irgendwann einmal eine Person als deinen Mentor bezeichnen kannst. Nicht, indem du von Anfang an nach ihr suchst, sondern weil sich über die Zeit eine besondere Beziehung aufbaut, in der dich dein Mentor als junge Pflanze sieht, der er beim Heranwachsen hilft. Auf der anderen Seite der Beziehung stehst du, weil du unglaublich viel Wert von ihm bekommst. In meinem Leben habe ich viele Mentoren gehabt. Keiner begann als Mentor. Meinen ersten habe ich mit knapp zwanzig Jahren durch Zufall in New York auf dem Flughafen kennengelernt. Jahrelang hat er mich durch wertvolle Tipps unterstützt. Später kamen weitere Mentoren im Business-, Finanz- oder Medizinbereich hinzu. Mittlerweile bin ich selbst Mentor für andere Menschen. Oft bekomme ich die Frage auf YouTube oder Social Media, ob ich nicht auch ihr Mentor sein möchte. Nein, das möchte ich nicht. Wenn jemand aber eine gute Frage hat, beantworte ich diese liebend gerne, und wenn der Fragende aus der Antwort etwas draus machen kann und wieder eine Frage hat, umso besser. Du verstehst, worauf ich bei diesem Thema hinauswill.

Neben Mentoren, habe ich auch ein paar Coaches für die unterschiedlichsten Bereiche. Ein Coach, den du bezahlst, wird von dir genau dafür bezahlt, für was du ihn benötigst. Dies kann Wissen, Technik, Motivation, usw. sein. Beim Sport habe ich heute Coaches, um mein Golf- oder Tennisspiel zu verbessern. Im Business habe ich einen Coach, um ein besserer Leader zu sein. Im Finanzbereich habe ich einen Coach, um unvoreingenommenes Feedback bei Investments zu bekommen, usw.

Einen Coach suchst du, ein Mentor findet dich.

Auch wenn ich dir beides empfehlen kann, so hoffe ich, dass du nun den Unterschied verstehst. Beide helfen dir, Fehler zu vermeiden, Timehorizon zu optimieren und schneller zu lernen, doch jeder von ihnen geht an diese Themen unterschiedlich heran.

Wenn wir nun zur letzten Beziehungsgruppe übergehen, nämlich deinem **Business-Netzwerk**, und darüber sprechen, wie du dein Business-Netzwerk optimal ausbauen und die richtigen Leute kennen lernen kannst, möchte ich meine Geschäftspartnerin Patricia Zinnecker hinzuziehen. Patricia ist diejenige bei uns in der Firma, welche sich vor allem um das Netzwerken, das Business Development und auch das Rekrutieren von Angestellten kümmert. Sie kennt sich hier richtig gut aus und viele der Tricks, welche ich selbst anwende, sind ihr täglich Brot. Nutze die Tipps in unserem Gespräch also für deine eigenen Taktiken und Strategien, um die wertvolle Ressource Kontakte bei dir zu optimieren.

Julian: „Hey Pati, freut mich, dass du den Lesern hier ein paar deiner Tipps und Tricks mitgeben möchtest. Bei Timehorizon geht es darum, das zu tun, was wirklich wichtig ist. Wenn ich selbst an meine Vergangenheit denke, kann ich dir gar nicht sagen, wie oft es mir passiert ist, dass ich durch meine Kontakte Dinge erreicht habe. Entweder weil sie mir direkt haben helfen können, oder weil sie mich zu etwas inspiriert haben. Wie siehst du das aus deiner Sicht?"

Patricia: „Definitiv. Dein Netzwerk ist heutzutage ein essenzielles Kapital. Lass mich von dem, was du gerade angesprochen hast, jedoch ein paar Dinge anhand des folgenden Beispiels klarstellen: Ein Rockstar hat viele Fans. Doch es geht nicht darum, dass du als Fan den Rockstar kennst. Das tun sehr viele und ist nichts Besonderes. Es geht darum, dass der Rockstar dich kennen sollte. Verstehst du was ich meine? Bei deinem

Business Netzwerk ist folgendes wichtig:

**Es geht nicht darum, wen du kennst.
Es geht darum, wer dich kennt!"**

Julian: „Haha, so habe ich das noch nie gesehen. Normalerweise sagt man immer, wen man alles kennt, aber du hast recht. Entscheidend ist, wer dich aller kennt! Hast du Tipps, wie man das so effizient und effektiv wie möglich umsetzen kann?"

Patricia: „Netzwerken besteht im Grunde aus drei Schritten:

1. Kontakt kennenlernen,

2. Kontakt aufnehmen,

3. Kontakt behalten."

Julian: „Magst du da ein bisschen ins Detail gehen?"

Patricia: Gerne, lass mich mit der Frage starten, **wo ich denn die Leute finde, die ich gerne treffen möchte!** Um dies beantworten zu können, solltest du, bevor du mit dem Netzwerken startest, genau wissen, was du eigentlich bei einem Kontakt erreichen möchtest. So fällt es dir schon einmal leichter, festzulegen, wie und wo du netzwerken möchtest. Ich selbst gehe gern zu MeetUps, welche sehr verbreitet sind. Da weiß ich ganz genau, welche Art von Personen mit welchem Interesse vor Ort sind. Dadurch ist sofort ein Gesprächsthema gegeben. Wenn du in einer Stadt lebst, in der es eine Uni oder Hochschule gibt, kannst du dir auch die Netzwerk-Veranstaltungen von dort ansehen. An meiner Uni gab es jede Woche öffentliche und kostenlose Entrepreneurship-Treffen mit spannenden Speakern. Meist konnte ich im Anschluss daran mit dem Sprecher selbst Kontakt aufnehmen.

Online-Plattformen wie LinkedIn oder Xing bieten Gruppen, denen du beitreten kannst, bzw. Firmen, Persönlichkeiten und Interessen, denen du folgen kannst. Obwohl laut Studien Facebook an Beliebtheit verliert, erweisen sich Facebook-Gruppen immer noch als die einfachsten Tools, um sich mit neuen Leuten zu verknüpfen. Auch hier gibt es Gruppen zu allen Interessensgruppen: von StartUp-Foundern bis zu Pferde-Zahnärzten. Stelle sicher, dass die Gruppe qualitativ hochwertig ist. Das erkennst du meist daran, wenn du zum Beitritt Fragen beantworten musst, oder an aktiven Moderatoren, die die Gruppe begleiten. Zwar liegt der Fokus hierbei nur in Ausnahmen auf Offline-Verknüpfungen, aufgrund seines Potenzials sollte es in dieser Auflistung nicht fehlen."

Julian: „Wie entscheide ich mich dann unter all den Möglichkeiten?"

Patricia: „Du musst wissen, was dein Ziel ist. Möchtest du einen Co-Founder finden? Oder Gleichgesinnte zum Brainstorming und Austausch? Oder bist du auf der Suche nach dem besten Software-Entwickler, den die Welt zu bieten hat? Ich glaube, viel zu viele Menschen wollen „netzwerken", fragen sich dann jedoch nicht, was genau sie eigentlich wollen! Dann muss natürlich der Köder dem Fisch und nicht dem Angler schmecken. Das heißt, wenn ich einen Anwalt suche, muss ich auch irgendwohin, wo sich Anwälte gerne aufhalten. Dasselbe gilt für Entwickler, usw."

Julian: „Wenn man jetzt eher schüchtern und nicht so aufgeschlossen ist, hast du einen Tipp, wie man seine Angst bei einer Veranstaltung trotzdem überkommen kann und sein Business Netzwerk erweitern kann?"

Patricia: „Das Wichtigste ist, dass du immer du selbst bleibst. Verstelle dich nicht. Gerade am Anfang war ich zum Beispiel auch unsicher und versuchte, mir aufgrund fehlender praktischer Erfahrung Wissen durch Bücher, Blogs und Videos anzueignen. Das geht dann meist nach hinten los. Wenn du schüchtern oder unsicher bist, lege dir ein paar Anfangssätze zurecht. Achte darauf, dass sie nicht so klingen, als hättest du sie auswendig gelernt. Ein Geheimtipp, welchen ich gerne anwende, ist, dass ich mir gemeinsam mit einem Partner einen kleinen Wettbewerb daraus mache: Wer erhält an dem Abend beispielsweise mehr Visitenkarten und lernt die meisten Leute kennen. Der Verlierer muss dann einen ausgeben."

Julian: „Was ist da dein bester Icebreaker, um mit jemandem ins Gespräch zu kommen?"

Patricia: „Weißt du, wie schwer ein Eisbär ist?"

Julian: „Gute Frage!"

Patricia: „Schwer genug, um das Eis zwischen uns zu brechen."

Julian: „Was meinst du damit?".

Patricia: „Das ist er!"

Julian lacht: „Ernsthaft?"

Patricia: „Ja, das klingt in der Tat etwas komisch. Irgendwie aber auch cool, oder? Bei einem formellen Treffen würde ich so keine Konversation starten, ebenso wenig bei Treffen mit potentiellen Investoren. Bei MeetUps nutze ich diesen Opener allerdings regelmäßig, und er funktioniert sogar auch auf Englisch. So oder so: selten erinnert man sich später noch, was der erste Satz war. Es geht wortwörtlich einfach darum, das Eis zu brechen."

Julian: „Wie geht's dann weiter?"

Patricia: „Das kommt darauf an. Prinzipiell versuche ich, immer **Gemeinsamkeiten zu erkennen**. Wieso ist es so einfach, in einem Fußballstadion mit anderen Fans ins Gespräch zu kommen, obwohl man sich vorher noch nie gesehen hat? Weil beide für den gleichen Verein mitfiebern – und das mehr als offensichtlich. Wieso verstehen sich Menschen mit gleicher Nationalität im Ausland so gut, auch wenn sie sich vorher noch nie gesehen haben oder sogar aus einer ganz anderen Ecke des Landes kommen? Weil ihre Heimat sie verbindet. Hast du schon mal einen Fußball-Fan oder einen solchen Tourist erlebt, der nicht weiß, was er sagen soll? Wohl kaum.

Je klarer die Gemeinsamkeit ist,
desto einfacher ist der Gesprächsbeginn.

Am einfachsten ist es, wenn es einen gemeinsamen

Kontakt gibt, der euch miteinander verknüpft. Die Kontaktperson, fragt sich jedoch auch, was sie davon hat – Wert geben und nehmen müssen sich deshalb immer die Waage halten."

Julian: „Okay, aber was, wenn es keinen Mittelsmann gibt?"

Patricia: „Am einfachsten ist es, mit einem Kompliment zu starten. Gerade bei Personen, die in der Öffentlichkeit stehen, solltest du jedoch bedenken, dass du nicht wie ein bloßer Fan klingen möchtest, sondern wie jemand, der ernstgenommen werden möchte."

Julian: „Wie machst du das zum Beispiel, wenn du den Vortragenden bei einem Event anquatschen willst?"

Patricia: „Informiere dich vorab auf jeden Fall über die Person. Du willst mit einer Frage starten, welche gut, jedoch noch nicht schon hunderte Male gestellt worden ist. Als ich zum Beispiel das Buch von Celebrity-Manager Peter Olsson gelesen habe, fand ich es bemerkenswert, wie nahe er beispielsweise Muhammed Ali stand. Genau das fragte ich ihn bei unserem Gespräch und wollte wissen, ob er damals vor einer solcher Begegnung nervös war und wenn ja, wie er sich vorbereitete und seine Nervosität überwandte. Schon waren wir mitten im Gespräch!"

Julian: „Wie geht's dann weiter?"

Patricia: „Nach dem ersten Kontakt und Austausch ist es wichtig, in Kontakt zu bleiben. Am Abend nach dem Erstkontakt, vor allem wenn es ein Offline-Treffen gab, schicke ich gerne eine Nachricht und bedanke mich nochmals für die Verknüpfung und den Austausch. Danach schreibst du nicht unbedingt jede Woche eine Nachricht. Das nervt und mag niemand. In Kontakt zu bleiben, bedeutet, zu einem neuen Job zu gratulieren oder Unterstützung anzubieten, wenn es nötig sein könnte. Kurz und knackig: Kenne ich den Geburtstag des Kontakts, trage ich mir diesen in meinen Kalender ein und gratuliere immer mit einer persönlichen Nachricht. Am Ende geht es darum, die „Beziehungsbank" aufzufüllen – du musst anderen Menschen Wert liefern, wenn du willst, dass andere Menschen dich mögen!"

Julian: „Ja, und weil dies wirklich wichtig ist, muss man sich dafür auch Zeit nehmen – keine Ausreden!"

Patricia: „Ganz genau!"

Julian: „Wie geht man dann wieder in direkten Kontakt über?"

Patricia: „Nun, das hängt davon ab, ob man sowieso kooperieren wollte und ein Treffen ansteht oder welche Art von Austausch es sein soll. Soll es ein regelmäßiger Austausch sein, achte ich immer darauf, das kommende Treffen oder den nächsten Call bereits während des laufenden Gesprächs zu vereinbaren. In einer solchen Situation gilt:

Beende niemals ein Gespräch,
ohne nicht schon das nächste vereinbart zu haben.

Der Knackpunkt ist, dass dies bei jedem Menschen sehr individuell ist. Wichtig ist, sich wirklich die Zeit dafür zu nehmen. Denn klar, ein Netzwerk ist nie dringend, bis man eines braucht. Je früher man damit anfängt, umso besser!"

Julian: „Sehr cool, das hilft ungemein. Danke dir."

Nutze also diese Taktiken und Strategien, um auch selbst ein erstklassiges Netzwerk aufzubauen: Nicht erst, wenn du ein solches brauchst, sondern bereits zuvor – denn das ist Timehorizon. Gehe nun die Fragen im Arbeitsbuch durch.

15.
LIEBES SPECIAL

Einen anderen Menschen nicht nur zu lieben, sondern auch von ihm/ihr geliebt zu werden, ist eines der schönsten Dinge im Leben. Es ist auch gleichzeitig einer der größten Schmerzpunkte im Leben vieler Menschen, welche hier Wunden mit sich tragen. Ich habe es in meinem Leben geschafft, das Dreieck Business, Selbst und Beziehungen absolut zu maximieren, und ein wichtiger Teil davon ist, dass mir meine Frau Bettina so sehr dabei hilft. Wir wissen, dass Liebe und Partnerschaft auch Arbeit bedeutet, und damit wir uns gegenseitig nie vernachlässigen, wurde sie von uns beiden zum Oberbefehlshaber auserkoren: Sie ist in unserer Beziehung die sogenannte „Beziehungsbeauftragte". Das klingt schlimmer, als es ist. Eigentlich ist es nur von uns ein Zeichen, dass uns unsere Liebe unendlich wichtig ist. Ich habe Bettina daher gebeten, gemeinsam mit mir zu reflektieren, wie unsere Liebe in all der Hektik rund um Business und Zeit für uns selbst funktioniert.

Julian: „Danke, dass wir das gemeinsam schreiben, mein Schatz. Vielleicht beginnen wir direkt mit der Frage, warum in Anbetracht von Timehorizon heutzutage so viele Beziehungen strauchln. Nehmen sich Menschen nicht mehr die Zeit, oder woran liegt das deiner Meinung nach, bzw. warum scheint dies bei uns so gut zu funktionieren, obwohl wir beide unglaublich busy mit Business und uns selbst sind?

Worauf fokussieren wir uns, dass dies zu klappen scheint?"

Bettina: „Ja, spannende Frage. Noch nie war es so einfach, eine SMS zu schicken, durch WhatsApp oder Facetimecalls mal schnell die Stimme, oder sogar das Gesicht seiner/ihres Liebsten zu sehen. Man kann 24 Stunden am Tag und 7 Tage die Woche verbunden sein. Wenn man dies mit der Zeit vor knapp zwanzig Jahren vergleicht, also mit der Zeit vor dem Smartphone, stellte allein die Kontaktherstellung eine Herausforderung dar. Ging einer der Partner damals auf Reisen, hörte man oft tagelang, oder zum Teil wochenlang nichts voneinander. Wenn dann der Partner/die Partnerin wieder nach Hause kam, gab es allerdings viel zu erzählen."

Julian: „Glaubst du, dass dieses ständige Verfügbarsein uns daher die Wichtigkeit für gemeinsame, tiefgründige Momente verschleiert?"

Bettina: „Ich glaube, es liegt an mehreren Dingen. Wir – die Generation rund um 30+ – sind möglicherweise die erste Generation, in welcher sich zum einen Rollen vermischt oder vertauscht haben, und zum anderen Werte, wie eine Beziehung geführt werden sollte, verändert haben. Schaut man sich die Beziehungen vor etwa einem halben Jahrhundert an, war die Rollenverteilung bis auf ein paar sehr, sehr vereinzelte Ausnahmen ganz klar geregelt: Männer waren dafür zuständig, Geld nach Hause zu bringen und für die Familie zu sorgen. Frauen kümmerten sich um die Erziehung der Kinder und um den Haushalt. In erster

Linie war eine Beziehung zwischen Mann und Frau dazu da, um Sicherheit und Stabilität für beide Seiten zu gewährleisten. Solange diese Hauptpunkte sichergestellt werden konnten, war alles andere erst einmal zweitrangig.

Heute sieht dies anders aus. Für Sicherheit und Stabilität trägt mittlerweile jeder Mensch in der Beziehung Verantwortung, Frauen gehen genauso zur Arbeit und machen Karriere wie Männer, und Männer bleiben zu Hause und kümmern sich um die Erziehung der Kinder. Hier gibt es natürlich eine Million Nuancen, aber ich denke, du verstehst, was ich damit andeute. Da die Werte von Sicherheit und Schutz/Stabilität nicht mehr im Fokus liegen, sind andere Werte in den Vordergrund gerückt."

Julian: „Welche zum Beispiel?"

Bettina: „Als Frauen wollen wir, dass unser Partner abenteuerlich ist, Spaß macht, dass wir stets etwas Neues erleben, dass er ein Familienmensch, aber dennoch unabhängig ist, dass er sportlich, unternehmungslustig, aber kein Draufgänger, und, und, und ist. Bei Mann zu Frau verhält sich dies nicht viel anders: die Traumfrau sollte Karriere machen, sich um die Kinder kümmern, sexy sein, gebildet, und, und, und. Die Erwartungen sind riesig, doch aufgeheizt durch allzu schöne Fotos auf Social Media und Stereotypen in Filmen, meist nicht realistisch."

Julian: „Wie denkst du, passt dies alles mit Timehorizon zusammen?"

Bettina: „Ein Punkt der besonders gefährlich ist und leicht übersehen wird, ist, dass eine Beziehung ziemlich lange vor sich hin dümpeln kann und dabei Schritt für Schritt vom aufregenden Besonderen in eine Art Langeweile oder Alltag verfällt. Ganz schleichend – eine nach der anderen – stellen sich Kleinigkeiten ein, welche uns am Partner auffallen und stören. Zunächst scheucht man diese Gedanken noch weg, denn alles scheint in bester Ordnung, doch diese kleinen nagenden Gefühle beginnen, sich in unserem Unterbewusstsein zu stapeln. Da wir zwar in ständiger Kommunikation mit unserem Partner sind, zumeist aber verlernt haben, richtig zu kommunizieren, wird dieses eine Sandkorn an Zweifel ein ganzer Berg. Wenn wir es dann schlussendlich realisieren und gerne ändern möchten, verstehen wir oftmals nicht mehr, wann wir übersehen haben, die richtige Abzweigung zu nehmen, um der stolpernden Beziehung eine Wende zu geben.“

Julian: „Wie machen wir das, sodass dies bei uns so toll klappt?“

Bettina: „Wie Timehorizon schon besagt, ist der Knackpunkt der Fokus auf das wirklich Wichtige. Weniger ist hierbei oftmals mehr. Zum Beispiel sind das bei uns fünf unterschiedliche Fixpunkte!“

Julian: „Magst du die beschreiben?“

Bettina: „Gerne. Erstens unsere **Wöchentlichen Date-Nights**: Mal ein richtig fancy Essen im Steakrestaurant mit Wein, mal ein gemütlicher Spaziergang, mal eine Couple-massage im Spa. Hier kommt es überhaupt nicht darauf an, dass Dinge teuer oder aufwändig sind. Der Hauptfokus liegt vielmehr darauf, dass wir ohne Ablenkungen – also kein Handy, Computer oder Ähnliches – miteinander sprechen und gemeinsame Zeit verbringen.

Julian: „Wir tragen die auch immer in den Kalender ein, sodass sie auch tatsächlich passieren. Das ist schlussendlich Work-Life-Balance – es geht nicht darum, ständig aufeinander zu hocken, sondern vielmehr darum, Qualitätszeit miteinander zu verbringen."

Bettina: „Ganz genau. Als nächstes haben wir **Monatliche Beziehungsgespräche**: Bei diesen 1:1 Gesprächen geht's wirklich ans Eingemachte. Jeder von uns muss vorbereitet zum Gespräch kommen. Hier gehen wir aktuelle Themen durch. Neue Ideen, Herausforderungen, etc."

Julian: „Ja – zu oft schleichen sich sonst Probleme ein. Wenn man diesen proaktiv entgegengeht, hilft das langfristig ungemein. Welche Dinge arbeiten wir hier meist durch?"

Bettina: „Dinge wie:

Wofür wir in unserer Beziehung besonders dankbar sind.

Was man sich in unserer Beziehung vom anderen mehr wünscht bzw. etwaige neue Ideen.

Welche Verbesserungen es geben könnte.

Irgendwelche Red-Flags, also etwas, das einen massiv stört."

Julian: „Wie schaffen wir es, wirkliche Tiefe in unsere Beziehung zu bringen?"

Bettina: „**Viertel Jährliche Couple-Short-Trips**: Diese kurzen Reisen sind meist ein Wochenende, in welchen wir ganz bewusst miteinander Zeit verbringen. Gemeinsame Aktivitäten stehen im Vordergrund: Gemeinsam Wandern gehen, Golfen, etwas angucken, usw. Wir haben ja teilweise sehr unterschiedliche Hobbys, sind aber beide gerne aktiv und sehen gerne etwas Neues. Solche Dinge müssen wiederum überhaupt nicht teuer sein, sie bedürfen lediglich Kreativität und es geht besonders darum, gemeinsame, unvergessliche Erlebnisse zu kreieren. Wir hatten zum Beispiel fantastische 1:1 in der Badewanne oder mit einer Decke unter den Sternen. Gleichfalls hatten wir auch tolle Wochenenden in einem Baumhaus oder beim Wellnessen, welche uns teilweise tausende Euros gekostet haben. Beides funktioniert. Entscheidend ist, dass man diese Dinge auch wirklich macht."

Julian: „Diese Time-Outs aus dem Alltag helfen mir immer am meisten."

Bettina: „Mir auch – ganz besonders ist immer der jährliche **Couple-Summit**, welchen wir meistens im Januar oder Februar eines Jahres machen. Er ist anstelle eines Couple-Short-Trips, jedoch mit einer fixen Agenda und wiederkehrenden Übungen. Hier reflektieren wir über das vergangene Jahr, definieren Ziele für das kommende Jahr und fokussieren uns einfach wirklich auf uns selbst. Keine Ablenkungen, kein Social Media, kein Handy, etc."

Julian: „Wir haben zwar noch keine Kinder, doch würden wir diese hier dabeihaben?"

Bettina: „Nein! Die Beziehung muss auf jeden Fall an erster Stelle stehen. Wenn wir Kinder haben, würde ich diese hier definitiv zu den Großeltern oder jemand anderes geben, der dann auf sie aufpasst."

Julian: „Ich denke, das machen viele Pärchen falsch und nehmen die Kinder immer mit. Wo siehst du sonst Fehler?"

Bettina: „Wichtig ist, dass der Wunsch zur Besserung von beiden kommen muss, sodass nicht einer zum „Nachläufer" oder „Bettler" wird. Einsatz und Fokus zum Zeittausch muss von beiden kommen. Nur so funktioniert Timehorizon in einer Beziehung."

Julian: „Wie versuchen wir, uns stetig zu verbessern?"

Bettina: „Wir probieren viel Neues aus. Was wir zum Beispiel dieses Jahr mit aufgenommen haben, ist ein **Couple-Seminar** bei einer externen Person."

Julian: „Warum machen wir das bei einer externen Person und nicht nur für uns selbst?"

Bettina: „Pärchen glauben immer, das meiste bei Beziehungen schon zu kennen, denn letztlich sind es ja „nur" zwei Menschen. Dass es hier jedoch ständigen Lernbedarf gibt, vergessen wir nur all zu gern. Gepaart mit dem Fakt, dass wir noch keine Generation zum Vorleben hatten, ergibt es unserer Ansicht nach ganz besonders Sinn, hier jemanden von außerhalb hinzuzuziehen, von dem man lernen kann."

Julian: „Alles Genannte hört sich nach viel Arbeit an. Warum diese ganze Arbeit, wenn doch alles so gut läuft?"

Bettina: „Das ist Timehorizon in einer Beziehung! Damit es weiterhin so toll bleibt oder, wenn es noch nicht so toll ist, damit es so besonders wird! Quantität bringt gerade bei Beziehungen nicht automatisch Qualität. Man steckt sich langfristige Beziehungsziele und teilt diese in kleine Schritte herunter. Genau das machen wir über diese Fixpunkte. Macht man das nicht, dauert es nicht lange und die Beziehung wird eher wie ein fader Kaugummi ohne Leidenschaft."

Julian: „Hast du sonst noch ein paar taktische Tipps neben diesen Beziehungsstrategien?"

Bettina: „Ja, vor allem Kommunikationsregeln sind wichtig. Nahezu jedes Paar, das ich kenne und eine glückliche Beziehung führt, hat hierfür unterschiedliche Regeln. Dies bedeutet, dass sie Wege festgelegt haben, wie sie in der Beziehung miteinander umgehen. Das Allerwichtigste ist: Diese Regeln, wie auch immer diese aussehen mögen, müssen von beiden ausgearbeitet werden und beide verpflichten sich, diese zu befolgen. Zu keiner Zeit, dürfen diese Regeln gebrochen werden, und wenn doch, gibt es sofort einen „Hard-Stop". Diese Regeln sind Grenzen, die nicht überschritten werden dürfen, egal ob die Emotionen hochkochen, oder in welcher Situation man sich gerade befindet. Sollte dies dennoch passieren, dient dieser Hard-Stop dazu, sich zu besinnen, eine Pause zu

machen und sozusagen den „Sandkasten" zu definie
ren, in welchem man „spielen" darf.

Hier sind unsere Grundregeln der Kommunikation:

Machtwörter sind tabu. Kein Beschimpfen des anderen, kein „unter die Gürtellinie" gehen.

Keine Absolute wie „nie, niemals, immer, ständig
usw." Der Grund hierfür ist einfach: Aussagen, wie
„Nie machst du…", „Immer tust du…" sind niemals
akkurat. Mag sein, dass etwas häufig vorkommt, aber
sicher nicht immer oder niemals. Speziell in negativen
Konnotationen verzichten wir in unserer Beziehung
deshalb komplett auf diese Wörter.

Generell ein respektvoller Umgang. Jeder hat einmal
eine **Meinungsverschiedenheit**, dies gibt jedoch
niemandem das Recht, den anderen runterzumachen.
„Behandle den anderen so, wie du gerne behandelt
werden möchtest." Dies bedeutet zudem auch, dem
anderen wirklich zuzuhören (nicht nur der Antwort
wegen) und ihn/sie aussprechen zu lassen.

Rücksicht auf **persönliche Präferenzen**: Du, Julian,
bist beispielsweise ein Mensch, der bei Streitgesprä-
chen gerne etwas auf Abstand geht, damit sich Emotionen beruhigen können, während ich jemand bin,
der die Dinge gerne gleich geklärt haben möchte. Es
ist eine Balance, beide Interessen zu wahren. Immer
überlegen: Was ist hier die eigene Präferenz? Welche
die des Partners?

No Bitching: Unsere schmutzige Wäsche wird zu

Hause und nicht woanders gewaschen. Kein schlechtes Reden über den Partner hinter dem Rücken bei Freunden, Bekannten, etc.

Julian: „Danke Schatz, ich denke, das hilft den Lesern ungemein, den Fokus auf das wirklich Wichtige in ihrer Liebesbeziehung zu legen!"

Du siehst, bei einer Liebesbeziehung muss Timehorizon von beiden Partnern gelebt werden, sonst klappt dies nicht. Am Ende möchte ich dich dazu einladen, diesmal gemeinsam mit deinem Partner, die Aufgaben im Arbeitsbuch zu machen.

16.
WACHSTUM SPECIAL

Bei den letzten Specials wusste ich, dass ich meinen Mentor mit diesen Themen nicht belagern konnte, um mir von ihm Tipps zu holen.

Mein Mentor war in vielem wirklich gut, doch erstens hatte er keine erfüllende Liebesbeziehung und zweitens war er absolut kein Networker. Sobald es jedoch zu persönlichem Wachstum und Weiterbildung geht, war er abermals der Mann der Stunde. Also schrieb ich ihm eine E-Mail mit einigen der Fragen, welche ich zu diesen Themen hatte:

Hast du irgendwelche Geheimtipps, um schneller und besser zu lernen und somit den Zeittausch effizienter zu machen?

Welche Bücher würdest du ganz besonders empfehlen, um meinen Fokus auf das wirklich Wichtige zu verbessern?

Im Prinzip hatte ich nur diese beiden Fragen – ich wusste, je weniger Fragen ich ihm vorab stellen würde, desto eher kam eine Antwort zurück und das Gespräch wäre freier. Das Telefonat fiel wieder einmal mitten in die Nacht – egal, es war es Wert!

„Also, schieß los, was willst du von mir wissen?", hob er das Telefon ab.

„Gib mir einfach ein paar Tipps, damit ich mich noch

besser fortbilde!", forderte ich ihn heraus.

„Wenn du mir solche Dinge sagst, lege ich am liebsten wieder auf! Du weißt, dass ich nicht dein Life-Coach bin", entgegnete er forsch.

„Ja, das verstehe ich, doch weiß ich nicht, mit welcher Frage ich beginnen soll! Ich mache ja schon viel Persönlichkeitsentwicklung. Was kann ich verbessern?" antwortete ich verunsichert.

„Schau, Julian, das machst du doch schon gut – du kennst den Spruch: Wer rastet der ..."

„...rostet!" vervollständigte ich seinen Satz, „wie kann ich also nicht rosten?"

„Ganz einfach, indem du „jung bleibst"", gab er von sich.

„Und wie soll ich das machen? Stammzellentherapie?"

„Nein, ganz einfach: Indem du offen für Neues bleibst, dich fortbildest und dich nie an alten Konzepten festfährst", inspirierte er mich.

„Das mach ich doch eh schon", fügte ich hinzu.

„Machst du das wirklich?", wollte er wissen. „Oder steckst du in einer Lern-Bubble?"

„Was soll das sein?"

„Du hörst dir viele Podcasts an, liest Bücher und bildest dich fort. Wenn du immer nur dieselben Dinge von den gleichen Leuten lernst, wirst du dich irgendwann nicht mehr verbessern. Probiere immer wieder etwas komplett Neues aus. Du liebst Wissenschaften, lerne deshalb etwas über Spiritualität. Du liebst Mathematik, lerne also eine Sprache. Lerne eine neue Sportart usw. Bilde dich so breit es geht fort, damit du zu einem **Polymath** wirst – jemand, der sich in vielen Bereichen exzellent auskennt", lehrte er mich.

„Ich habe dann Angst, dass ich meine Zeit verschwende. Ich will doch Dinge lernen, die ich als wichtig empfinde!", entgegnete ich ihm.

„Du weißt oft gar nicht, wofür du die Dinge, welche du lernst, einmal brauchen kannst. Oft lernst du eine Sprache und denkst dir, was für eine sinnlose Investition deiner Zeit. Ein paar Jahre später kommt dann der Moment, wo du das Gelernte brauchen kannst. Wie Steve Jobs schon einmal gesagt hat, verbinden sich die Punkte nur beim Zurückschauen, nicht beim Nach-vorneblicken! Schau dir dein Medizinstudium an – du arbeitest zwar nicht mehr als Arzt, doch wie oft kannst du von den sechs Jahren heute noch profitieren", ließ er mich wissen.

Ich nickte zustimmend und er fuhr fort: „Neue Dinge lernen, ist eines der wenigen Dinge, wie du „**Zeit erkaufen**" kannst. Indem du von den Fehlern anderer Menschen lernst, brauchst du ihre Fehler nicht auch noch machen und bist deutlich schneller am Ziel, als wenn du zuerst alle Fehler selbst machen müsstest. Lernen und Wachstum ist also ein tägliches „Muss" und absolut nicht verhandelbar, wenn „scheinbar wichtige

Dinge" deine Zeit stehlen wollen. Außerdem macht dich persönliches Wachstum glücklich – die Evolution hat dich so programmiert. Wenn du jedoch etwas lernst, hast du immer mehrere Dimensionen, die du lernen kannst und welche essenziell für Timehorizon sind."

„Was meinst du damit?", hakte ich nach.

„Schau, wenn du ein Buch liest, wirst du dich zumeist auf das „Was" fokussieren. Was ist der Inhalt, was steht drin, was sind die Fehler, was sind die Lektionen, usw. Dies ist schon einmal gut für deinen Timehorizon. Doch die nächste Ebene geschieht, wenn du dich das „Warum" fragst. Warum erwähnt der Autor diese Sache genau jetzt, warum versucht er, genau dieses eine Gefühl genau jetzt in dir auszulösen, oder warum hat er das Buch überhaupt geschrieben, usw.? So gelangst du sofort auf eine neue Ebene des Lernens und kannst ganz anders mit deiner strategischen Planumsetzung umgehen. Vielleicht solltest du etwas ähnlich machen wie der Autor, oder doch etwas ganz anderes. Es geht nicht mehr um den Inhalt selbst, sondern um die Gründe dahinter."

Ich hatte noch nie darüber nachgedacht, doch plötzlich ergab dies wirklich Sinn: „Lass mich raten, die letzte Ebene ist das „Wie", oder?"

„Ganz genau", freute er sich. „Hier denkst du darüber nach, wie der Autor seine Gründe und den Inhalt an dich kommuniziert. Welche Werkzeuge nutzt er und wie kannst du dies selbst für dich nutzen. Viel zu wenige Menschen tun dies und es fehlen ihnen dann Bausteine, wenn sie etwas Gelerntes dafür nutzen wollen, um ihren Timehorizon zu erweitern."

„Hast du hier vielleicht ein Beispiel?", bettelte ich ihn.

„Klar, **Biografien über Menschen**, zu denen du hochschaust", verriet er mir. „Meist sind diese Bücher nicht nur mit richtig guten Tipps gespickt. Wenn man tiefer über die Gründe und Mittel des dargestellten Menschen nachdenkt, hat man eine Erleuchtung nach der anderen. Ich weiß ja, dass du ein Buch pro Woche liest. Wie viele Biografien befinden sich denn darunter?"

„Zu wenige", gab ich zu.

„Dann fang an!", befahl er mir. „Und gib mehr Geld fürs Lernen aus!"

„Warum denn? Sollte ich nicht so effizient wie möglich hierbei sein?", gab ich verwirrt zu.

„Schon, aber je mehr Schmerz, desto eher ein Resultat. Wenn du dir also ein Buch kostenlos runterlädst, ist die Wahrscheinlichkeit, dass du etwas daraus machst, nicht allzu hoch. Wenn du jedoch ein Programm für 50.000 Euro durchziehst, willst du auch etwas dafür haben. Dein Landsmann Arnold Schwarzenegger sagte immer schon: **No pain, no gain**. Ohne Schmerz, kein Fortschritt. Natürlich alles in der richtigen Dosis, das weißt du eh. Doch Timehorizon funktioniert nun mal so."

„Okay, habe ich mir notiert. Hast du sonst ein paar

Tipps?", hakte ich nach.

"Ja, brich gerade deine Lernziele in kleine Teilschritte herunter, so wie das Timehorizon fordert. Wenn du eine Sprache lernen willst, lerne fünf Vokabeln jeden Tag und richte es dir so ein, dass du dies in den unterschiedlichsten Momenten tun kannst, um immer proaktiv und nicht reaktiv zu bleiben. Dies ist wahrscheinlich das Geheimnis vieler Menschen, die sich scheinbar immer weiterentwickeln – in kleinen Schritten nach ganz oben."

"Top", freute ich mich.

"So, dabei wollen wir es heute einmal belassen. Du bist hier eh auf einem guten Weg. Setze diese Dinge lieber sorgfältig um. Wir hören uns!", und weg war er. Ich befand mich zwar wirklich schon auf einem guten Weg, doch seine Tipps waren wertvoll.

Lass mich dir hier zum Schluss noch ein paar klare Taktiken geben, welche ich seitdem regelmäßig verwende:

Ich nutze für mich **NEZ und EZ**. Dies bedeutet Nicht-Extra-Zeit und Extra-Zeit.

NEZ (Nicht Extra Zeit) bedeutet zum Beispiel, wenn ich mich während anderer Tätigkeiten wie dem Sport, der Hausarbeit oder dem Autofahren mit **Audiobüchern oder Podcasts** fortbilden kann.

Wenn ich **Telefonate** führe, gehe ich gerne gleichzeitig draußen spazieren. So bin ich an der frischen Luft, bleibe fit und mache Business.

Extra-Zeit (EZ) sind Dinge wie **Bücher lesen, Seminare besuchen oder informative Dokus bzw. Videos schauen.**

Ich gebe regelmäßig zirka **10 Prozent von meinem Einkommen** für Persönlichkeitsentwicklung aus.

Spiritualität wie Meditation, Beten, etc. ist wichtig. Jeder hat seinen eigenen Weg hier. Baue also regelmäßig Pausen in deinen Tagesablauf ein, in denen du konstruktiv über etwas Tieferes nachdenken kannst, als nur über das hektische Auf und Ab des Alltags.

Nutze **Apps auf dem Smartphone** zum Lernen, wo du Einheiten von teilweise nur kurzen fünf Minuten machen kannst. Diese passen perfekt in kleine „Untätigkeitszeiträume", und so bist du nicht verleitet, Zeit auf Social Media wertlos zu tauschen.

Meditieren mache ich mit Headspace oder 7 Mind.

Programmieren lerne ich mit Enki.

Sprachen lerne ich auf Duolingo.

E-Books lese ich auf der Kindle App.

Hörbücher höre ich mit Audible.

Tipp: Mit diesem Link kannst du kostenlos ein Audiobuch hören: https://amzn.to/2Eu85qR.

YouTube Videos lade ich mir zuerst herunter. Viel zu leicht driftet man sonst hier in das Konsumieren von wertlosen Inhalten ab.

Ich **reflektiere** regelmäßig und versuche, mich täglich zu bessern. Um nicht zu übertreiben, versuche ich lediglich immer eine Sache von einem Tag auf den anderen zu ändern, nie zu viele Dinge gleichzeitig.

Ich hoffe, diese Strategien und Taktiken helfen dir, deinen Timehorizon durch persönliche Weiterentwicklung zu verlängern. Reflektiere am Ende mit den Fragen im Arbeitsbuch.

17.
GESUNDHEITS SPECIAL

Da ich zu diesem Thema ein ganzes Buch schreiben könnte, brauchte ich meinen Timehorizon Mentor zu diesem Thema erneut nicht befragen. Denn sagen wir mal so: Jeder hat seine Schwächen ☺. Auch wenn ich gerade als Mediziner hier eine sehr stark formierte Meinung habe, möchte ich dir hier trotzdem eher einen Überblick über ein paar meiner wichtigsten Konzepte geben und erklären, wie diese mit Timehorizon zusammenpassen.

Als Wissenschaftlicher versuche ich, so gut es geht darauf zu achten, dass all meine persönlichen Ansätze zum Thema Gesundheit auf zahlreiche Studien und nicht auf irgendwelchen moralischen oder gesellschaftlichen Dogmen basieren. Wenn du tiefere Details zu meinen Ideen und Gedanken wissen willst, kann ich dir das Anti-Komfortzone-Programm im Vertiefungskapitel ans Herz legen.

Das Thema Gesundheit, Ernährung und Sport ist mit Vorurteilen extrem vorbelastet. Medien, Erziehung und Kultur haben ihren Anteil daran. Starten wir also mit der Frage, was Gesundheit ist. Abwesenheit von Krankheit? Die volle Funktion des menschlichen Körpers? Volles Wohlbefinden? Egal wen man fragt, man wird unterschiedliche Definitionen dafür bekommen. Vor Timehorizon bedeutete Gesundheit für mich, mich total wohl zu fühlen, unter 10 Prozent Körperfett zu haben, gut auszusehen, und perfekte Laborwerte zu haben. Doch dann realisierte ich, dass der einzige Zweck meines Körpers eigentlich derjenige war, die Verbindung meines Geistes und Gehirns zur Außenwelt zu schaffen. Dies bedeutete, Ideen umzusetzen, Liebe zu empfangen, Spaß zu haben und vieles mehr. Dadurch änderte ich meine persönliche Definition für Gesundheit, und sie lautete nun:

Gesundheit = Energie

Der Grund für diese simple Definition ist einfach: ich kenne so viele Leute, welche zwar klinisch gesund sind, dennoch nichts im Leben zustande bringen. Sie haben zwar Ziele und Wünsche und scheinen so ziemlich alles richtig zu machen, doch wenn man sie fragt, warum sie denn nichts auf die Reihe bringen, antworten sie: „Mir fehlt einfach die Energie!" Ein Onkel von mir ist seit Jahren auf einen Rollstuhl angewiesen. Aus medizinischer Sicht ist er definitiv nicht gesund, doch er strotzt nur so voller Energie, und kann daher all die Dinge umsetzen, welche er sich immer schon erträumt hat. Genau das sollte auch dein Ziel sein: Maximale Energie, um all deine Träume, Ziele und Wünsche umsetzen zu können und dies bis ins hohe Alter.

Wenn wir von Energie oder Gesundheit sprechen, reden wir meist von drei unterschiedlichen Kategorien:

1. Körperlich

2. Spirituell

3. Mental

Im Kapitel zuvor haben wir bereits ein wenig über **spirituelle und mentale Gesundheit** gesprochen, fokussieren wir uns hier also auf die **körperliche Gesundheit**. Gerade hier ist es bei Timehorizon wichtig, Unperfektes länger umzusetzen als etwas Perfektes nur kurz. Wenn sich jemand zum Beispiel eine Diät verordnet, welche eigentlich perfekt auf ihn zugeschnitten wäre, diese jedoch nur drei Tage durchhält und sich dann wieder ungesund ernährt, hilft das gar nichts. Ganz im Gegenteil – es ist sogar kontraproduktiv aufgrund des berühmten Jo-Jo-Effekts. Meine zehn Gesundheitsregeln, nach welchen ich mich richte, haben also vor allem drei Ziele:

1. Sie geben mir mehr Energie.

2. Sie kombinieren Timehorizon mit Wohlbefinden.

3. Ich kann sie langfristig umsetzen.

Gehen wir die folgenden zehn Regeln gemeinsam durch:

1. Die **Lymphe**, was das körpereigene „Abflusssystem" darstellt, zu aktivieren, wird oft vernachlässigt, weil man sie nur so selten spürt. Genau deshalb ist sie jedoch nach dem Timehorizon Prinzip so wichtig. Ich weiß also, wie wichtig dies ist und kann das nachhaltig und langfristig umsetzen, indem ich zum Beispiel in der Früh gleich ein paar SitUps, Kniebeugen oder Liegestütze mache und zusätzlich tief ein- und ausatme. Irgendwelche komplexen Übungen, Geräte oder sonst was sind mir zu aufwändig und ich würde das langfristig nicht durchziehen.

2. Ich trinke prinzipiell nichts anderes als **Wasser oder Tee**. Eine der größten Gesundheitsrisiken stellen unnötige Kalorien durch zuckerhaltige Getränke dar. Ich trinke auch keinen Kaffee, auch wenn ein oder zwei Tassen am Tag laut Studien recht vorteilhaft wären. Ich bin dann jedoch der Extreme und trinke gleich zehn Tassen. Deshalb also lieber gar keinen Kaffee für mich. Manchmal hilft es, ein wenig Salz zu den Getränken hinzuzufügen. Habe keine Sorge vor der schlechten Presse, die ist hier absolut übertrieben. Bei Nahrungsmitteln achte ich auch darauf, dass sie einen hohen Wasseranteil haben. All dies lässt sich für mich nachhaltig umsetzen und kostet auch nicht viel Geld.

3. Ich halte meinen **Kohlehydratanteil** in meiner Ernährung auf einem absoluten Minimum. Wann immer es möglich ist, achte ich darauf, dass sich weniger als 5 Prozent einer Mahlzeit aus Kohlehydraten zusammensetzen. Das bedeutet, dass ich nur selten Getreide, Reis, Kartoffeln, Nudeln und auch keine Früchte esse. Ja, auch keine Früchte – denn diese enthalten Fructose, welche mein Energielevel senkt. Hier muss man einfach ein bisschen reflektieren und schauen, wie sich das langfristig auswirkt. Ich esse viele Ballaststoffe, also vor allem Gemüse, Salate und Produkte aus der Konjakwurzel. Einzige Ausnahme, welche ich hier zu vermeiden versuche, sind Nachtschattengewächse, also Tomaten, Paprika, etc., weil diese laut eigenen Labormessungen meine Entzündungswerte erhöhen. Gerade am Anfang macht es bei einer solchen ketogenen Ernährung Sinn, dass du deine Ketonkörperchen im Blut messen lässt. Je höher diese sind, umso stärker ist deine Ketose.

Ich nutze hierfür das folgende Gerät:

http://bit.ly/KetoMojoTracker oder hier:

http://bestketonetest.com.

<u>Achtung:</u> Du solltest eine ketogene Ernährung immer mit deinem Arzt absprechen und wenn du chronische Erkrankungen hast, schwanger bist oder stillst, muss ich dir davon abraten.

4. Nachdem die meisten Menschen ihre Energie aus Kohlehydraten gewinnen, ich das jedoch absolut nicht empfehle, muss die Energie aus anderen Quellen stammen. **Gesunde Fette und Öle** eignen sich hier ganz besonders. Ich selber esse weder vegan noch vegetarisch, bin hier auch weder pro noch contra. Wichtig ist einfach, dass man sich wohl und energetisch gut fühlt. Wenn die eine oder andere Variante für dich passt, dann ist das top! Gerade bei tierischen Produkten ist enorm wichtig, woher diese kommen. Wenn man nämlich die negative Presse über Fleisch liest, so liegt das meistens daran, weil das Fleisch aus schlechter Haltung stammt oder die Tiere mit vielen Medikamenten behandelt wurden. Grundsätzlich bekomme ich meine Kalorien hier aus Olivenöl, Fischen, und Eiern. Rind und Huhn esse ich auch, jedoch nicht zu viel. Samen und Nüsse machen in dieser Kategorie absolut Sinn, auch wenn man bei dem extrem hohen Energiegehalt ein bisschen aufpassen muss.

5. Der nächste Punkt ist **Eiweiße**, welche ich sowohl von tierischen als auch pflanzlichen Produkten bekomme. Von Milchprodukten kann ich abraten, da

wir Menschen teilweise nicht nur absolut intolerant gegenüber dem Milchzucker sind, sondern weil sich viele zusätzliche Stoffe darin befinden, welche nicht wirklich gut für unseren eigenen Stoffwechsel sind. Vergiss die ganze Panikmache über Kalzium, welches in der Milch so reichlich vorhanden sein soll, jedoch von unserem Darm in dieser gebundenen Form nicht wirklich aufgenommen werden kann. Mein Alternativtipp: Mandelmilch.

6. Außerdem ein **Nein zu Drogen**, wie Alkohol, Zigaretten und jegliche andere toxische Form von legalen oder illegalen Stoffen. Klar, das ein oder andere Glas Wein passt schon, doch bloß nicht im Exzess.

7. Drei- bis viermal pro Woche mache ich aerobes **Körpertraining**, also vor allem Laufen, Radfahren oder andere nicht zu intensive Sportarten, welche keine Spitzenintensität erfordern. Zwei- bis dreimal pro Woche gehe ich ins Fitnessstudio. Wenn du das Ergebnis einer schockierenden Studie hören willst, will ich es dir sagen: Wenn Menschen versuchen, abzunehmen, und dabei mehr Sport machen, ist die Wahrscheinlichkeit höher, dass sie zunehmen, als bei all jenen, welche weniger Sport machen, sich jedoch besser ernähren. Wenn du dies genauso ungläubig liest, wie ich damals, lass mich dir erklären warum das so ist. Wenn Menschen, welche normal nicht so viel Sport machen, die aktiven Stunden erhöhen, benötigen Sie natürlich auch eine erhöhte Energiezufuhr. Oft geschieht das in einem ungleich höheren Ausmaß, sodass diese Personen danach eher zu- als abnehmen. Wenn du also Gewicht verlieren willst, achte auf jeden

Fall viel mehr auf deine Ernährung, als auf Sport. Ein bisschen Bewegung ist wichtig, übertreibe es jedoch auf keinen Fall, wenn du Fett verlieren und Muskeln aufbauen willst. Ebenso ist Muskelkater und das damit verbundene Laktat absolut kontraproduktiv für einen effizienten Energieoutput. Außerdem spiele ich regelmäßig Basketball, Golf, Tennis oder gehe Kitesurfen. Sport sollte also nicht immer nur der Gesundheit wegen passieren, sondern dir so oft wie möglich viel Spaß bringen.

8. Hier ist eine Liste der **Nahrungsergänzungsmittel**, welche ich nehme:

Eiweiß Pulver vor allem nach dem Sport

Kreatin: 5 mg Kreatin / Tag

Omega3 Algen Öl (vegan): 2–3 g / Tag

MCT Öl: 2–3 EL / Tag

Kein Multi-Vit oder Anti-Oxi ... doch viel Gemüse und VitD3 zirka 3.000 I.E. / Tag

Magnesium: 400 mg / Tag

Zink: 50 mg / Tag am Abend

EGCG (Wirkstoff in Grünem Tee): 200 mg 1–2 x pro Tag für extra Energie Boost

Greens / Superfood Pulver: 1–2 Portionen / Tag

Glucomannan Kapseln = Konjakwurzel: 3–4g / Tag

9. All das versuche ich sechs Tage pro Woche durchzuziehen. Einmal pro Woche habe ich einen sogenannten **Schummel-Tag**, an dem es keine Regeln gibt. Dies ist erstens dafür wichtig, dass das Ganze langfristig Spaß macht und Abwechslung bringt, und zweitens, dass ich natürlich auch soziale Veranstaltungen ohne Probleme besuchen kann, ohne ein komisches Essverhalten aufbringen zu müssen. Dies kann ich dir auch absolut empfehlen! Außerdem mache ich immer ein Schummel-Wochenende pro Monat und eine Schummel-Woche pro Jahr, welche meistens in die Woche zwischen Weihnachten und Neujahr fällt.

10. Für jeden Schummel-Tag, jedes Schummel-Wochenende und jede Schummel–Woche gibt es einen **Fastentag**, ein Fastenwochenende und eine Fastenwoche. Wissenschaftliche Studien belegen eindeutig die Wirksamkeit von solchen Nahrungsaufnahmeunterbrechungen. Entartete Zellen zum Beispiel, welche sich noch in einem jungen Stadium befinden, können so auf wirksamste Art und Weise am Wachstum gehindert werden. Gleichzeitig werden unser Stoffwechsel so immer wieder resettet und Rezeptoren sensibilisiert. Gerade der Überfluss von etwas verursacht oft Insuffizienzen in unseren Organen. Außerdem achte ich darauf, maximal acht Stunden am Tag etwas zu essen. Wenn ich also zum Beispiel um 8:00 Uhr frühstücke, ist meine letzte Mahlzeit um 16:00. Falls du das noch weiter optimieren willst, mache die Fastentage VOR den Schummel-Tagen. Studien belegen, dass die eigene Hormonausschüttung durch diese Kombination noch weiter optimiert wird.

Ein wichtiger Punkt ist natürlich, dass Essen immer schon ein Grundbestandteil unseres Überlebens war. Ohne Nahrungszufuhr sterben wir. Heutzutage ist dies jedoch viel mehr als nur ein rein biologisches Bedürfnis. Wir verbinden damit Belohnungen, **soziale Interaktion, Vorhersehbarkeit und Überraschungen**. Achte also darauf, dass du dich nicht jedes Mal mit Essen belohnst, nur weil du etwas toll gemacht hast. Für jemanden anderes, der zum Beispiel Abwechslung im Leben braucht und sonst relativ strikt und rigide ist, kann abwechslungsreiches Essen sein Grundbedürfnis nach Neuem befriedigen. Beides würde vom eigentlichen Ziel, nämlich der Energiezufuhr, ablenken und zu einer destruktiven Einstellung gegenüber Essen führen, welche in unserer Gesellschaft mittlerweile jedoch leider sehr prävalent geworden ist. Gerade beim Thema Gesundheit ist Timehorizon also besonders wichtig, denn du hast deine Gesundheit nur einmal.

Lass mich dir hier ein reales Beispiel meiner Ernährung eines Tages geben – das ganze tracke ich kostenlos über die App MyFitnessPal.

Aufstehen 6:00 Uhr:

1 L Wasser

30 min Laufen

20 min Fitnesscenter

10 min Sauna

Erste Mahlzeit 9:30 Uhr (Letzte Mahlzeit am Vortag war um 15:00 Uhr):

Eiweißshake (50 g Eiweißpulver, 5 mg Kreatin, 1 Schüssel Himbeeren, 300 ml Mandelmilch)

Vitamine

Esslöffel Öl pur (ist am Anfang extrem eklig, dann geht es aber irgendwann)

Snack um 11:00 Uhr:

Thunfisch in Öl

Mittagessen um 12:30 Uhr:

Großes Lachsfillet

Große Schüssel grüner Salat

Esslöffel Olivenöl

1 Avocado

Nachmittagssnack um 15:00 Uhr (letzte Mahlzeit am Tag):

Handvoll kohlehydratarme Nüsse

Grünes Gemüse wie Brokkoli und Gurken etc. zum Eindippen in Avocado-Dip oder Senf

Abend:

Evtl. noch mal kurz Fitnessstudio, Basketball, Golf, Tennis

So komme ich auf zirka 2.200 Kalorien, bleibe jedoch unter 50 Gramm Kohlehydrate und befolge all meine Regeln. Dies ist natürlich nur ein Beispiel, doch kann ich das recht gut durchziehen.

Was hindert uns nun, mit Ernährung und Energie erfolgreich zu werden? Es ist nicht ein Mangel an Information, denn ich bin mir sicher, viele dieser Dinge kennst du bereits. Wie schon öfter erwähnt, bedeutet die bloße Information nicht mehr Macht. **Umgesetzte Information** ist Macht und genau hier ist der Knackpunkt, warum so viele Menschen scheitern. Es geht abermals um Disziplin. Lässt man diese einreißen, bricht irgendwann alles ein. Ein Staudamm bricht ebenfalls nie von heute auf morgen einfach ein, sondern wird durch ein kleines Loch so lange ausgehöhlt, bis er schließlich dem zunehmenden Wasserdruck nachgibt. Disziplin bei Ernährung, Sport oder mentaler Einstellung ist ähnlich. Ich bin mir sicher, auch bei dir sind es meistens nur ein oder zwei Dinge, welche dich vom Erfolgskurs abhalten, und dich zurück in deine alten Gewohnheiten fallen lassen.

Reflektiere deshalb wirklich genau, wo du in der Vergangenheit bisher leicht zum Schummeln verleitet wurdest. Wo hast du keinen Timehorizon? Wie sind deine schlechten Gewohnheiten in diesen Momenten? War es, weil dich die Leute um dich herum negativ beeinflussen? Versuche, diese Dinge proaktiv zu beseitigen, um deine gesundheitlichen Ziele zu erreichen. Mehr dazu im Arbeitsbuch und im Vertiefungskapitel.

18.
ZURÜCKGEBEN SPECIAL

Wenn mir mein Mentor beim letzten Thema auch nicht wirklich viel Input geben konnte, wusste ich, dass er mir gerade bei diesem Special helfen würde. Nicht nur spendete er jedes Jahr Millionensummen, auch investierte er seine Zeit in andere Menschen, wie zum Beispiel: in mich. Also lag es auf der Hand, ihn zu bitten, mir hier Antworten auf meine Fragen zu geben. Doch genau da startete schon die Herausforderung:

Welche Fragen hatte ich denn überhaupt? Ich setzte mich hin, um darüber nachzudenken:

Warum ist Zurückgeben überhaupt wichtig und was hat das mit Timehorizon zu tun?

Auf welche Arten und Weisen gibt mein Mentor etwas zurück?

Worauf achtet er, um zu entscheiden, wem er etwas geben würde und zu was sagt er „nein"?

Wo mit all dem beginnen?

Zu meinem Erstaunen fand unser Gespräch zu einer „sittlichen" Zeit statt: 18:00 Uhr nachmittags bei mir. „Wie passend", dachte ich, „es geht bei dem Telefonat ums Zurückgeben, und er ist genau dieses Mal so nett und kommt mir bei der Uhrzeit entgegen." Doch, seine Zusatznotiz lautete: „Ich bin für einen Businesstrip in Europa, gewöhn dich also nicht an die Uhrzeit!" Irgendwie hatte ich das Gefühl, dass er diese für mich unpassenden Zeiten ansonsten mit Absicht auswählte, um zu testen, ob ich etwas wirklich wollte und diesem so mehr Wert und Aufmerksamkeit geben würde.

Um Punkt 18:00 Uhr rief ich ihn an. Er meldete sich: „Ich habe nur kurz Zeit. Ziemlich strenger Zeitplan hier auf meiner Geschäftsreise. Trotzdem, du hast ein sehr wichtiges Thema angesprochen."

„Ja, das hast du mir schon öfter gesagt", antworte ich, „aber kannst du mir erklären, warum dieses Thema so wichtig ist? Ich meine, ich helfe doch anderen Menschen hierbei und nicht wirklich mir selbst. Was hat das also mit Timehorizon zu tun?"

„Die menschliche Spezies ist darauf programmiert, in Teams zu arbeiten. Nur so können wir körperlich unterlegenen Lebewesen gegen all die anderen viel schnelleren und stärkeren Tiere ankommen. Außerdem zeigt sich deutlich, dass Menschen, welche anderen helfen, ohne etwas dafür zu erwarten, deutlich glücklicher sind als andere, welche dies nicht tun. Wenn du zum Beispiel in deiner Liebesbeziehung „nur" 50 Prozent gibst, weil du erwartest, dass der/die andere die anderen 50 Prozent gibt, wird es nicht funktionieren. Du musst immer 100 Prozent geben und darauf vertrauen, dass die andere Person ebenfalls 100 Prozent gibt", antwortete er.

„Das verstehe ich alles, doch was hat das mit Timehorizon zu tun?", entgegnete ich.

„Nichts wird dir mehr Wert, Glücksgefühl und Zu-friedenheit geben, als wenn du denen hilfst, die sich selbst nicht helfen können. Es ist die Königsdisziplin. Egal ob es um deine Kinder geht, du Geld spendest oder so wie ich dir meine Zeit spende, ohne etwas dafür zu erwarten. Der Grund, warum dies alles mit Timehorizon zu tun hat, ist, dass man es immer später machen könnte. Es kommt einem immer etwas schein-bar Besseres oder Wichtigeres in den Sinn, als sein Geld an eine hilfsbedürftige Person zu spenden oder seine Zeit in etwas zu tauschen, wo scheinbar nur die andere Person Wert dafür bekommt.“

„Warum macht man es dann?“, wollte ich wissen.

„Weil dabei der ultimative Wert zu dir zurückkommt: Nichts ist schöner als ein Lachen der Menschen, wel-che dir im Gegenzug nichts anderes geben können. Nichts ist befriedigender als dich zu sehen, wie du diese Dinge, welche ich dir erzähle, umsetzt. Zurück-zugeben, ohne etwas zu erwarten, hat die maximale Rendite bei Timehorizon“, erklärte er mir.

„Aber was, wenn ich nicht genug Geld habe, um et-was zu spenden. Oder was, wenn ich nicht genug Zeit habe, um sie in andere Menschen zu tauschen, ohne dafür etwas zu bekommen?“, hakte ich nach.

„Wenn du so denkst, lebst du in Knappheit. Das ist absolut schädlich. Du kannst immer etwas aufopfern, und das zeigt dir selbst, dass du nicht in Mitleiden-schaft leben sollst, sondern weißt, dass du alles schaf-fen kannst, was du dir vornimmst!“, lehrte er mich.

„Was für Dinge machst du da so?"

„Ich spende jedes Jahr einen Prozentsatz von meinem Einkommen. Manchmal sind es nur ein paar Prozent, andere Male sogar 20 oder 30 Prozent. Dies hängt oft auch davon ab, ob ich Dinge finde, für welche ich spenden will."

„Wie entscheidest du das?", wollte ich nun wissen.

„Wichtig ist hier, dass du deine persönliche Mission mit etwas kombinieren kannst, was dir wirklich wichtig ist im Leben. Wenn du gerade ein Herz für Tiere hast, dann spende etwas in diesem Bereich. Wenn du Kindern programmieren beibringen willst, super, dann investiere deine Zeit eben dort. Persönlich habe ich gelernt, dass ich nicht nur die meiste Hilfe bieten kann, sondern auch selbst am meisten interaktiv dabei bin, wenn ich nicht „nur" Geld, sondern auch meine Zeit für diese Menschen bzw. Tiere hergebe. Ich nutze deshalb nur selten Spendenorganisationen, sondern unterstütze lieber Aktionen direkt, wo ich das Gefühl habe, einem bestimmten Menschen geholfen zu haben", erklärte er. „Es muss übrigens nicht immer Geld sein, oft ist auch eine gut investierte Stunde wertvoller, als herzlos gespendetes Geld. Du solltest hier auf jeden Fall mehr deiner Energie investieren, Julian! Jeder kann ein paar Prozent seines Einkommens spenden oder ein paar Stunden im Monat mit hilfsbedürftigen Menschen, Kindern oder Tieren verbringen. Glaub mir, es ist der ultimative Timehorizon. Hör zu, ich habe heute echt nur kurz Zeit – Ich muss los!", mit dem war er wieder weg.

Auch wenn ich damals angefangen habe, kostenlose Vorträge für Kinder in Schulen zu geben, Zeit in Altenheimen bei alten Menschen, die sonst niemanden haben, zu verbringen, und ich vernachlässigten Tieren helfe, so weiß ich, dass dies immer noch der Bereich in meinem Leben ist, der bei mir bisher noch am meisten ausbaufähig ist. Mein Mentor hatte Recht gehabt: Jedes Mal, wenn ich einem Menschen durch Zeit oder Geld habe helfen können, hat dies in mir ein ganz besonderes Glücksgefühl ausgelöst. Es ist der ultimative Timehorizon. In den nächsten Jahren wird dieser Bereich sicher immer wichtiger und wichtiger für mich persönlich werden. Darauf freue ich mich schon ganz besonders. Gehe zum Schluss die Fragen im Arbeitsbuch durch.

19.
KEINE AUFSCHIEBERITIS
MIT TIMEHORIZON

Warum setzen wir eigentlich unsere Pläne nicht um? Wir wissen, dass sie uns enorm nach vorne bringen, uns tolle Resultate geben würden und dass wir unseren Zielen näherkämen. Der einzige Grund liegt wie immer in unserem eigenen **Motivationsverhalten**. Der Schmerz, anzufangen, ist größer, als der Schmerz, es nicht zu tun. Dies entsteht dadurch, dass die kurzfristig und wichtig erscheinenden Dinge, die tatsächlich wichtigen Dinge im Timehorizon verdrängen.

Wenn du jedoch Timehorizon korrekt anwendest, solltest du der **Aufschieberitis** keine Chance geben.

Du denkst nun vielleicht, was ist schon so schlimm daran, hin und wieder einmal ein paar Dinge aufzuschieben und sie nicht sofort umzusetzen. Naja, wie bei allem können solche Dinge schnell zur schlechten Gewohnheit werden. Und wenn du einmal Aufschieberitis zur Gewohnheit werden lässt, bist du jemand, der sehr schnell Dinge aufgibt. Du kennst sicher den Spruch, dass jemand, der aufgibt, nie gewinnen kann, denn Gewinner geben nie auf.

Dieses Konzept, dass du nie versagen kannst, solange du einfach weitermachst, beginnt bereits am Anfang deines Handelns: wenn du erst gar nicht anfängst, wirst du sowieso nie zum Ziel gelangen.

Die einfachste Therapie, um Aufschieberitis entgegen-
zuwirken, ist, diese mit ihren eigenen Waffen zu schlagen: man kreiert **Rituale**, welche man ganz einfach
jeden Tag ausführt – genauso wie im „Warum Kapitel"
besprochen. Je automatisierter diese Rituale sind, desto weniger Energie kostet es, diese dann umzusetzen:
Säe Gedanken, ernte eine Antwort. Säe Antworten,
ernte eine Tat. Säe Taten und ernte ein Ritual. Säe
Rituale und ernte einen Charakter, der Aufschieberitis
gar nicht kennt. Für viele von uns ist dies jedoch nicht
mehr als ein gutgemeinter Tipp. Wir versuchen, Dinge umzusetzen, doch ohne wirksame Strategien und
Werkzeuge besiegen wir diese hartnäckige „Krankheit" nicht.

In diesem Kapitel möchte ich wirklich reine Strategien
und Taktiken hierzu durchgehen, denn oft scheitert
Timehorizon nicht am Ende, sondern bereits am Anfang. Wir gehen deshalb jeden der Punkte im Detail
durch:

1. Ablenkungen abschalten

Wie immer, wenn es um Aufschieberitis geht, sind es
meist irgendwelche Trigger, welche die Aufschieberitis
tatsächlich auslösen. Von diesem Moment an schaffen
wir es mental fast nicht mehr, zurück zur Produktivität zu gelangen. Wenn man zum Beispiel online etwas
Produktives machen will, und das E-Mail-Programm
dauernd neue E-Mails hereinlädt oder der Browser
Facebook-Nachrichten aufpoppen lässt, wird man
durch kurzfristige Deadlines abgelenkt, anstatt seine

Zeit wertvoll in das, was man eigentlich online erledigen wollte, zu tauschen. Man hat danach zwar das Gefühl, richtig viel getan zu haben, doch kommt man bei den richtigen Timehorizon-Dingen keinen Schritt voran.

Die Lösung ist einfach:

Erkenne Auslöser, welche deine Aufschieberitis starten.

Schalte diese Auslöser ab.

Deaktiviere automatische E-Mails, Pop-ups, Benachrichtigungen und Erinnerungen.

Falls es dein Fernseher ist, verkaufe diesen. Du brauchst ihn sowieso nicht.

Falls es Seiten wie YouTube, Facebook oder andere Social-Media-Kanäle sind, aktiviere Blocker, welche dich davon abhalten, diese zu besuchen.

Falls es Spiele sind, deinstalliere diese bzw. nutze ein Programm, welches diese nur zu gewissen Zeiten öffnen lässt.

Falls es das Internet ist, deaktiviere es mit einer Zeitschaltuhr bzw. stecke den Router ab.

Falls es dein Handy ist, lege es komplett außer Reichweite, usw.

2. Die Salamitaktik

Anstatt das gesamte große Problem bei Timehorizon sofort angehen zu wollen und vor lauter Arbeit erst gar nicht anzufangen, teilt man die große Treppe in kleine Stufen. Diese kleinen Stufen sehen deutlich einfacher aus, und sobald man beginnt, gelangt man in ein Momentum, welches man dafür nutzen kann, die restlichen Stufen bis zum Ende der Treppe auch noch zu erklimmen.

Wenn du also das nächste Mal folgende Herausforderungen hast, kannst du diese so herunterbrechen:

Ein ganzes Buch: in die erste Seite.

Ein ganzes Work-out: in die erste Übung.

20 Anrufe: in den ersten Anruf.

Zähneputzen: Zahnseide weglassen.

Eine nicht mehr funktionierende Beziehung: ein erstes Gespräch.

Eine neue Sprache: die erste Vokabel.

Ein 90-Tage-Ritual: den ersten Tag, usw.

3. Den größten Frosch zuerst essen

Diese Strategie stammt von Bryan Tracy, welcher diesen Tipp immer all seinen Schülern mitgegeben hat. Die Idee dabei ist genau entgegengesetzt zur Strategie von der Salamitaktik. Ja, das mag zwar paradox klingen, doch bei dem einen funktioniert das eine, bei dem anderen das andere. Probiere es also aus. Den größten Frosch zu essen, bedeutet, dass du gleich am Anfang, mit deinem größten und schwersten To-do beginnst, um Aufschieberitis zu besiegen. Dies könnte zum Beispiel dein schwierigster Kunde, das härteste Work-out, die schwierigste Entscheidung oder die lästigste Tätigkeit sein. Wenn du diese erste Sache gleich erledigst, kommen dir die folgenden wie „Kindergarten" vor und du nimmst das Momentum für andere Dinge bei Timehorizon mit. Diese Technik funktioniert also besonders gut, wenn du zum Beispiel gerade in der Früh ein großes Level an Motivation hast, du jedoch weißt, dass sich dies im Laufe des Tages abschwächen wird.

4. An das eigene Warum denken

Niemand von uns macht etwas ohne Grund. Das haben wir nun unzählige Male gehört und besprochen. Diese Strategie hakt genau hier ein. Viele von uns denken, dass Geld, ein toller Körper oder teure Autos das sind, was uns motiviert und Aufschieberitis überkommen lässt. In Wirklichkeit sind es jedoch viel tiefer verwurzelte Ängste und Bedürfnisse, weshalb wir Dinge tun bzw. unterlassen. Achte hierbei, wie im Kapitel zum „Warum" ausführlich besprochen, wirklich auf dein Visionboard und versuche, wann immer es dir möglich ist, eine potentielle Strafe für das Nicht-Tun zu kreieren. Dies motiviert uns Menschen immer deutlich stärker als eine potentielle Belohnung. Diese

Strategie sollte praktisch immer in dein Buffet zur Behandlung deiner Aufschieberitis inkludiert sein, denn sie lässt sich hervorragend mit den anderen Strategien kombinieren, damit du die wirklich wichtigen Time-horizon-Ziele nicht vor dir herschiebst.

5. Unperfekt starten

Wir alle haben Angst vor Ablehnung, wenn wir etwas machen sollten, bei dem uns eventuell andere Menschen ein „Nein geben" könnten. So nutzen wir gerne unsere hohen Standards als Ausrede, um erst gar nicht zu starten. Hier hilft nur, dass man sich wirklich zwingt, unperfekt zu starten, als perfekt zu warten. Merke dir diesen Satz, denn wir alle sind vor dieser Variante der Aufschieberitis nicht gefeit. Was ich für mich selbst in einem solchen Fall gelernt habe, ist, dass ich es einfach durchziehen muss, auch wenn ich nicht will oder Angst habe. Es klingt komisch, doch wenn du genau diese Assoziation für dich kreierst, dann tust du dir viel leichter, etwas zu machen, obwohl du aufgrund von Ängsten gar nicht willst. Merke dir also, wenn du nicht willst, dann musst du!

6. Dein Umfeld nutzen

Hast du dich schon einmal im Fitnessstudio eingeschrieben? Vielen Studien zufolge ist die Wahrscheinlichkeit, dein Fitnessprogramm auch durchzuziehen, deutlich höher, wenn du einen Trainingsbuddy hast. Wenn man nämlich vor der Wahl steht, etwas zu tun oder es aufzuschieben, dann ist es leichter, wenn man nur sich selbst enttäuschen muss. Sobald jedoch eine weitere Person ins Spiel kommt, dreht hier die Waage von potentieller Strafe und Belohnung zugunsten des „Tuns". Genau deshalb kommuniziere ich ein paar meiner Ziele öffentlich, weil ich somit weiß, dass es Menschen gibt, welche diese Dinge von mir erwarten und ich diese nicht enttäuschen will. So wird ein „ich will nicht" viel leichter zu einem „ich muss". Du kannst etwas Ähnliches tun – entweder öffentlich bei uns in der Facebook-Gruppe (www. facebook.com/groups/GrenzenlosErfolgreich) oder in deinem Freundeskreis.

Natürlich kann uns unser Umfeld auch von unseren Zielen abbringen und uns eher zur Aufschieberitis motivieren. Dies würde dann unter Trigger und Auslöser fallen, welche du dann, wie unter Punkt 1 besprochen, erkennen und vermeiden müsstest. Wenn du jedoch ein positives Umfeld für dich findest, dann wirst du dir viel leichter tun, Dinge umzusetzen und nicht aufzuschieben.

Hier sind ein paar Tipps dafür, wie du diese Technik positiv nutzen kannst:

Trete einer Mastermind-Gruppe bei

Sei in positiven Facebook-Gruppen

Trete einer lokalen Gruppe zu dem gewünschten Bereich bei

Hole dir einen Accountability-Buddy, mit dem du Projekte besprichst und sie so auch umsetzen musst, nicht nur willst. Bei uns in der Facebook-Gruppe findest du garantiert jemanden.

Miete dir ein kleines Büro in einem Co-Working-Space, damit du produktiver bist und dein Business wirklich voranbringst, usw.

Dein Umfeld kann dich hemmen, aber es kann dich auch unterstützen. Du entscheidest.

7. Abwechslungen einbauen

Wenn du dich wirklich strikt an die ganzen Routinen und Rituale hältst, so können zwei Dinge passieren: Entweder bist du der Mark-Zuckerberg-Typ, der jeden Tag das gleiche anzieht, gleiche isst und gleiche tut und dabei mega produktiv wird.

Alternativ bist du der andere Typ, dem durch ein solch striktes Regime komplett langweilig und fad wird, weil Abwechslung fehlt. Das musst du für dich selbst erkennen, denn natürlich sind Rituale unglaublich wichtig, doch wenn du vor lauter Langweile unproduktiv wirst, ist es umso wichtiger, dass du Schummel-Tage effizient nutzt und Ablenkungen bzw. Pausen produktiv einbaust. Während also Rituale und Routine generell die Produktivität fördern, kann es natürlich helfen, wenn du hier hin und wieder Abwechslungen ins Tagesgeschehen bringst. Arbeite also einmal zum Beispiel von einem ganz anderen Ort aus, etc. Mit ein bisschen Kreativität findest du hier sicher die ein oder andere Lösung, welche dich unglaublich motiviert und Aufschieberitis zumindest für diese kurze Zeit komplett beseitigt. Dies kann auch Sport, Bewegung, usw. sein.

Achte auf jeden Fall, dass diese „Pattern-Interruptions"
wirklich etwas anderes sind, als du bisher gemacht
hast. Im Anti-Komfortzone-Programm im Vertiefungskapitel spreche ich hier von Fokus, Wörter, Körper –
nutze diese Strategien, falls du sie noch nicht kennst.

8. Umsetzungskraft Ort

Kennst du das ultimative Medikament gegen Aufschieberitis? Es ist unsere Umsetzungskraft. Also die Kraft,
Dinge umzusetzen und sie nicht aufzuschieben. Die
ganzen Strategien bisher setzen genau hier an. Ein wei-
terer Tipp, welchen ich gerne selbst verwende, ist, dass
ich Orte / Plätze kreiere, wo ich ganz bestimmte Dinge
mache:

Bett: Schlafen und mit Bettina… na du weißt schon…
Okay, genug davon ;) Wichtig, keine Arbeit mit ins
Bett nehmen.

Gewisse Orte im Office für Arbeit alleine, Teammee-
tings, etc.

Fitness, usw.

Wenn du an diesen Ort kommst, wird deine Umsetzungskraft für die eine bestimmte Sache sofort ge-
triggert und du gehst sofort ins Tun über. Außerdem
nutze ich auch oft bestimmte Musik, indem ich immer
die gleiche Playlist für die verschiedenen Tätigkeiten
nutze. Zum Beispiel schreibe ich Bücher immer mit
der gleichen „4 Seasons Playlist" von Vivaldi.

9. Kalender

Der Grund, warum ich meine To-dos, wie im „Wie Kapitel" beschrieben, in einen Kalender eintrage, ist, dass ich so genau weiß, wann ich was wie lange machen soll. Viele Menschen, welche mit Aufschieberitis hadern, nutzen keinen Kalender und tun sich genau deshalb mit der Umsetzung schwer. Wer scheitert, zu planen, plant, zu scheitern. Mit der richtigen Umsetzung im Kalender weißt du stets, was als nächstes ansteht, und gibst der Aufschieberitis erst gar keine Chance. Wenn du dies mit guten Pattern-Interruptions und Umsetzungskraft-Orten kombinierst, bist du unschlagbar.

10. Erfolge feiern

Du musst sowohl die kleinen Zwischenziele als auch die großen Endziele feiern. Glaub mir, dein Körper holt sich die Belohnung sonst anderswoher: entweder durch destruktive Gewohnheiten wie ungesundes Essen, oder indem er einfach gar nichts mehr tun will, weil er es als sinnlos ansieht. Feiere also deine Erfolge, denn du bist es Wert, und gut genug, und ja, du hast es dir verdient! So weiß dein Körper, dass er weiterhin das machen soll, was er gemacht hat, um dorthin zu gelangen oder weiterzukommen.

Diese zehn Strategien helfen ungemein, Timehorizon nicht nur zu visualisieren und zu planen, sondern auch umzusetzen. Gehe nun die Fragen im Arbeitsbuch durch.

20.
DAS TIMEHORIZON
PUZZLE ZUSAMMENFÜGEN

„Ich brauche deine Hilfe!", lautete meine E-Mail.

„Wofür denn? Du weißt, wie ich solche unspezifischen Dinge hasse", lautete die Antwort.

„Du hast mir alle Puzzleteile gegeben. Ich brauche jedoch Hilfe, sie zusammenzufügen!", antwortete ich. „Ich weiß nicht, wo beginnen soll!"

„Ruf mich um 9:00 Uhr meiner Zeit an", offerierte er.

Super, wie typisch. Das bedeutete einmal wieder: Mitten in der Nacht für mich. Aber der Call würde essenziell für das gesamte Timehorizon Prinzip sein, denn ich hatte zwar alle Bausteine, um Timehorizon perfekt umzusetzen, doch vor lauter Bäumen sah ich gerade den Wald nicht mehr. Punkt 9:00 Uhr seiner Zeit, rief ich ihn also an.

„Das ist das letzte Mal, dass wir über das Thema sprechen, okay?", hob er ab.

„Alles klar, versprochen!", versicherte ich ihm, obwohl ich mir noch überhaupt nicht sicher war, wie ich das Gelernte zusammenfügen konnte. „Ich habe auch nur ein paar Fragen und weiß nicht, wo beginnen soll! Sobald ich das weiß, können wir über all die anderen Dinge sprechen, aber diese offenen Fragen gönnen mir keinen Schlaf."

„Okay, dann lass uns vielleicht mit dem Anfang beginnen. Wofür haben wir all die Telefonate geführt? Was ist das ultimative Ziel?", forderte er mich heraus.

Ich zögerte. Was war es eigentlich, mit dem ich gestartet habe? Besseres Zeitmanagement? Richtige Work-Life-Balance? Alles zusammen? Ich war verwirrt. „Erfolgreich im Leben zu werden!", antwortete ich mehr fragend als wissend.

„Probier's noch mal!", entgegnete er.

Ich dachte scharf nach. Da schoss es mir in den Kopf – es war dieselbe Frage, welche ich seitdem auf meinem Laptop, Handy oder im Büro hängen habe. Es war die Frage, welche der Grund für all die Telefonate mit meinem Mentor war:

> *„Wofür muss ich meine Zeit jetzt tauschen,*
> *um langfristig den meisten Wert*
> *dafür zu bekommen?"*

„Ganz genau. Dies ist doch der Beginn von all dem, was wir besprochen haben", lobte er mich. „In jedem Moment sollten wir Menschen uns eigentlich diese Frage stellen. Machen wir es nicht, lassen wir die wertvollste Ressource, nämlich Zeit, lustlos vergehen, und bekommen sie nie wieder zurück. Klar, man braucht sich diese Frage nicht jede Sekunde stellen, aber je öfter, desto besser!"

Ich nickte.

„Was müssen wir als nächstes tun?", fuhr er fort.

„Na, ich muss wissen, was ich mit „meisten Wert" meine!", grübelte ich laut.

„Korrekt, und was ist das?"

„Ich weiß es nicht, darüber haben wir doch nicht gesprochen?", ich fühlte mich wie in einer Prüfung, wo ich zwar alles gelernt hatte, doch jetzt einen Blackout verspürte.

„Blödsinn!", widerfuhr er, „ich weiß sogar noch, wo ich genau während des Telefonats gestanden habe, als wir diese Dinge bis ins Detail besprochen haben."

„Ist es Work-Life-Balance?", fragte ich vorsichtig.

„Naja, du findest dieses Wort genauso schrecklich wie ich und sagst es mir jetzt nur, weil dir nichts anderes einfällt. Ich verstehe, was du meinst, aber was du wirklich ausdrücken willst, ist…"

„… **die Maximierung des Timehorizon Dreiecks!**", unterbrach ich ihn freudig.

„Genau, es geht darum, dass die Punkte „Selbst", „Business" und „Beziehungen" optimal genutzt werden und du so die Fläche des Dreiecks maximierst."

„Das „Warum" verstehe ich jetzt. Allerdings ergeben sich mir jetzt zwei weitere Fragen? „Was" ist der Maßstab für die Fläche und „Wie" mache ich das Dreieck größer?" Ich hatte zwar das Gefühl, dass wir das alles schon besprochen hatten, doch meine Synapsen wollten sich hierfür einfach nicht verbinden.

„Was denkst denn du, was der Maßstab für das Drei-eck ist?", forderte er mich heraus.

Ich erinnerte mich an die Lektionen zu Qualität vor Quantität, und dass Work-Life-Balance genau die Mi-schung daraus war. Wie konnte ich dies nun messen? War Geld wichtiger als Gesundheit oder Liebe? Klar war für mich die eigene Gesundheit wichtiger als Lie-be und wiederum wichtiger als Geld, doch ich kann-te Menschen, die ihre Gesundheit immer wieder für eine Beziehung oder ihr Business opferten – mit den folgenden negativen Konsequenzen, jedoch auch den tollen Vorteilen. Ich fand keine passende Antwort und schwieg daher einfach in den Hörer hinein.

„Julian, es ist die Frage, die sich nur so wenige Men-schen stellen. Jeder will wissen, ob du erfolgreich bist, wie viel Geld du hast, ob du in einer Beziehung bist, usw. Doch die Frage, die wirklich wichtig ist, lautet:

Was macht dich wirklich glücklich und zufrie-den?

Wenn es 100 Stunden pro Woche arbeiten ist, dann mach das. Wenn es eine Beziehung ist, dann fokussie-re dich auf diese. Wenn du dir selbst am wichtigsten bist, dann musst du dich an erste Stelle geben", er-klärte er mir.

Natürlich! Ich erinnerte mich. Doch nun hatte ich schon die nächste Frage: „Wie passt das nun mit Work-Li-fe-Balance zusammen?"

„Work-Life-Balance ist ein Mythos, den es nicht gibt, dem aber jeder hinterherläuft. Was man sich wirklich frage sollte, ist:

Welche Ecke des Dreiecks macht mich gerade am glücklichsten?

Es ist schwer, sich auf alle drei Ecken gleichzeitig fokussieren, du kannst dich aber immer auf eine oder zwei Ecken konzentrieren. Dies müssen halt jene Ecken sein, welche dich wirklich erfüllen. Nicht zu jeder Sekunde, denn jeder kann einmal etwas kurzfristig ausstehen, was er eigentlich liebt, doch auf lange Sicht! Erfolg ist…"

„… das tun zu können, was man will, wann man will, mit wem man will, wo man will. Dabei Spaß zu haben, glücklich und zufrieden zu sein und immer dafür offen zu bleiben, sich ein kleines wenig zu verbessern", führte ich seinen Satz zu Ende. Ich hörte meinen Mentor zwar nicht lachen, doch konnte ich das zufriedene Schmunzeln praktisch durchs Telefon spüren.

„Deshalb auch **die Bucketlist mit den acht Bereichen**, welche uns genau dabei helfen soll, oder?", fuhr ich fort.

„Ganz genau. Wir beginnen mit der Frage, was wir jetzt tun sollen, doch schauen danach nicht nur drei Minuten in die Zukunft, sondern überlegen uns, was die wirklich wichtigsten Dinge in unserem Leben sind. Gleich wie ein…"

„… Pilot beim Start die Enddestination und die ersten

paar Minuten Flug wissen muss!", ich hatte diesen Satz schon oft genug von ihm gehört.

Jetzt lachte er laut, denn auch er wusste, dass er mir dieselben Dinge oft genug eingeprägt hatte, sodass ich sie nun wie im Schlaf wusste.

„„Wie" komme ich nun vom Jetzt bis zu den Dingen, welche ich wirklich will. Das ist **Timehorizon**, stimmt's?", fragte ich erfreut, denn ich hatte das Gefühl, das gesamte Konzept nun wirklich zu verstehen.

„Ganz genau. Je mehr Timehorizon du hast, umso eher wirst du heute an Dingen arbeiten, welche dein Dreieck vergrößern, weil sie auf deiner Bucketlist stehen, und welche dich glücklich, zufrieden und somit nicht nur scheinbar, sondern wirklich…"

„…glücklich und zufrieden machen, sodass ich auf meinem Sterbebett nicht dutzende Dinge bereue!", ergänzte ich ihn. Ich hatte das Prinzip verstanden. „Eine Frage habe ich noch", ließ ich ihn wissen. „Wenn ich an etwas arbeite, woher weiß ich nun, dass dies „richtig" oder „falsch" ist? Wie viel Spaß muss ich denn mindestens dabei haben?"

Er wusste sofort die Antwort: „Man kann dies nicht absolut ausdrücken. Noch einmal, Timehorizon heißt auf keinen Fall, dass du nur an Dingen arbeitest, welche dir immer **Spaß** machen! Ganz im Gegenteil, oft kann es sein, dass die Dinge mit Big-Impact / Keine Deadline nur sehr wenig Spaß machen. Wer steht schon gerne um 5:00 Uhr morgens für ein Workout auf? Wer arbeitet schon gerne nach der eigentlichen Arbeit an seinem eigenen Projekt und geht nicht mit Freunden aus? Wer spart sich schon gerne etwas vom Mund ab, damit man langfristig in etwas investieren kann? Nur Menschen, welche den Sinn für Langfristigkeit darin sehen. Die Dosis macht das Gift. Also, ein bisschen Stress ist okay, doch zu viel kann zum Burnout, zur Depression oder in einem Worst-Case sogar zum Suizid führen. Wenn du deshalb also zum Beispiel einen ganz normalen Job als Angestellter hast, weil du oberflächlich denkst, dass dies der beste Weg für dich ist, du insgeheim jedoch weißt, dass es dich nicht erfüllt, solltest du etwas ändern. Wenn du jedoch einen Job hast, weil du Geld verdienen musst, jedoch bereits nebenbei an etwas arbeitest, was du als Lebensmission siehst, dann kündige bloß nicht zu früh, denn du bist auf dem richtigen Weg. In beiden Szenarien hast du zwar einen Job, in einem Fall wirst du jedoch deutlich zuversichtlicher sein als im anderen und das ist essenziell für deinen langfristigen Erfolg und damit korrektem Timehorizon."

„Wie lerne ich das zu unterscheiden?", wollte ich nun wissen.

„Indem du regelmäßig reflektierst, dich stetig verbesserst, nachdenkst und achtsam bist. Es passiert so viel in unserem Leben. Alles dreht sich immer schneller und schneller. Oft haben wir so hohe Erwartungen, dass wir vergessen, was wir alles haben und wie gut es uns eigentlich bereits geht. Studien zur Dankbarkeit belegen eindeutig, dass Menschen, welche achtsamer und dankbarer sind, deutlich glücklicher im Leben sind. Und das ist schlussendlich das ultimative Ziel, welches du mit Timehorizon erreichen solltest", bestätigte er meinen Verdacht, den, ich bereits hatte. „So, jetzt ist aber genug. Ich habe dir alles erklärt, was ich zu dem Thema weiß. Mehr habe ich nicht. Ich habe dir die Tür gezeigt, durchgehen musst du nun selbst. Melde dich das nächste Mal erst wieder, wenn du nicht nur durchgegangen bist, sondern du die Dinge umgesetzt hast. Ich glaube an dich, mach's gut!"

Damit war er weg. Doch nicht sein Wissen, denn dieses hatte ich sorgfältig aufgeschrieben, strukturiert und notiert. Jetzt war es an der Zeit, dieses Wissen in die Tat umzusetzen. Dies tat ich dann auch. Über die Jahre hinweg gründete ich mehrere Firmen, baute sie teilweise auf einen Wert von mehreren hunderten Millionen Euro auf, verdiente Millionen beim langfristigen Investieren, hatte die unvergesslichsten Erlebnisse mit tollen Menschen, heiratete meine Frau Bettina, lernte zahlreiche neue Dinge und half anderen Menschen, genau dasselbe zu tun – falls sie das glücklich machte.

Und nun bist du an der Reihe, dieses Wissen in dein Handeln und deinen Alltag überzuführen. Ich habe dir alles weitergeleitet, so wie ich dieses Wissen vor Jahren selbst bekommen habe. Ich setzte es jeden Tag (na gut, fast jeden – okay, öfter als gar nicht) um, und das solltest du von jetzt an ebenfalls machen.

Bevor du zum nächsten Kapitel übergehst, wo ich eine Hammerüberraschung für dich habe, mach bitte zuerst die Fragen im Arbeitsbuch durch.

21.
INTERVIEW MIT
STAR INVESTOR JIM ROGERS

Ich werde oft gefragt, ob es meinen Mentor wirklich gibt. Die Antwort dazu lautet JA. Der Grund, warum ich seinen Namen jedoch nie erwähne, ist, dass er mich ganz klar darum gebeten hat. Ihm geht es bei all dem nicht darum, reich oder berühmt zu werden, sondern um zurückzugeben, ohne etwas dafür zu erwarten. Nun wollte ich trotzdem jemanden in diesem Buch erwähnen, den du ziemlich sicher kennst und der sich auch mit dem Konzept Timehorizon beschäftigt. So kam dieses Exklusivgespräch mit dem weltweit bekannten Starinvestor Jim Rogers extra für dieses Buch zustande.

Jim wurde 1942 geboren und küsste Jahre später die österreichische Börse aus ihrem jahrzehntelangen Dornröschenschlaf als Investor wach, sodass er seitdem ein ganz besonderes Verhältnis zu Österreich pflegt. Er ist dafür berühmt geworden, ein sehr weitsichtiger und geduldiger Mensch zu sein, nicht nur als Investor, was ihm großen Reichtum eingebracht hat, sondern auch mit seiner Familie, seinen Freunden und in seinem persönlichen Leben. Ich dachte daher, mit wem ich besser über Timehorizon und Prioritätensetzen sprechen könnte als mit ihm, da er immer jemand ist, zu dem ich in genau diesen Bereichen aufschaue. Ich habe Jim vor einiger Zeit in Singapur bei einer Networking-Veranstaltung der österreichischen Botschaft getroffen und schickte ihm anschließend eine E-Mail, ob er offen für ein Gespräch zu dem Thema wäre. Wer nicht fragt, der nicht gewinnt, oder? Und siehe da, er war für ein Gespräch offen.

Was nun folgt, ist das Transkript unseres Telefonats exklusiv für dieses Buch. Ich bin sicher, dass du dabei genauso viel Wert bekommen wirst wie ich. Achte dabei besonders darauf, wie Jim seine Fähigkeiten beschreibt, Timehorizon zu bekommen, Ablenkungen zu vermeiden und sich auf die essenziellen Dinge im Leben zu fokussieren. Mehr über Jim Rogers, seine Lebensgeschichte, seine Bücher (die ich sehr empfehlen kann), seine wunderbare Familie und vieles mehr, findest du auf seiner Website: http://www.jimrogers.com/

Julian: „Hi Jim, danke, dass du dir die Zeit genommen hast. Wir sprechen viel darüber, wie Menschen, besonders in meinem Alter als Millennials, oft den langfristigen Erfolg für kurzfristige Dinge opfern. Ich bin erst 33 und daher ist es etwas ganz anderes, wenn sie etwas von jemandem wie dir hören, der im Umgang mit Prioritäten und dem Tausch von Zeit gegen den größten Wert so erfahren ist. Ich denke, du bist jemand, der es wirklich beherrscht, sich nicht kurzfristig in verlockende Dinge zu verlieben. Meine allererste Frage, und das ist eine Frage, die mich schon immer interessiert hat, ist daher die folgende: Da ich mich daran erinnere, dass du zwei Reisen um die Welt unternommen hast – und die erste war tatsächlich während des Kalten Krieges mit einem Motorrad und die andere war, soweit ich weiß, in den 2000er Jahren. Ich würde wirklich gerne verstehen, was deine Motivation dahinter war und wie du mit dir selbst verhandelt hast, um dein Business für diese Zeit in den Hintergrund zu stellen und dich stattdessen darauf konzentriert hast, eine Auszeit zu nehmen?"

Jim: „Ja, ich bin zweimal um die Welt gereist, einmal auf einem Motorrad für zwei Jahre und einmal in einem Auto für drei Jahre. Weißt du, ich bin vorzeitig in Rente gegangen. Ich ging in den Ruhestand, als ich 37 Jahre alt wurde, und das tat ich vor allem deshalb, weil ich mehr als nur ein Leben haben wollte. Ich wollte nicht eines Tages mit 85 Jahren aufwachen und mich vor einem Computer an der Wall Street sitzen sehen. Ich habe dadurch zwar weniger Geld, als ich es sonst gehabt hätte, aber für mich war es ein lebenslanger Traum, mit dem Motorrad um die Welt zu reisen. Ich habe es geschafft und überlebt (lacht). Das war mir dann nicht genug, also bin ich zur Zeit des neuen Jahrtausends wieder drei Jahre lang mit einem Auto um die Welt gereist, was offensichtlich niemand zuvor getan hatte. Die Motivation lag darin, Abenteuer zu suchen und die Welt zu sehen. Ich bin in einem kleinen Dorf großgeworden und ich schätze, wenn man an einem solchen Ort aufgewachsen ist, geht man entweder nie weg oder eben gerade deshalb. Nun, meine Frau nannte mich einen Heimatlosen, weil ich die Welt sehen wollte, und ich sagte, „ich muss es tun" und ging zweimal. Ich liebe es, die Welt zu sehen und zu schauen, was da draußen in der realen Welt so vor sich geht. Das war schlicht und einfach wie es war. Beide Male konnte ich meine Investitionen behalten und habe nicht wirklich etwas verloren. Das zweite

Mal gab es bereits das Internet, also war es viel einfacher, auf dem Laufenden zu bleiben, und zu erfahren, was los war. Aber beide Male positionierte ich meine Investitionen so, dass ich nicht jede Stunde oder sogar jeden Tag damit verbringen musste, herauszufinden, was los war – und es funktionierte. Außerdem wurde ich ins Guinness-Buch der Weltrekorde eingetragen, was großartig ist – ich meine, meine Mutter fand es toll – es zahlt zwar nicht die Miete, aber es ist eine nette kleine Geste (lacht)."

Julian: „Das ist wirklich großartig. Wann sind deine Töchter geboren?"

Jim: „Unsere ältere Tochter ist 2003 geboren, nachdem wir wieder zurück waren. Und die jüngere kam 2008 auf die Welt."

Julian: „Wolltest du sie nie mit auf Reisen nehmen?"

Jim: „Zuerst sollte ich dir verraten, dass ich früher niemals Kinder haben wollte."

Julian: „Was, im Ernst?"

Jim: „Ich wollte nie Kinder haben – wirklich. Früher tat mir jeder meiner Freunde leid, der Kinder hatte. Ich wollte nie etwas so „Dummes" tun. Kinder benötigen viel Zeit und Geld, und das wollte ich einfach nicht. Ich habe es also nicht in meinen 20ern, 30ern, 40ern oder was auch immer getan. Das wäre schlecht für die Mutter, das Kind und mich gewesen. Aber es kam eine Zeit, als Paige (Anm. des Autors: Jims Ehefrau) sagte: „Warum haben wir eigentlich keine Kinder?" Und ich entgegnete: „Nun, ich bin noch ein wenig zu jung, um sesshaft zu werden." Am Ende hatten wir unser erstes Kind, als ich 60 Jahre alt war. Und ich lag ganz falsch bei Kindern. Das war sicherlich eines der besten Dinge, die ich je getan habe. Also bekamen wir auch ein zweites, und es ist pure Ekstase für mich, diese beiden Mädchen zu haben. Jeder, der selbst noch keine hat, muss sich nicht beeilen und es jetzt tun. Aber man sollte sicherstellen, dass man es irgendwann tut, weil es außergewöhnlich schön ist, Kinder zu haben."

Julian (lachend): „Meine Frau und ich sind beide 33 – Was ist deine Empfehlung? Jetzt Kinder kriegen oder warten?"

Jim: „Nun, das hängt von dir ab. Für mich wäre es damals eine Katastrophe gewesen, mit 33 Jahren Vater zu werden. Es gab noch viel anderes für mich zu tun. Ich weiß also nicht, wie ich das beantworten soll. Nur ihr beide könnt das entscheiden."

Julian: „Würdest du mit ihnen auf eine Weltreise gehen? Würdest du deine Kinder aus der Schule nehmen oder lieber warten, bis sie sie zur Universität gehen? Oder würdest du sagen, sie sollten das allein machen?"

Jim: „Oh, sie sind noch zu jung, um es jetzt zu tun. Wir würden gerne durch China fahren. Sie sprechen beide fließend Mandarin, aber sie sind zu jung und würden jetzt nicht so viel davon mitbekommen. Vielleicht in einem Jahr oder so. Aber das Problem ist, es kommt eine Zeit, in der sie nicht mehr mit ihrem Vater unterwegs sein wollen."

Julian lacht.

Jim: „Du lachst, aber ja, ich würde tatsächlich gerne mit ihnen durch China fahren, doch sie werden es wahrscheinlich nicht so cool finden wie ich. Also, mal sehen. Ich bezweifle, dass sie jemals mit mir um die Welt fahren wollen, wahrscheinlich allein, und das ist auch toll."

Julian: „Wie teilst Du deine Zeit heute zwischen Beruf und Familie auf? Wie managst du deine Prioritäten? Ich weiß, dass du so viel reist. Ich habe mit Paige darüber gesprochen und sie sagt, dass du ständig unterwegs bist. Wie findest du dabei die richtige Balance?"

Jim: „Wenn ich zu Hause bin, versuche ich, für meine Kinder da zu sein, sie zur Schule zu bringen, sie von der Schule wieder abzuholen, mit ihnen zu essen usw. Sie sind für mich im Moment wichtiger als alles andere und wenn ich hier bin, versuche ich, so viel Zeit wie möglich mit ihnen zu verbringen. Das Problem dabei ist natürlich, dass man in Singapur immer in der Schule ist. Asiatische Schulsysteme sind ziemlich anspruchsvoll, aber ich versuche es."

Julian: „Wann hast du das Gefühl, dass du mit ihnen die meiste Qualitätszeit verbringst?"

Jim: „Wahrscheinlich beim Abendessen. Kein Wunder, denn es gibt nichts anderes zu tun, als sich aufeinander zu konzentrieren. Wir machen manchmal Ausflüge, wenn wir Zeit haben und diese sind immer toll."

Julian: „Nehmen wir mal an, der Abschluss eines

deiner Mädchen stünde an und glcichzeitig eine super wichtige Geschäftsreise. Was wäre deine Priorität Nr. 1?"

Jim: „Wahrscheinlich würde die Geschäftsreise Vorrang haben. Denn vielleicht ist der Abschluss für ein junges Mädchens wichtig, aber ich bin alt genug, um zu wissen, dass du dich später unter all den wichtigen Dingen nicht mehr an den Abschluss erinnern wirst."

Julian: „Interessant. Ich kann mich auch nicht an meinen Abschluss erinnern, aber ich habe es nie so gesehen, um ehrlich zu sein!"

Jim: „Fast niemand kann sich an seinen Abschluss erinnern. Kaum jemand kann sich an so etwas erinnern. Es scheint so wichtig zu sein, wenn man jung ist, aber wir alle wissen, dass solche Dinge am Ende nicht so wichtig sind."

Julian: „Wie sagst du Nein zu den Dingen? Ich meine zum Beispiel, warum hast du nicht Nein gesagt, als ich dir eine E-Mail geschrieben und gefragt habe, ob du zu meinem Buch beitragen würdest? Wann sagst du zu etwas Nein? Wie trifft man diese Entscheidungen?"

Jim: „Weißt du, ich war auch einmal jung, und es gab Leute, die mir geholfen haben, und so versuche ich, so vielen anderen Leuten wie möglich zu helfen."

Julian: „Und wenn du Ja sagst, woher weißt du, dass du deine Zeit nicht auf dumme Art und Weise verbringst? Woher weißt du, dass du sie gegen Wert eintauschst?"

Jim: „Wenn Reporter wirklich dumme Fragen haben und die Antworten nicht verstehen bzw. einfach nicht verstehen, was sie tun oder nicht verstehen, was ich sage, dann rege ich mich manchmal auf. Normalerweise beende ich das Interview nicht sofort, aber vielleicht bin ich dabei dann nicht immer sehr höflich. Es passiert nicht so oft."

Julian: „Ich habe diese Interviews gesehen und sie bringen mich immer zum Lachen! Jim, du bist super berühmt dafür, jemand zu sein, der darauf warten kann, dass die Welle kommt und nicht selbst zu der Welle paddeln muss. Wie hältst du diese Geduld aufrecht? Wie kann man nicht auf all die Ablenkungen hereinfallen, wie kann man sich auf den langfristigen Timehorizon konzentrieren? Ich würde deinen Gedankenprozess hierfür sehr gerne verstehen. Siehst du wirklich nie fern, verfolgst du keine Nachrichten? Wie kannst du das ausblenden?"

Jim: „Ich habe keinen Fernseher, schon seit Jahrzehnten nicht mehr, also sehe ich wirklich nicht fern. Meine Kinder haben gelernt, auf ihren Computern fernzusehen, das tue ich sicherlich nicht. Ich weiß nicht, wie man auf seinem Computer Fernsehen schaut, aber sie tun es. Ich brauche es nicht. Ich weiß, dass Fernsehen im Grunde genommen Unterhaltung für Leute ist, die zu Gast in Fernsehsendungen kommen und versuchen, Zuschauer zu bekommen. Wie kommt man zu den Zuschauern? Man macht Unterhaltung! Ich finde Fernsehen nicht mehr nützlich für mich. Ich lese vor allem viel im Internet. Du kannst jetzt alles im Internet bekommen und so bin ich lieber selektiver und suche mir dort das heraus, was ich wissen muss oder lernen will. Heutzutage ist es sehr einfach, von überall aus online zu gehen, um etwas herauszufinden."

Julian: „Wie kann man sich im Internet nicht ablenken lassen? Ich kann mich erinnern, dass du nicht viel Zeit auf Social Media verbringst, oder?"

Jim: „Ich bin nicht mal auf Social Media vertreten. Den offiziellen Jim Rogers findest du nur auf www.jimrogers.com. Mein Anwalt hat versucht, all die gefälschten Online-Profile dazu zu bringen, klarzustellen, dass ihre Seite nicht der echte Jim Rogers ist. Ich bin auf keinem einzigen Social-Media-Kanal – gar keinem."

Julian: „Und wie gehst du mit E-Mails, WhatsApp-Nachrichten und so weiter um? Ich meine, du hast auf meine E-Mail sehr schnell reagiert, was mich beeindruckt hat. Bist du ein notorischer E-Mail-Checker? Bist du jemand, der jederzeit antwortet, oder war es nur Zufall, dass ich innerhalb von Minuten eine Antwort erhalte?"

Jim: „Ich erinnerte mich an dich, als wir uns das erste Mal trafen. Das war unter anderem ausschlaggebend. Manchmal bin ich langsam, manchmal bin ich schnell. Aber ich erinnerte mich daran, wer du bist, und du hast eine gute Nachricht geschrieben, also habe ich geantwortet."

Julian: „Und wie handhabst du es im Allgemeinen mit E-Mails? Es passiert mir durchaus, dass ich wirklich schlecht mit E-Mails umgehe. Da bekomme ich eine E-Mail und antworte sofort, obwohl ich weiß, dass ich nicht hätte reagieren sollen, weil ich mich auf andere Dinge hätte konzentrieren sollen wie z.B. auf die Arbeit, auf mein Business, auf das Schreiben, das Lesen oder das Studieren von etwas. Wie gehst du damit um?"

Jim: „Ich bin sicher, dass ich zu viel Zeit mit E-Mails verbringe. Ich bin nicht auf irgendwelchen Social-Media-Kanälen, also verbringe ich keine Zeit dort, aber ich bin sicher, dass ich mehr Zeit mit E-Mails verbringe, als ich sollte. Ich versuche, so viele wie möglich zu beantworten. Wenn die Leute interessiert genug sind, mir zu schreiben, sollte ich ihnen wahrscheinlich zurückschreiben, besonders wenn sie eine gute E-Mail verfasst haben."

Julian: „Nimmst du Urlaub und wenn ja, kannst du da wirklich abschalten? Oder läuft dein Gehirn ständig auf Hochtouren?"

Jim: „Nun, heutzutage, wenn man sein Handy mitnimmt, hat man immer eine Verbindung zur Außenwelt. Du weißt immer, was los ist. Ich nehme mein Handy immer mit, auch wenn ich mit meinen Kindern nach China, Russland oder wohin auch immer reise. So ist es für mich unmöglich, die Verbindung völlig zu trennen und mich abzukapseln. Ich schätze, ich könnte es, wenn ich mein Handy in den Ozean werfen würde. Ich nehme es aber immer mit."

Julian: „Du bist jemand, der einen extrem hohen Output hat. Deine Produktivität ist immens hoch. Wenn wir das mit Leuten vergleichen, die diese Art von Output nicht haben: Warum glaubst du, dass sie nicht diese Art von Produktivität in welchem Bereich auch immer

erreichen? Du schaffst es beim Investieren, sie könn
ten es bei etwas ganz anderem erreichen. Ich meine,
jeder hat 24 Stunden am Tag. Was unterscheidet dich
deiner Meinung nach von anderen Menschen?"

Jim: „Du musst mit anderen Leuten sprechen. Ich habe
gelernt, mit meiner Zeit effizient umzugehen, und ich
bin mir nicht sicher, wo ich das gelernt habe. Ich erinnere mich, dass ich das musste, als ich an der Universität war, weil ich nicht so klug war wie die anderen.
Also musste ich härter arbeiten als die anderen und
habe gelernt, dass ich Prioritäten setzen und Dinge
erledigen muss, um effizient zu sein.

Timehorizon ist dabei immens wichtig.

Wenn etwas getan werden muss, dann tu es,

beschwere dich nicht, lass dich nicht ablenken.

Mach es einfach!

Ich weiß, dass ich an der Universität diese Fähigkeit
bereits hatte, vielleicht hatte ich sie aber schon davor,
vielleicht schon von meinen Eltern."

Julian: „Das ist super interessant. Warum durch die
Uni? Weil du so viel zu tun hattest?"

Jim: „Ich war an einer Universität, wo alle anderen
viel besser vorbereitet waren als ich. Ich glaube, sie
haben mich mehr aus Versehen angenommen. Ich war
sicherlich nicht annähernd ähnlich gut vorbereitet gewesen. Ich bin zuvor zu einer sehr kleinen Schule im
Hinterland von Alabama gegangen und da hatte es

nicht viel Vorbereitung gegeben. Als ich zur Universität kam, fand ich dann heraus, dass alle anderen weit vor mir waren. Meine Uni war übrigens die Yale University, und zuvor hatte ich vor allen in meinem Dorf damit geprahlt: Ich gehe nach Yale. Niemand in diesem Teil der Welt hatte das jemals zuvor getan. Als ich dann jedoch dort ankam, stand ich unter Schock. Aber ich konnte nicht nach Hause gehen und sagen, dass ich versagt habe. Ich konnte nicht nach Hause gehen und mir eingestehen, dass ich es nicht durchgezogen habe. Also hatte ich keine andere Wahl, als zu arbeiten, arbeiten, arbeiten."

Julian: „Woher hast du diese harte Arbeitsmentalität? Von deinen Eltern? Oder hast du es selbst erlernt?"

Jim: „Ich habe vier Brüder und weiß, dass wir alle diese erstaunliche Arbeitsmoral und die Fähigkeit haben, viel härter zu arbeiten als die meisten anderen Menschen. Ich weiß, dass es von meinen Eltern kommt."

Julian: „Das ist wirklich schön. Ich denke, dass viele Leute, die dieses Buch lesen, entweder ihr eigenes Unternehmen gegründet haben oder es noch vorhaben. Sie müssen vielleicht zwischen der Familie, ihren eigenen Interessen und vielen weiteren Dingen balancieren. Was hättest du deinem jüngeren Ich zu diesem Zeitpunkt gesagt, als du 25 oder 30 Jahre alt warst und jetzt all diese Lebenserfahrung hast? Was wären die Lektionen? Welche Anleitung würdest du deinem jüngeren Ich geben?"

Jim: „Zuerst würde ich ihnen sagen, dass sie nicht heiraten sollten bis sie mindestens 28 Jahre alt sind, weil man nicht nur sich selbst zuerst kennenlernen muss, sondern auch das Leben kennen muss. Und das tun die meisten Menschen nicht, bis sie älter sind. Zweitens, wird die Ehe einer der großen Fehler sein, da die Ehe immer ein Vermögen kostet. Tue es nur, wenn du bereit bist. Stelle sicher, dass du dich zuerst selbst kennst und dich auf das konzentrierst, was du tust, und anschließend herausfindest, was du gerne tust und es dann auch tust. Einige finden ihre eigene Leidenschaft nie heraus und andere tun es einfach nicht, weil sie Angst vor ihren Freunden oder ihren Professoren haben, die dir sagen, dass etwas eine idiotische Sache ist. Je mehr Menschen über dich lachen, desto wahrscheinlicher ist es, dass du Recht hast. Und dann tu es. Aber heirate nicht zu früh."

Julian: „Hast noch einen weiteren Tipp? Irgendetwas aus dem Business? Prioritäten auf etwas zu konzentrieren oder ist das zu individuell?"

Jim: „Du hast es gerade gesagt. Wenn du einfach ein Unternehmen startest oder einen Beruf oder etwas anderes, stelle sicher, dass du dich wirklich darauf fokussierst. Lass dich nicht von irgendetwas oder irgendjemandem ablenken. Lass dich nicht von einem Ehepartner ablenken, lass dich nicht von Kindern ablenken. Konzentriere dich auf das, was du liebst und tue es. Es wird später genug Zeit und Geld geben, um andere Dinge zu tun. Wenn du zuerst deine Karriere oder dein Unternehmen aufbaust oder was auch immer du versuchst zu tun, dann gib einfach nicht auf. Gib nicht auf."

Julian: „Ich bin sicher, dass du in deinem Leben hunderttausende Male abgelenkt worden bist. Sticht irgendeine Sache besonders heraus? Wo du dir denkst „Ich hätte mich mehr darauf konzentrieren sollen" oder „Ich hätte es durchziehen sollen" oder „Das war ein schlechter Zug?""

Jim: „Ohja, meine erste Frau. Das war vielleicht ein Fehler!"

Julian: „Wegen der Ablenkung?"

Jim: „Allerdings. Sie sagte zum Beispiel: „Warum kaufen wir uns nicht ein Sofa?" Und ich dachte mir: „Warum stecken wir das Geld nicht in den Markt, dann können wir später einmal zehn Sofas haben?" Sie fühlte das nie so, sie war eher konsumorientiert, während ich langfristig gedacht habe. Ich wollte viel Geld verdienen. Ich wusste, um viel Geld zu verdienen, musste man investieren. Ich versuche meinen Kindern beizubringen, dass Geld gespart und investiert werden will. Die meisten Menschen denken, dass Geld ausgegeben werden soll. Ich hatte zum Zeitpunkt ihrer Geburt sechs Sparschweine. Ich hoffe also, ich habe ihnen gelehrt, dass Geld gespart und investiert werden soll und nicht ausgegeben werden darf."

Julian: „Wo hast du das alles gelernt?"

Jim: „Ich hatte meinen ersten Job, als ich fünf war. Ich weiß, es klingt absurd. Ich lebte in einer kleinen Stadt und die Leute achteten nicht allzu sehr auf solche Dinge, also arbeitete ich seitdem ich fünf bin.

Julian: „Und dann später, von wem hast du gelernt, zu wem hast du aufgeschaut? Besonders in deinen Zwanziger oder Dreißiger Jahren? Wer waren die Menschen, von denen du all das Wissen und die Inspiration oder die Werte bekommen hast, außer deinen Eltern?"

Jim: „Mehr oder weniger alleine. Ich meine, ich hatte eine Partnerschaft, aber es war sonst niemand im Raum. Mit der Sekretärin waren wir zu dritt. Wir waren zu dritt und hatten einen Haufen Geld, also mussten wir es tun. Es gab niemanden, den wir fragen konnten, und so mussten wir es einfach tun. Und so arbeiteten wir beide daran und hatten ein wenig Erfolg."

Julian: „Wie hast du es geschafft, nie den Fokus zu verlieren, den langfristigen Timehorizon im Auge zu behalten und kurzfristige Ablenkungen und verlockende Dinge loszuwerden, die links und rechts am Wegesrand lagen? Weil du wusstest, was du willst?"

Jim: „Ich wusste, was zu tun war. Ich war mir wirklich im Klaren darüber, was zu tun war. Das habe ich schon einmal gesagt. Ich habe früh gelernt, dass man alles, was getan werden muss, tun muss, und das war meine Leidenschaft. Das ist es, was ich liebe. Das ist es, was ich will, und ich wurde nicht zu sehr durch andere Dinge abgelenkt. Ich erinnere mich zum Beispiel einmal, es war der 4. Juli am späten Nachmittag, ein wichtiger Tag in den USA. Ein Freund von mir rief an und sagte: „Komm mit uns an den Strand." Und ich sagte: „Nein, ich habe eine Menge Dinge zu erledigen. Ich werde heute Abend für eine Weile hier sein." Und er sagte: „Oh mein Gott, du bist wirklich verrückt.

Komm und geh mit uns an den Strand. Es ist ein Feiertag... Und so weiter." Und ich sagte: „Tut mir leid, ich will nicht." Aber dann, weißt du, Jahre später, ging ich mit 37 Jahren in Rente und ich erinnere mich, dass er mich angerufen und gesagt hat: „Wie bitte – ich habe gehört, dass du mit 37 Jahren in Rente gegangen bist?" Ich konnte mir ganz genau vorstellen, wie er am Telefon aus dem Fenster zu dem Auto schaute, für das er bezahlen musste, und die Hypothek, die er abzahlen musste, und ich erinnerte mich an das Gespräch, das wir an diesem 4. Juli Jahre zuvor geführt hatten. Und ich sagte zu ihm: „Du solltest an den Strand gehen, anstatt in deinem Büro zu arbeiten."

Julian: „Wow, Jim. Ich würde gerne an einem so tollen Punkt enden. Das ist so eine schöne Geschichte. Ich denke, das fasst es wirklich, wirklich gut zusammen!"

Jim: "Okay, wenn du noch Fragen hast, ruf mich an."

Julian: "Jim, ich weiß deine Zeit wirklich zu schätzen. Die Leser werden das lieben. Ich danke dir vielmals. Grüß Paige von mir."

Jim: "Klar, bye bye!"

Reflektiere nach diesem Gespräch wirklich ausgiebig. Es hat einen Grund, warum Jim da ist, wo er ist. Sein Timehorizon ist einfach immens.

22.
VERTIEFUNGEN & WEITERE TIPPS

Prinzipiell stehen alle Grundlagen zu Timehorizon in diesem Buch. Es passen jedoch nicht alle Details zu den unterschiedlichsten Themen hier hinein, ohne das Buch nicht um ein Vielfaches anschwellen zu lassen. Noch dazu interessiert jemanden vielleicht eher ein ganz spezielles Thema, jemand anderes fühlt sich dadurch jedoch gelangweilt. Um hier den besten Mix aus allen Extremen zu bekommen, habe ich dieses Vertiefungskapitel mit detaillierteren Tipps zu den unterschiedlichen Punkten kreiert. In der Überschrift beschreibe ich immer kurz, worum es geht und was du erwarten kannst. Wenn dich ein Bereich nicht interessiert, überspringe den Absatz einfach und gehe zum nächsten weiter. Wenn dich ein Bereich ganz besonders interessiert, dann lies ihn dir im Detail durch und schau dir auch die weiterführenden Links dazu an.

Das Anti-Komfortzone-Programm:

Deine Hürden langfristig überwinden

Im Buch weise ich öfter auf diese Punkte hin. Selbstdisziplin ist schlussendlich die wichtigste Fähigkeit überhaupt, um Timehorizon auch gezielt umzusetzen. Wie oft befinden wir uns nämlich auf dem besten Weg, doch dann bringt uns eine kleine Unachtsamkeit komplett von der Bahn ab: Wir snacken, obwohl wir uns gesund ernähren wollen, wir vergeuden Zeit auf Social Media, obwohl wir uns auf unser Business fokussieren wollen, usw.

Falls du dich noch an das Telefonat mit meinem Mentor erinnern kannst, wo er mir von Ereignissen mit negativen und positiven Assoziationen erzählt hat, habe ich an dieser Stelle gesagt, dass ich dir später zeigen werde, wie man negative in positive Assoziationen verwandeln kann. Hast du dir zum Beispiel schon einmal die folgenden Fragen gestellt:

Warum liebst du Schokolade oder etwas anderes Ungesundes?

Warum boykottierst du eine Beziehung, wenn es eigentlich gerade so gut läuft?

Warum schaffst du es nicht, langfristig Geld zu sparen oder zu investieren?

Warum traust du dich nicht, dein eigenes Business zu starten? usw.

Die Antwort darauf liegt in unseren Emotionen, welche wir mit vergangenen Ereignissen assoziieren. Jetzt können wir einerseits neue positive Ereignisse für uns kreieren, was du ja bei Timehorizon machen solltest, doch oft muss man andererseits auch vergangene Ereignisse neu „umprogrammieren". Hier geht es dann um Dinge wie:

Anstatt dass man Angst „vor dem nicht gut genug sein" hat, programmiert man vergangene Erlebnisse, wo man vielleicht ausgelacht wurde oder etwas Falsches gesagt oder getan hat, in etwas Positives um.

Anstatt dass man eine Belohnung mit Rauchen oder Süßigkeiten assoziiert, programmiert man sich so um, dass man genau das gleiche Gefühl mit gesundem Gemüse, einem Glas Wasser, oder sonst etwas Konstruktivem assoziiert.

Anstatt dass man in seiner Beziehung stets Angst vor Eifersucht oder dem Verlassenwerden hat, programmiert man seine Emotionen so um, dass man selbstbewusst in einer Beziehung voller Vertrauen, Liebe und Leidenschaft lebt und diese nicht boykottiert.

Anstatt dass man fehlendes Selbstvertrauen besitzt, programmiert man sich so um, dass man genau weiß, wie großartig man ist, und dass man enormen Mehrwert an andere liefern kann.

Anstatt dass man Angst vor einem neuen Businessstart hat, programmiert man seine Emotionen so um, dass man das Risiko und den Nutzen ganz klar berechnen kann und sich mit voller Umsetzungskraft traut, das Neue zu starten, usw.

Glaub mir, als mir mein Mentor damals erzählt hat, dass dies alles möglich sei, dachte ich erst, das sei ein Witz. Doch durch zahlreiche Lektionen und Tipps, so wie hier mit Timehorizon, konnte ich das Undenkbare nicht nur bei mir, sondern bei vielen anderen Menschen ebenfalls umsetzen:

Ich brachte meine Sucht nach Süßem unter Kontrolle.

Ein Bekannter hörte so mit dem Rauchen auf.

Ein Freund baute damit sein Amazon-Business auf 1 Million Euro Gewinn pro Jahr aus.

Eine Bekannte konnte damit ihre Beziehung retten, obwohl sie diese schon abgeschrieben hatte.

Eine andere Bekannte konnte sogar ihrem Vergewaltiger vergeben und ein komplett neues Leben starten, usw.

Wie ist das möglich? Das Stichwort ist Emotionsveränderungstechnik (EVT): Eine Methode, welche ich durch das ganze Wissen aus Profisport, Medizin und zahlreicher Tipps meiner Mentoren entwickelt habe. Über fünf Hebel kann man so jederzeit kurzfristig und langfristig seine Emotionen verändern und damit ganz einfach Selbstdisziplin und Umsetzungskraft aufbauen. Plötzlich werden Dinge dann ganz einfach, umzusetzen, denn anstatt, dass man destruktive Emotionen mit etwas verbindet, wird es extrem konstruktiv:

Die Schokolade ist nicht mehr lecker, sondern eklig.

Beim Partner stören einen Dinge nicht mehr, sondern man lernt ihn/sie so zu lieben, wie er/sie ist.

Im Business hat man keine ungerechtfertigten Ängste mehr, sondern ist selbstbewusst und voller Selbstvertrauen.

Beim Investieren verliert man kein Geld mehr aufgrund von FOMO, sondern schafft es, nachhaltig und langfristig zu investieren.

Sorgen oder Ängsten kann man rational in die Augen schauen und man erkennt, welchen Schaden sie anrichten, usw.

All dies hat natürlich massive positive Auswirkungen auf deine Gesundheit, Beziehungen, Finanzen, dein Business, u.v.m. Viele dieser Dinge sind jedoch nicht ganz so leicht in Buchform darzustellen. Man muss sie selbst sehen oder – noch besser – miterleben. Genau deshalb, habe ich zusammen mit einigen Partnern das Anti-Komfortzone-Programm kreiert, wo du all diese Punkte angehst. In Text-, Audio- und Videoform starten wir zuerst ganz detailliert in das Verstehen all dieser Dingen (WARUM). Wir gehen zahlreiche Beispiele durch und basieren dies immer auf medizinischen Daten und Fakten. Danach überlegen wir uns genau, welche Dinge (WAS) du bei dir gerne ändern möchtest. Mittlerweile haben weit über 10.000 Menschen dieses Programm durchgemacht und die gewünschten Dinge reichen unter anderem von Finanzthemen, über Beziehungsthemen, mehr Selbstbewusstsein, mehr Fitness, bessere Finanzen bis hin zu mehr Glücksgefühl. Daran orientiert, bekommst du einen genauen Plan, WIE du dies nun angehst und gemeinsam mit Timehorizon und Emotionsveränderungstechnik (EVT) binnen 12 Wochen erfolgreich umsetzt.

Diese EVT bei mir selbst angewandt, hat mir wahrscheinlich schon Millionen Euro beim Investieren gebracht, dutzende Millionen Euro im Business, meine Beziehung auf die leidenschaftliche Ebene gehoben, auf der sie heute ist, mir erlaubt, einen Marathon zu laufen und meine Ernährung so umgestellt, dass ich

zum puren Energiebündel wurde. Falls du ehrlicher-
weise zugeben musst, dass du auch gerne solche Dinge hast, dir es jedoch manchmal an Selbstdisziplin
oder Umsetzungskraft gemangelt hat, dann kann
ich dir dieses **Anti-Komfortzone-Programm** uneingeschränkt empfehlen:

www.i-unlimited.de/antikomfortzone

Falls du das Ganze lieber komprimiert an einem Wochenende gemeinsam mit mir in Person erleben willst
und zusätzlich die einzigartige Grenzenlos-Erfolg-
reich-Eskalation mitmachen willst, dann komm doch
zum **Grenzenlos-Erfolgreich-Wochenenderlebnis**:

www.i-unlimited.de/events

Das Erlebnis dort gemeinsam mit anderen Menschen in einer intimen motivierenden Gruppe wird dein Leben für immer positiv verändern. Ich selbst habe auf solchen Events viele meiner Mentoren und sogar meinen Trauzeugen getroffen. Sie lohnen sich also absolut! Achtung: Bei diesen Erlebnissen sind die Plätze meist schnell vergriffen, da wir nur eine limitierte Platzanzahl anbieten können.

Mein persönlicher Tipp, denn genau so wurde das konzipiert, ist: Mach das Anti-Komfortzone-Programm sofort durch und komme schon vorbereitet zum Event. So holst du aus allem noch mehr heraus.

ETF-Sparplan

Ich habe den ETF-Sparplan im Finanz Special angesprochen. Der Grund, warum ich einen solchen für mich nutze, ist eine Wette von Warren Buffett gegen einen anderen erfolgreichen Fondsmanager. Buffett behauptete, dass ein simpler ETF-Sparplan, so wie ihn jeder Anleger nutzen könnte, den Fondsmanager auf zehn Jahre schlagen würde. Nicht nur hätten Investoren so deutlich mehr Rendite, auch hätten sie vernachlässigbare Kosten. Der Fondsmanager ging die Wette ein und verlor haushoch. Selbst Buffett, einer der besten Investoren weltweit, konnte den ETF-Sparplan kaum schlagen.

Wie kann das sein?

Der größte Feind beim Investieren sind unsere

eigenen Emotionen. Vielleicht kannst du dich selbst daran erinnern, dass du gerade dann gekauft hast, wenn etwas genau danach gecrasht ist, und dann jedoch wieder verkauft hast, wenn es danach eigentlich gestiegen wäre. Das passiert aufgrund unserer Ängsten. Selbst die besten der besten Investoren tappen in diese Emotionsfalle – wir Privatanleger machen dies noch viel stärker und ein ETF-Sparplan schaltet diese eben aus.

Ein ETF-Sparplan passt sich automatisch an die größten und besten Aktien bzw. Anleihen an. So braucht man selbst diese Recherche nicht machen und fällt nicht auf irgendwelche gehypeten Firmen rein, welche eigentlich nichts können.

Ein ETF-Sparplan nutzt den Dollar-Cost-Average-Effekt. Hierbei investiert der Plan automatisch ein wenig mehr, wenn Preise niedrig sind und investiert weniger, wenn Preise hoch sind. So erhält man als Anleger bessere Kaufkurse und macht mehr Gewinn.

Bei einem ETF Sparplan braucht man wirklich keine Zeit verwenden, um ihn zu managen. Ganz im Gegenteil: Je weniger man sich darum kümmert und stattdessen einfach sein Geld arbeiten lässt, desto besser funktioniert er. Genau deshalb nutze ich ihn ja auch: Passives Einkommen!

ETF-Sparpläne können jedoch leider relativ komplex zum Aufsetzen sein. Erstens muss man sich für eine Plattform entscheiden und sich danach aus tausenden von ETF-Sparplänen ein paar gute aussuchen. Mich hat das damals ziemlich überfordert. Ich wollte eine getestete Strategie haben, wo ich ohne viel Zeit eine optimale Rendite erwirtschaften konnte. Ein Kollege bot mir dann an, nachweislich zu zeigen, wie gut ein bestimmter Plan wäre, diesen genau für mich zu konstruieren und danach meinen Lesern ebenfalls anzubieten. Daraus entstand der **ETF-Sparplan**.

Wenn ich über all die Jahre zurückblicke, so habe ich durch diesen ETF Sparplan zehntausende Euros verdient, ohne eine einzige Minute dafür eingetauscht haben zu müssen. Der Plan wird automatisch geupdatet, und in einer speziellen Gruppe wird dir bei Fragen geholfen. So investiert man so sicher wie möglich in Aktien, Anleihen und Rohstoffe, ohne sich mit all den Dingen im Detail beschäftigen zu müssen. Das Geld gehört immer dir und du kannst die ETFs auch jederzeit verkaufen, falls du das Geld bräuchtest. Ich kann dir daher den Plan uneingeschränkt empfehlen:

www.i-unlimited.de/etf

Achtung Bonus: Im ETF-Sparplan findest du auch ein Special zu Peer-to-Peer-Lending – etwas, das ich besonders cool finde und auch im Finanz Special kurz beschrieben habe.

Kryptowährungen & Blockchain

Kryptowährungen und Blockchain haben einen besonderen Stellenwert in meinem Herzen. Nicht nur weil ich ziemlich genau zur selben Zeit wie bei dem Gespräch mit meinem Mentor zu Timehorizon auf diese neuen Technologien gestoßen bin, sondern auch weil ihnen seitdem mein Hauptfokus im Business und beim Investieren galt. Doch genauso wie man mit Kryptowährungen sehr viel Geld machen kann, kann man natürlich auch viel damit verlieren – das haben viele Menschen 2018 schmerzhaft miterleben müssen, weil sie nicht auf ein paar Grundkonzepte in der Blockchainwelt geachtet haben, welche ihnen dann viel Geld gekostet haben. Mit den richtigen Strategien und Herangehensweisen, hätte man sein Geld im Kryptobereich über die letzten Jahre recht einfach verhundertfachen können, und ich denke, dass das gerade über die nächsten Jahre auch wieder möglich sein wird. Die richtige Strategie und Taktik sind hier aber absolut essenziell:

Die Kryptowährungsbranche lebt von viel Hype. Recherchiere daher sorgfältig, welche Coins gut sind und welche schlecht.

Achte darauf, dass du die Coins nur bei seriösen Exchanges kaufst.

Kontrolliere deine Coins wann immer es dir möglich ist über eine Hardware-Wallet.

Lass dich durch Medien und Presse nicht verunsichern.

Denke an Timehorizon – wenn du das schnelle Geld machen willst, verlierst du oft am allermeisten.

Hin und her, macht Taschen leer – Daytrading klingt meist gut, bringt aber nur den Wenigsten etwas.

Jeden Tag erreichen mich daher E-Mails wie:

Wie kann ich im Kryptobereich starten?

Welche Coins kaufst du Julian?

Wo kaufst du Kryptowährungen?

Wo sicherst du deine Kryptowährungen?

Wann verkaufst du? usw.

Nachdem sich diese Dinge bei mir so rasch ändern wie der Markt selbst, habe ich gemeinsam mit meinem Team ein #Cryptofit-Zertifikat kreiert. Dort findest du all die Antworten, welche ich immer absolut aktuell halte:

Was sind die Basisinformationen zu Kryptowährungen?

Wie sieht aktuell mein Portfolio aus?

Welche Exchange ist sicher?

Welche Hardware-Wallet nutze ich?

Was sind meiner Ansicht nach die besten Coins derzeit?

Wann steht der Markt meiner Ansicht nach tief und wann hoch? u.v.m.

All dies hat mir bisher wortwörtlich eine Verhundertfachung meines Kapitals gebracht, was Millionen an Euros sind. Ich habe dies dort sogar transparent dokumentiert. Neben dem ganzen Wissen bekommst du dann auch noch ein Zertifikat als Bestätigung, dass du wirklich #Cryptofit bist – Fit für diese ganze Welt der Kryptowährungen. Dies hilft dir in Zukunft sicher, wenn Arbeitgeber oder Geschäftspartner wissen wollen, ob du dich mit diesen neuen digitalen Währungen auskennst. Mittlerweile haben wir über hunderttausende Leute auf der ganzen Welt, welche sich als #Cryptofit bezeichnen können, und ich hoffe, du nimmst in diesem Movement ebenfalls teil. Hier findest du alle Informationen:

www.cryptofit.de/bitcoinakademie

Falls du dich eher für alle anderen Blockchainapplikationen als Kryptowährungen interessierst, bzw. gar nicht genau weißt, was eine Blockchain ist, dann solltest du jetzt genau aufpassen:

Blockchain wird die Welt genauso verändern, wie es

das Internet bereits schon getan hat.

Dutzende Industrien werden durch Blockchain zugrunde gehen und komplett neue erschaffen werden.

Blockchain bietet gerade als Unternehmer immense Chancen und Möglichkeiten.

Genau deshalb habe ich einen speziellen Blockchain-Workshop kreiert, welcher hier in die Tiefe geht und wo du all diese Dinge nicht nur zu verstehen lernst, sondern sie auch umsetzen kannst:

Wie funktioniert eine Blockchain?

Was ist Kryptographie?

Was sind die Killerapplikationen und wo sollte ich anfangen?

Welcher Bereich ist als Unternehmer interessant? u.v.m.

Blockchain wird mindestens genauso viele Millionäre kreieren, wie es das Internet rund um Social Media etc. ebenfalls gemacht hat. Wenn du dir hier ein Stück vom Kuchen holen willst, dann nutze diese Vertiefung hier:

www.cryptofit.de/blockchainakademie

Businessstart & Businessaufbau

Zu allerletzt möchte ich noch einen Bereich besprechen, auf welchen ich ganz oft angesprochen werde:

Wie starte ich mein Business?

Wie finde ich die ersten Kunden?

Wie kreiere ich mein erstes Produkt, den sogenannten MVP (Minimal Viable Prototype)?

Wie finde ich Investoren?

Wie finde ich Co-Founder? usw.

All dies ist absolut essenziell zu verstehen, wenn du an deinen Timehorizon-Legacy-Zielen arbeiten willst. Im letzten Jahrzehnt konnte ich enorm viel Erfahrung im Business-Bereich sammeln. Ich habe nicht nur ein eigenes Startup mit knapp 100 Mitarbeitern aufgebaut, knapp 100 Millionen US-Dollar an Investorengelder bekommen und Kunden auf der ganzen Welt geworben, sondern bin auch Berater und Board-Mitglied bei zahlreichen anderen Firmen geworden, was mir zu einer enormen Erfahrung geholfen hat.

All dieses Wissen habe ich in eine Videoserie gepackt, welche „Zero to M.V.P." heißt. Darin geht es genau darum, die obenstehenden Fragen zu beantworten. Wir behandeln, wie du deine erste Million an Funding bekommst, deine ersten Kunden findest, Teammitglieder an Bord holst, usw. Eben: von nichts zum ersten Produkt (MVP). Hier kannst du es nutzen:

www.i-unlimited.de/mvp

Ich hoffe, diese Vertiefungen und weiteren Tipps helfen dir, genau wie sie mir geholfen haben, das Leben deiner Träume zu kreieren! Ganz viel Spaß damit. Falls du sonst noch Fragen hast, schreib am besten in unsere Facebook-Gruppe:

www.facebook.com/groups/grenzenloserfolgreich

23.
SETZE TIMEHORIZON UM

Im Unternehmertum gibt es einen wichtigen Spruch:

> *Gute Ideen gibt es wie wertlosen Sand am Meer.*
>
> *Was jedoch Gold wert ist, ist deren Umsetzung!*

Wissen ist also nur potenzielle Macht. Wenn du somit bis hierhin gekommen bist, aber das Gelernte nicht umsetzt, ist es, als hättest du es nie gelernt. Timehorizon hat mein Leben verändert und ich hoffe, es tut das bei dir auch. Du hast nun dieselben machtvollen Werkzeuge in der Hand. Ich wünsche mir, dass du sie nicht nur für dich einsetzt, sondern auch an diejenigen Mitmenschen weitergibst, die dir wichtig sind. Das bist du nicht nur mir, sondern auch meinem Mentor schuldig!

Wie bei vielen neuen Dingen ist oft gerade der Anfang ein wenig frustrierend. Man ist Abläufe nicht gewohnt und tendiert dazu, in alte Muster zu fallen. Gerade hier musst du dich immer wieder dran erinnern, was die wirklich wichtigen Dinge im Leben sind und warum du jetzt gerade ein Opfer bringen willst – damit du eben ein wirklich erfülltes und glückliches Leben lebst, und nicht nach den Strukturen oder Maßstäben anderer Menschen. Die harten Dinge sind es eben ganz besonders wert, umgesetzt zu werden. Die einfachen Dinge schafft schlussendlich jeder. Wenn du das aufregende Business, die Million Euro, die erfüllende Beziehung oder den Beachbody willst, mit richtigem Timehorizon erreichst du diese Dinge garantiert.

Ich möchte dir hier zum Schluss eine Geschichte über eine Teilnehmerin erzählen, welche mir als Speaker bei einem meiner Workshops passiert ist. Ich hatte damals bereits das gesamte Wissen zu Timehorizon und sie bot mir ein großartiges Beispiel dessen, welche Dinge bei Timehorizon zur Frustration werden können. Sie hatte „zwei Kinder" auf ihre Bucketlist geschrieben und genau beschrieben, wie die Kinder sein sollten und dass der Junge zuerst und das Mädchen danach auf die Welt kommen sollten. Obwohl dies eigentlich ein tolles Ziel auf der Bucketlist war, sah sie verzweifelt aus.

Also ging ich auf sie zu und fragte: „Was ist denn das Traurige an diesem schönen Traum?"

Sie wandte ihren Blick ab.

„Weiß denn dein Partner bereits von diesen Plänen?", fuhr ich also fort.

Ihr Blick kam wieder nach oben und verlegen antwortete sie: „Ich habe noch keinen Partner."

So forschte ich weiter: „Wichtig ist natürlich zuerst einmal, das Endziel zu kennen. Das hast du super gemacht. Nun müssen wir an der Umsetzung arbeiten. Ich will daher nicht unhöflich sein, doch um Timehorizon hier wirklich anwenden zu können, muss ich wissen, wie alt du bist. Du kannst es mir auch geheim auf einen Zettel schreiben und ich vergesse es sofort wieder." Durch ein bisschen Humor, wollte ich die Situation auflockern.

Sie wurde leicht rot im Gesicht und antwortete leise: „Ist schon okay. Ich bin 41 Jahre alt."

Man hatte ihr das wirklich nicht angesehen und ich hätte sie eher auf Anfang 30 geschätzt. Als Arzt wollte ich trotzdem von ihr wissen: „Dir sind die medizinischen Herausforderungen und Risiken einer Schwangerschaft über 40 bekannt, oder?"

Sie nickte nur und schwieg. Zoomen wir hier kurz heraus und überlegen uns ein paar Unterschiede, welche ich damals durch Zufall (wirklich nicht durch bewusstes Können) bei der Bucketlist mit meinem Mentor richtig gemacht und welche die Teilnehmerin nun falsch gemacht hatte. Wir beide hatten korrekterweise mit dem „Was" bei Timehorizon angefangen, doch der Unterschied war:

> *Fokussiere dich immer auf Dinge,*
> *welche du selbst beeinflussen kannst!*

Ich blickte die Teilnehmerin freundlich an und wusste, dass ich jetzt auf keinen Fall belehrend werden durfte. Genau dies waren meine Mentoren ebenfalls nie, denn nur so kam man selbstständig zur Einsicht.

Also erkundigte ich mich: „Kennst du den folgenden Spruch:

> *Gib mir die Gelassenheit, Dinge*
> *hinzunehmen, die ich nicht ändern kann,*
> *den Mut, Dinge zu ändern,*
> *die ich ändern kann,*
> *und die Weisheit, das eine vom*
> *anderen zu unterscheiden.“*

Sie nickte – immer noch, ohne einen Laut von sich zu geben.

„Was könnte das für deine Bucketlist bedeuten?“, hakte ich nach. Ich bemerkte, wie bei ihr ein wenig Erkenntnis über das Problem eintrat. Sie konnte von ihrem Ziel ein paar Faktoren wie Partner oder Kinderreihenfolge unmöglich beeinflussen. Anstatt sich auf Dinge zu konzentrieren, an denen sie wirklich arbeiten konnte, wurde sie traurig, weil sie auf Dinge hoffen musste, welche nur durch Zufall oder Glück in Erfüllung gehen würden. Dies ist kein gutes Rezept für Erfolg im Leben. Sie stellte natürlich keinen Einzelfall dar, sondern eher die Regel. Viel zu viele Menschen fokussierten sich auf nicht beeinflussbare Dinge wie Wetter, Vergangenheit oder Meinungen anderer Menschen. Man endet hier meist nur voller Enttäuschung.

Ihre Augen begannen zu tränen. „Ich wünsche mir seit Jahren einen Partner, doch ich habe noch nicht den richtigen für den Vater meiner Kinder gefunden", schluchzte sie.

„Was ist dir wichtiger, der Partner oder die Kinder?" wollte ich wissen.

Verdutzt schaute sie mich an: „Wie soll ich denn Kinder ohne Partner haben?"

„Naja, du könntest auch auf eine künstliche Befruchtung zurückgreifen! Dann könntest du sogar die Kinderreihenfolge wählen", schlug ich vor.

„Nein, das ist nicht das, was ich will!" antwortete sie. „Ich will Kinder auf natürliche Art und Weise."

Zoomen wir wieder aus diesem Beispiel heraus:

**Das Ziel zu kennen, ist enorm wichtig,
doch das richtige Ziel zu kennen,
noch viel wichtiger.**

Bei ihr wurde relativ rasch klar, dass es ihr nicht nur um zwei Kinder ging, sondern definitiv um andere Dinge darüber hinaus. Kennt man sein Ziel, ist man bereit, nicht nur stur einen einzigen Weg zu gehen, sondern sich flexibel um Hindernisse herumzuarbeiten. Das wollte sie jedoch vorerst offensichtlich noch nicht. Sie hatte eine viel zu strukturierte Vorstellung von ihrer Zukunft, was ihr einerseits nicht erlaubte, diese Übung korrekt umzusetzen und ihr andererseits Angst machte. Was also tun? Ich durfte auf keinen Fall belehrend werden, sondern musste eine Taktik anwenden, welche ich in der Medizin bei Patientengesprächen gelernt hatte: Fragen stellen.

„Was willst du denn wirklich?", hakte ich also nach. „Nur die zwei Kinder sind es ja offensichtlich nicht!"

„Ich will eine glückliche Familie mit Mann und Frau und zwei Kindern", brachte sie hervor, nun nicht mehr mit ein paar Tränen, sondern voll im Heulen. Es wurde ihr ein Taschentuch gereicht und ich wartete kurz, bis sie sich beruhigt hatte.

„Darf ich dir eine Geschichte erzählen, welche mir selbst einmal ein Mentor erzählt hat?" Ich bat immer um Erlaubnis, wenn ich eine Lektion geben wollte. Dies hatte ich von meinem Mentor gelernt. Nur so ist man offen, etwas zu lernen und nicht sofort die Barrikaden hochzufahren. Sie nickte hoffnungsvoll.

Also begann ich: „Stell dir vor, du fährst mit dem Auto und du willst an ein ganz bestimmtes Ziel. Du willst unbedingt dorthin, nirgendwo anders." Ich pausierte kurz und wartete auf ihr Kopfnicken, damit ich wusste, dass sie meinen Gedanken folgte. „Nun stell dir vor, es ist eine Straßensperre und du kommst nicht weiter. Was machst du?" Ich blickte sie fragend an.

Sie hatte eine komplexere Geschichte mit tiefer Moral erwartet, doch den Moment der Überraschung wollte ich nutzen, um sie aus ihrem traurigen Gemütszustand herauszuholen. „Dann nehme ich einen anderen Weg!", erwiderte sie ein wenig mehr erfreut. Sie wusste, es war eine der Lektionen des Workshops, dass man immer einen Weg finden oder kreieren müsste, wenn man erfolgreich werden wollte.

Ich lächelte und konterte: „Was wäre die andere Möglichkeit?"

Nun war sie verwirrt, doch es kam immer mehr Freude in ihre Stimme: „Keine Ahnung – es gibt keine andere Möglichkeit! Wenn ich an mein Ziel will, dann gebe ich nicht auf", erklärte sie bestimmt.

„Da stimme ich dir teilweise zu, denn man soll immer einen Weg finden, doch… du könntest auch das Ziel ändern." Ich wartete kurz, damit es ihr klar wurde. „Du kannst entweder einen anderen Weg nehmen oder dein Ziel ändern, aber wenn du weder das eine, noch das andere tust, wirst du irgendwann durch das Hindernis depressiv, weil du dich nun mitten auf dem Weg befindest und nicht mehr weißt, wie es weiter geht."

Ich bemerkte, wie sie begann, die Parabel zu verstehen. Sie stand gerade mit ihrem Ziel zu den zwei Kindern vor einem Hindernis (kein Mann und sie will die Kinder in ihrer gewünschten Reihenfolge), war jedoch weder bereit, einen anderen Weg zu gehen (zum Beispiel künstliche Befruchtung etc.), noch flexibel mit ihrem Ziel zu sein. Dies hatte eine immense Frustration in ihr ausgelöst und war der Grund dafür, warum sie zum Workshop gekommen war. Ich musste ihr das nun nicht weiter erklären. Sie hatte es sich durch die Fragen und die Geschichte selbst vor Augen geführt.

„Was soll ich nun tun?", wollte sie wissen.

„Naja, das ist ganz einfach. Erstens, kann ich keine Entscheidung für dich treffen!", erklärte ich ihr, „und zweitens, musst du dich fragen, was du wirklich willst und wie flexibel du bist, um um Hindernisse herum zu manövrieren. Wenn du das nicht machst, wirst du keines der Ziele erreichen und am Ende traurig dasitzen!"

Sie hatte erwartet, dass ich ihr empfehlen würde, was richtig und was falsch war, doch dies konnte ich nicht, denn ich war ja nicht sie. Mein Mentor hatte dies auch nie bei mir gemacht und ich hätte das auch nicht gewollt. Doch ich wusste, dass sie über den Ablauf des Grenzenlos-Erfolgreich-Erlebnisses hinaus, welchen wir in diesem Buch auch teilweise besprochen haben, die Antwort finden würde. Sie hatte diese dann auch gefunden und entschloss, dass sie flexibler mit der Partnersuche und der Kinderreihenfolge sein würde. Später entschied sie sich sogar dafür, ein paar ihrer Eizellen einfrieren zu lassen, sodass sie trotzdem leibliche Kinder bekommen könnte, selbst wenn eine natürliche Schwangerschaft nicht mehr möglich wäre. Sie hatte ihr Problem gelöst, indem sie mit dem „Was" gestartet war und sich dann ein paar simple Fragen gestellt hatte, ohne noch zu detailliert in das „Wie" zu rutschen. Man darf also bei der Bucketlist bloß nicht den Fehler machen, sich zu sehr auf Dinge zu versteifen, welche man nicht selbst beeinflussen kann und bei denen man keine Flexibilität mitbringt, wie man schlussendlich dorthin gelangt. Sonst frustriert eine Bucketlist mehr, als sie einem wirklich hilft.

Genau diesen Punkt, möchte ich, dass du zum Schluss noch mitnimmst: Flexibilität ist eben heutzutage enorm wichtig, sonst hilft dir all der Timehorizon in deinem Leben nichts.

5 Punkte noch zum Schluss:

Arbeite wirklich die Punkte aus dem Arbeitsbuch durch. Sie sind praktisch derselbe Gedankenablauf, welchen ich damals auch mit meinem Mentor abgearbeitet habe. Hier ist noch einmal der Link, falls du geschummelt und es nicht durchgezogen hast:

www.i-unlimited.de/timehorizon/arbeitsbuch

Das **Anti-Komfortzone-Programm** stellt die optimale Fortsetzung zu diesem Buch dar, wo du viele weiterführende Inhalte mit interaktiven Videos bekommst. Schau es dir im Vertiefungskapitel genau an.

Wenn du Wert aus diesem Buch bekommen hast, empfehle es an **eine oder zwei Personen** weiter, welche dies unbedingt ebenfalls lesen sollten. Denke daran, dass wahre Freude darin besteht, wenn du anderen hilfst – sie werden es dir danken!

Wer in deinem Bekanntenkreis hat oft Herausforderungen mit seiner/ihrer Zeit?

Wer bräuchte ein wenig mehr Motivation?

Wer hat Probleme mit Work-Life-Balance?

Wem mangelt es gerade an Zeitmanagement?

Wer steht enorm unter Stress und kommt nicht weiter?

Schicke ihnen den Link zum Buch:

http://geni.us/timehorizon

Du kannst diesen Menschen damit das Leben ihrer Träume ermöglichen:

Als allerletztes, würde ich dich bitten, dass du mir Feedback zum Buch gibst. Am besten direkt auf http://geni.us/timehorizon_rezension, denn das lesen sich die meisten Menschen durch.

Alternativ auch gerne in unserer Facebook-Gruppe: www.facebook.com/groups/grenzenloserfolgreich

Was hat dir ganz besonders gefallen?

Was hast du aus dem Programm besonders bekommen?

Welche Resultate konntest du erzielen?

Für wen ist dieses Programm besonders geeignet?

Falls du noch nicht mit mir auf Social Media verbunden bist, dann tu das jetzt – dort poste ich oft über Konzepte zu Timehorizon und du weißt ja: Du bist der Durchschnitt der Menschen, mit denen du dich am meisten assoziierst.

Facebook: www.facebook.com/julianhosp

Twitter: www.twitter.com/julianhosp

LinkedIn: www.linkedin.com/in/julianhosp

YouTube: www.youtube.com/julianhosp

Instagram: www.instagram.com/julianhosp

Wenn mich Menschen fragen, worin ich meine ultimative Motivation im Leben sehe, antworte ich: „Es geht darum, Optionen zu schaffen, nicht nur für mich selbst, sondern auch für andere." Optionen zu haben, ist für mich gleichbedeutend mit persönlicher Unabhängigkeit. Timehorizon bringt Menschen Optionen und diese wünsche ich dir, egal ob als Gesundheit, Liebe oder Reichtum – hoffentlich bekommst du alles und noch viel mehr darüber hinaus!

Somit wünsche ich dir ganz viel Erfolg bei all deinem Tun und hoffe, dich irgendwann, irgendwo mal persönlich zu treffen oder zumindest von dir auf Social Media zu hören.

Sei weiterhin so großartig und rocke diese Welt!

Dein Julian

ÜBER DEN AUTOR

Dr. Julian Hosp, Jahrgang 1986, ist Profisportler, Arzt, Unternehmer, Blockchainexperte, Speaker und Bestsellerautor.

Nach seiner High-School-Zeit in Nashville, Tennessee, USA verfolgte er sein Medizinstudium in Innsbruck. Währenddessen war Julian fast zehn Jahre lang Profi-Kitesurfer und gehörte zu den Top 10 der Welt. 2011 schrieb er das Nr. 1 Fachliteraturbuch namens Kite-Trickionary. Nach dem Medizinabschluss wollte er eigentlich Unfallchirurg werden, doch nachdem er das Leben im Krankenhaus kurz angetestet hatte, entschloss er sich, seinen unternehmerischen Träumen nachzugehen. 2015 veröffentlichte er seine damaligen Erlebnisse mit dem Bestseller 25 Geschichten für mein Jüngeres Ich, gefolgt von Grenzenlos Erfolgreich im Jahr 2016.

2015 wurde er Mitgründer eines in Singapur ansässigen FinTech-Startups, bei welchem er nach vier Jahren entschloss, auszusteigen, nachdem er für knapp 100 Millionen US-Dollar Funding und 100 Mitarbeiter verantwortlich gewesen war. Julian wurde außerdem zu einem der besten Blockchain- und Kryptowährungsexperten der Welt ernannt. Er ist ein häufig eingeladener Keynote-Speaker bei Veranstaltungen auf der ganzen Welt und ein regelmäßiger Gast im Fernsehen, Radio und Print zu Themen wie aktuelle Blockchain-Trends, die Zukunft von Kryptowährungen und Unternehmertum.

Er lebt heute mit seiner Frau Bettina in Singapur, ist jedoch viel für geschäftliche und teilweise private Zwecke auf der ganzen Welt unterwegs. Alle Updates und weitere Informationen findet man auf seiner Webseite und den gängigsten Social-Media-Kanälen:

www.julianhosp.com

WEITERE LITERATUR

BLOCKCHAIN 2.0 – MEHR ALS NUR BITCOIN

http://geni.us/blockchain_einfach

Was wäre, wenn deine Daten absolut sicher und unhackbar gespeichert werden könnten?

Mittlerweile sind »Bitcoin« und »Kryptowährungen« in aller Munde – doch hinter dem Begriff Blockchain steckt weitaus mehr. So sind Datenschutz, Tokenisierung, Smart-Contracts und Besitz nur einige ihrer Anwendungsbereiche. Dieses Buch beinhaltet alles zu den Möglichkeiten, Potenzialen und Gefahren dezentraler Anwendungen.

Dieses Buch ist sowohl für Einsteiger als auch Fortgeschrittene geeignet.

KRYPTOWÄHRUNGEN EINFACH ERKLÄRT

http://geni.us/krypto_einfach

Bitcoins, Blockchain und Kryptowährungen begegnen uns nahezu täglich in den Medien, doch was steckt eigentlich hinter all diesen Buzz-Words? Wer sich kundig machen will, steht sofort vor der größten Herausforderung, nämlich der Frage: „Wo fange ich überhaupt an?" Dieser Spiegel-Bestseller hat sich nun über 100.000 Mal in 15 Sprachen weltweit verkauft.

Dieser Bestseller fasst das grundlegende Wissen zum Thema digitale Währungen für Einsteiger kompakt zusammen – über Blockchain bis hin zu ICOs.

GRENZENLOS ERFOLGREICH

http://geni.us/grenzenlos

Höher, schneller, größer, weiter – das fordert unsere Gesellschaft. Wer kümmert sich bei solch hohen Anforderungen darum, dass DU vollkommene Zufriedenheit, absolutes Glück und ultimativen Erfolg erlebst?

Begib dich mit Dr. Julian Hosp, auf den Weg zu deinem grenzenlosen Erfolg! Du lernst aus erster Hand von seinen Erfahrungen als Arzt, Profi-Kitesurfer, Blockchain-Experte und Top-Unternehmer.

Dieses 30-Tage-Programm bringt dich in den Bereichen Beziehung, Gesundheit, Finanzen, Business und Lernen auf das übernächste Level.

Bist du bereit, dein Leben für immer nachhaltig zu verändern? Dann starte JETZT!

25 GESCHICHTEN FÜR MEIN JÜNGERES ICH

http://geni.us/25geschichten

Fühlst du dich gerade ein wenig verloren und suchst nach neuer Inspiration?

Wolltest du schon immer die absolute Motivation in deinem Leben finden?

Lernst du besonders gut durch aufregende reale Erlebnisse erfolgreicher Leute?

In diesem Top-Bestseller beschreibt Spiegel-Bestseller-Autor Dr. Julian Hosp in 25 aufmunternden, inspirierenden aber auch schockierenden Geschichten aus seinem Leben, wie er Antworten auf all diese Fragen gefunden hat und welche 75 essenziellen Lektionen er einem Jüngeren Ich heute noch einmal geben würde, um deutlich rascher ans Ziel zu gelangen.